U0012008

朱爾・高貝特潘（Jules Gaubert-Turpin）
亞德里安・碧昂奇（Adrien Grant Smith Bianchi）
查理・加羅斯（Charlie Garros）

法國
葡萄酒地圖

La routes des vins s'il vous plaît

L'Atlas des Vignobles Français

愛酒人最想探究的法國15大經典產區，
85張地圖、2,600年的釀酒史、品種與土壤分析，
循序漸進走上引人入勝的法國葡萄酒之路！

積木文化

「葡萄酒的魔力在於，沒有兩瓶酒嘗起來會一模一樣。」

英國飲食作家愛德華．邦亞德（Edward Bunyard, 1878–1939）

目次

6 作者群
7 前言
8 讀懂地圖的重點訣竅
9 法國葡萄酒地圖全貌

隆格多克－胡西雍 12

14 隆格多克的葡萄品種

17 聖路峰以及該地區
- 17 歐克聖喬治
- 17 聖德澤瑞
- 17 聖克里斯托
- 17 聖路峰
- 17 蒙佩里耶石丘
- 17 拉梅賈奈爾

19 拉札克到德多水塘地區
- 19 拉札克河階
- 19 卡布里耶
- 19 隆格多克－克雷耶特
- 19 蒙貝胡
- 19 聖莎圖南
- 19 皮內皮朴爾

21 聖西紐、佛傑爾與貝澤納斯
- 20 聖西紐
- 21 佛傑爾
- 21 貝澤納斯

23 柯比耶、菲杜與克拉伯
- 23 柯比耶
- 23 克拉伯
- 23 菲杜
- 23 亏圖茲

25 卡爾卡頌周遭
- 24 利慕
- 25 馬勒佩爾
- 25 卡巴得斯
- 25 密內瓦

26 胡西雍
- 26 天然甜葡萄酒
- 27 胡西雍丘與村莊胡西雍丘
- 27 莫利
- 27 高麗烏爾

阿爾薩斯 31

32 阿爾薩斯的葡萄品種

34 阿爾薩斯南部

36 阿爾薩斯北部

羅亞爾河谷地 40

42 羅亞爾河谷地的葡萄品種

45 蜜思卡得與夥伴產區
- 45 蜜思卡得
- 45 南特果葡隆
- 45 昂瑟尼丘

46 安茹與梭密爾

48 都漢區東部
- 48 布戈憶
- 48 布戈憶－聖尼古拉
- 48 希濃
- 48 都漢
- 49 都漢－諾伯勒－茱耶
- 49 都漢－阿列－麗多

49 旺多姆地區
- 49 羅瓦丘
- 49 旺多姆丘
- 49 賈尼耶

50 都漢區西部
- 50 都漢－安伯日
- 50 都漢－梅思隆
- 50 都漢－瓦思利
- 50 都漢－雪儂梭
- 51 修維尼
- 51 庫爾－修維尼
- 51 瓦隆榭

53 梧雷與蒙路易
- 53 梧雷
- 53 羅亞爾蒙路易

54 中央產區
- 54 夏朵梅楊
- 54 荷依
- 54 甘希
- 55 姜城丘
- 55 普依－芙美
- 55 蒙內都－沙隆
- 55 普依－羅亞爾

57 松塞爾

58 歐維涅地區葡萄園
- 58 歐維涅丘
- 58 聖普桑

59 羅亞爾河谷地的其他葡萄園
- 59 費耶夫－旺代
- 59 奧爾良
- 59 奧爾良－克雷希
- 59 上普瓦圖

侏羅 63

64 侏羅的葡萄品種

波爾多 68

70 波爾多的葡萄品種

72 格拉夫與貝沙克－雷奧良

73 索甸與巴薩克

74 梅多克

76 布拉伊與布爾

77 兩海之間

79 利布恩區
- 78 玻美侯
- 78 弗朗薩克與加儂－弗朗薩克
- 78 聖愛美濃的衛星產區
- 78 弗朗波爾多丘
- 78 卡斯提雍－波爾多丘

81 聖愛美濃

薄酒來 87

88 北區的優質村莊
- 88 朱里耶納
- 88 薛納
- 88 弗勒莉
- 88 希胡柏勒
- 88 聖愛
- 88 風車磨坊

91 南區的優質村莊
- 91 摩恭
- 91 布依
- 91 黑尼耶
- 91 布依丘

香檳 97

98 香檳的葡萄品種

100 漢斯山區
103 白丘區
104 瑪恩谷地
105 巴爾丘

● 普羅旺斯 109
110 普羅旺斯的葡萄品種
112 地區性法定產區
112 艾克斯－普羅旺斯丘
112 瓦華－普羅旺斯丘
113 綠石丘
113 普羅旺斯丘
114 村莊級法定產區
114 邦斗爾
114 卡西斯
115 巴雷特
115 貝雷
115 普羅旺斯雷伯

● 洛林 119
119 土勒丘
119 摩塞爾

● 布根地 123
124 布根地的葡萄品種
126 夏隆丘區
127 蒙塔尼
127 吉弗里
128 梅克雷
128 乎利
128 松特內
129 布哲宏
130 伯恩丘區
130 夏山－蒙哈榭
131 普里尼－蒙哈榭
131 渥爾內
131 梅索
131 玻瑪
132 佩南－維哲雷斯
132 高登與高登－查理曼
133 夜丘區
133 夜－聖喬治
134 香波－蜜思妮
134 馮內－侯瑪內
134 梧玖
134 莫瑞－聖丹尼
135 哲維瑞－香貝丹
135 菲尚
135 馬沙內
137 馬貢區
139 夏布利區
141 大歐歇爾區與夏提雍區
141 依宏希
141 聖布理
141 歐歇爾丘
141 多能
141 夏替雍
141 巴斯混種葡萄酒

● 西南部產區 144
146 西南部產區的葡萄品種
148 多爾多涅河區
148 蒙哈維爾
148 蘇西涅克
148 都哈斯丘
148 貝傑哈克
148 侯塞特
148 貝夏蒙
148 蒙巴季亞克
150 加隆河盆地區
150 馬蒙代丘
150 布柴
150 布魯瓦
150 聖莎朵
150 風東
151 蓋雅克
152 卡斯康盆地區
152 聖山
152 馬第宏
152 維克－畢勒－巴歇漢克
152 圖爾松
152 卡斯康丘
155 庇里牛斯山麓區
154 貝亞
154 依蘆雷姬
155 居宏頌
156 卡歐
156 凱爾希丘
157 阿維宏
157 安特格－勒－菲爾
157 馬西雅克
157 艾斯坦
157 米由丘

● 薩瓦 161
161 薩瓦－胡榭特
161 塞榭

● 布杰 165

● 隆河 169
170 隆河的葡萄品種
172 北隆河
172 羅第丘
173 恭得里奧與格里耶堡
175 艾米達吉與
克羅茲－艾米達吉
176 聖喬瑟夫
177 高納斯
178 北隆河其他產區
178 里昂丘
178 聖佩雷
179 第瓦區
181 南隆河
181 凡索伯
181 給漢
181 吉恭達斯
181 瓦給哈斯
181 哈斯多
181 威尼斯－彭姆
181 威尼斯－彭姆蜜思嘉
183 教皇新堡
184 里哈克
184 塔維勒
185 尼姆丘
185 貝爾嘉德－克雷耶特
186 馮度
186 盧貝宏
187 南隆河其他產區
187 隆河丘
187 鄉村隆河丘
187 格里農阿德瑪
187 維瓦瑞丘
187 杜榭杜蔡斯

● 科西嘉 191
192 科西嘉的葡萄品種
194 品種系譜圖
195 法國主要品種比例圖
196 法國新興產區
197 葡萄酒與乳酪的搭配
198 索引

作者群

以下三位本書作者在求學時期就是形影不離的好友，自五年前起開始結合各自專長將共同熱情發揮至最大——開始製作葡萄酒與美食地圖書。在前作《典藏葡萄酒世界地圖》（*La Carte des Vins s'il vous plaît*）裡，他們以世界葡萄酒地圖和資訊圖表讓學習葡萄酒不再是難事一樁。繼《典藏葡萄酒世界地圖》（中文版墨刻出版）與《環遊世界八十杯》（*Le Tour du Monde en 80 Verres*，中文版積木文化出版）後，本書是三人在馬哈布出版社（Éditions Marabout）所推出的第三本著作。

朱爾・高貝特潘
Jules Gaubert-Turpin

亞德里安・碧昂奇
Adrien Grant Smith Bianchi

查理・加羅斯
Charlie Garros

前　　言

法國是葡萄酒的國度。

它不是史上第一個釀酒國：葡萄酒首次出現在4,000年前的喬治亞。

談到產量，法國也不是第一：義大利才是這領域的王者。

雖然全球已有70個產酒國，但人們仍品嘗著法國的松塞爾（Sancerre）、教皇新堡（Châteauneuf-du-Pape）、聖愛美濃（Saint-Émilion）以及夏布利白酒（Chablis）……

法國能產出適合各種場合以及各種口味的葡萄酒。由於擁有劃分極為詳細的葡萄園、悠遠的釀酒文化以及各種特性的土壤，讓法國葡萄酒有著令人目不暇給的多樣性。法國每年產製3,240種葡萄酒，使得我們只能大嘆人生苦短，無法盡嘗！

藉由本書，作者邀請讀者一同來發覺或多或少已為人所知的產區：其中包括知名的特級園或是鮮為人知的法定產區。讓我們一同暢遊法國美麗又美味的葡萄酒之路吧！

感謝潔朗（Audrey Génin）、馬唐（Christine Martin）對我們的信任。

也特別謝謝圖邦（Marcel Turpin）、路卡（Hélène Lucas）與季雍（Quentin Guillon）詳細的校稿作業。

讀懂地圖的重點訣竅

葡萄酒生產類型的圖表解說

帶甜酒款 / 甜酒
氣泡酒
白酒
粉紅酒
紅酒

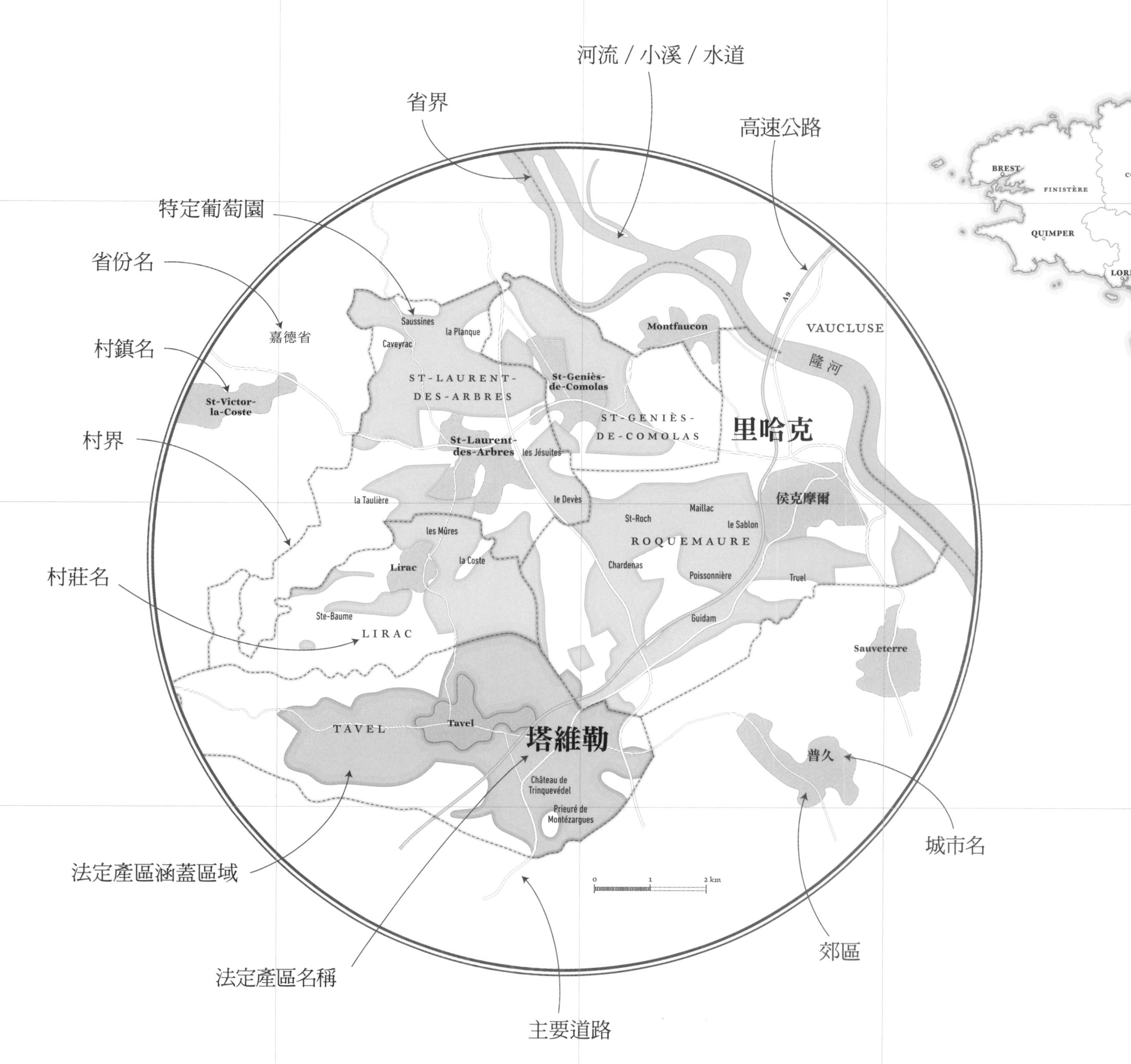

河流 / 小溪 / 水道
省界
高速公路
特定葡萄園
省份名
村鎮名
村界
村莊名
法定產區涵蓋區域
法定產區名稱
主要道路
郊區
城市名
嘉德省
Saussines
la Planque
Caveyrac
Montfaucon
VAUCLUSE
隆河
A9
St-Victor-la-Coste
ST-LAURENT-DES-ARBRES
St-Geniès-de-Comolas
ST-GENIÈS-DE-COMOLAS
里哈克
St-Laurent-des-Arbres
les Jésuites
la Taulière
le Devès
St-Roch
Maillac
le Sablon
侯克摩爾
ROQUEMAURE
les Mûres
Lirac
la Coste
Chardenas
Poissonnière
Truel
Ste-Baume
LIRAC
Guidam
Sauveterre
TAVEL
Tavel
塔維勒
普久
Château de Trinquevédel
Prieuré de Montézargues
0
1
2 km
BREST
FINISTÈRE
QUIMPER

法國葡萄酒
地圖全貌
英國
比利時
加萊海峽
英吉利海峽
聖馬洛灣
大西洋
比斯開灣
（加斯科涅灣）
西班牙
地中海
獅子灣
瑞士
義大利
洛林
阿爾薩斯
香檳
羅亞爾河谷地
布根地
侏羅
布杰
薩瓦
薄酒來
隆河
普羅旺斯
波爾多
西南部產區
隆格多克
胡西雍
科西嘉
DUNKERQUE
CALAIS
Boulogne-sur-Mer
TOURCOING
ROUBAIX
LILLE
Béthune
PAS-DE-CALAIS
Lens
Douai
NORD
Maubeuge
Arras
Cambrai
SOMME
AMIENS
Dieppe
ST-QUENTIN
Charleville-Mézières
AISNE
Laon
ARDENNES
Cherbourg
SEINE-MARITIME
LE HAVRE
ROUEN
OISE
BEAUVAIS
Compiègne
Soissons
Thionville
Creil
REIMS
Montagne de Reims
Forbach
CAEN
St-Lô
CALVADOS
EURE
VAL-D'OISE
Pontoise
Vallée de la Marne
METZ
MOSELLE
ÉVREUX
Épernay
Châlons-en-Champagne
MANCHE
Mantes-la-Jolie
PARIS
Meaux
MARNE
Côte des Blancs
MEUSE
BAS-RHIN
YVELINES
SEINE-ET-MARNE
Bar-le-Duc
Dreux
St-Malo
Rambouillet
Évry
Melun
NANCY
MEURTHE-ET-MOSELLE
STRASBOURG
Alençon
CHARTRES
ESSONNE
LA SEINE
ILLE-ET-VILAINE
AUBE
TROYES
EURE-ET-LOIRE
RENNES
MAYENNE
Sens
Côte des Bar
MARNE
Chaumont
VOSGES
Épinal
LE RHIN
LAVAL
LE MANS
YONNE
COLMAR
SARTHE
ORLÉANS
LOIRET
Chablis & Grand Auxerrois
VOSGES
HAUT-RHIN
Auxerre
HAUTE-SAÔNE
MULHOUSE
LA LOIRE
Vesoul
BELFORT
LOIRE-ATLANTIQUE
BLOIS
LOIR-ET-CHER
ANGERS
MAINE-ET-LOIRE
Montbéliard
TOURS
Centre
CÔTE-D'OR
DIJON
ST-NAZAIRE
NANTES
Saumur
Anjou & Saumur
Touraine
Vierzon
Côte de Nuits
BESANÇON
DOUBS
NIÈVRE
Beaune
Dole
BOURGES
Pays Nantais
Cholet
INDRE-ET-LOIRE
CHER
Nevers
JURA
Côte de Beaune
Haut-Poitou
Châtellerault
INDRE
Châteauroux
LA LOIRE
le Creusot
CHALON-SUR-SAÔNE
Côte Chalonnaise
Lons-le-Saunier
JURA
LA ROCHE-SUR-YON
VENDÉE
POITIERS
Moulins
SAÔNE ET LOIRE
Fiefs Vendéens
ALLIER
Mâconnais
NIORT
VIENNE
Montluçon
Mâcon
AIN
Thonon-les-Bains
DEUX-SÈVRES
LA ROCHELLE
Guéret
Bourg-en-Bresse
Annemasse
Auvergne
Vichy
CREUSE
Roanne
HAUTE-SAVOIE
Rochefort
Villefranche-sur-Saône
ANNECY
LIMOGES
PUY-DE-DÔME
CLERMONT-FERRAND
LOIRE
Saintes
CHARENTE
LYON
Angoulême
HAUTE-VIENNE
RHÔNE
LE RHÔNE
CHAMBÉRY
CHARENTE-MARITIME
ST-ÉTIENNE
Vienne
ISÈRE
CORRÈZE
Rhône septentrional
SAVOIE
Blayais-Bourgeais
Médoc
Tulle
Périgueux
Brive-la-Gaillarde
HAUTE-LOIRE
GRENOBLE
DORDOGNE
CANTAL
le Puy-en-Velay
Romans-sur-Isère
Libournais
ALPES
Aurillac
VALENCE
Briançon
BORDEAUX
Bergerac
ARDÈCHE
DRÔME
Diois
Entre-deux-Mers
MASSIF CENTRAL
Graves
Dordogne
LOT
Privas
HAUTES-ALPES
GIRONDE
Cahors
Montélimar
Gap
LOT ET GARONNE
Cahors
Aveyron
Mende
LOZÈRE
Rhône méridional
Rodez
AVEYRON
ALPES-DE-HAUTE-PROVENCE
Agen
TARN-ET-GARONNE
Alès
Orange
LANDES
Gaillac
GARD
Carpentras
VAUCLUSE
Digne-les-Bains
ALPES-MARITIMES
MONTAUBAN
Bassin garonnais
ALBI
AVIGNON
Mont-de-Marsan
TARN
NÎMES
Menton
Bassin gascon
GERS
Auch
HÉRAULT
Castres
MONACO
NICE
ARLES
MONTPELLIER
ANTIBES
TOULOUSE
BOUCHES-DU-RHÔNE
AIX-EN-PROVENCE
VAR
Draguignan
CANNES
Biarritz
Bayonne
Fréjus
LA GARONNE
BÉZIERS
PYRÉNÉES-ATLANTIQUES
Sète
MARSEILLE
PAU
Tarbes
HAUTE-GARONNE
Piémont pyrénéen
Carcassonne
TOULON
BASTIA
Lourdes
NARBONNE
ARIÈGE
Foix
HAUTES-PYRÉNÉES
PYRÉNÉES
AUDE
HAUTE-CORSE
PERPIGNAN
PYRÉNÉES ORIENTALES
AJACCIO
CORSE-DU-SUD

隆格多克

LANGUEDOC

改頭換面

隆格多克－胡西雍

Le Languedoc-Roussillon

過去二十年來，身為法國面積最大產區的隆格多克－胡西雍正歷經一場令人驚豔的革新，也使得數量愈來愈多的本產區愛好者，以雀躍和期待的心情迎接近年的轉變。

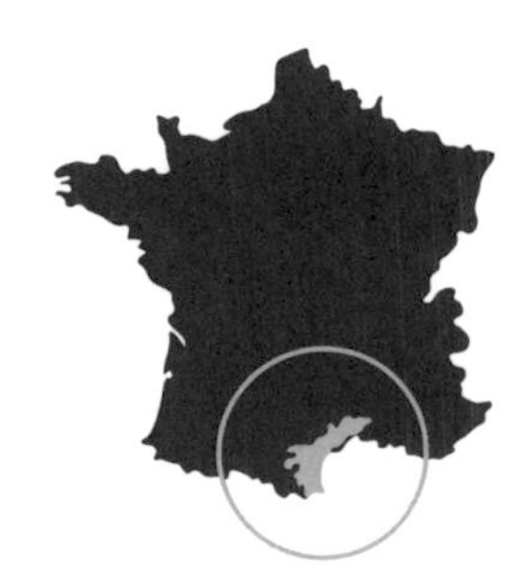

品種

●
希哈、卡利濃、格那希……

●
白蘇維濃、夏多內、維歐尼耶……

種植面積

229,000
法定產區85,000公頃

釀造酒種

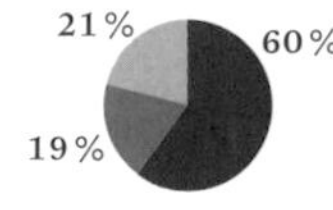

土壤

小鵝卵石、砂岩、泥灰岩、石灰岩、片岩、黏土、沙土、磨礫岩、片麻岩、花崗岩等

氣候

地中海型氣候

最早在本地區種植釀酒葡萄樹的是希臘人，不過直到羅馬人占據此地期間，葡萄樹的種植才真正地長足發展。此地高盧人所釀的酒，後來甚至對義大利酒造成競爭威脅。關於這點，羅馬的上位者可是無法接受，於是直接下令拔除本區的葡萄樹：可說是快速有效。直到將近兩百年後，本地才又允許種植葡萄樹。

隆格多克－胡西雍的種植面積達229,000公頃，是全世界最大的葡萄酒產區：足足占了法國三分之一的葡萄園耕地。

當地極為適合種植葡萄樹的天氣，既是優點，卻也成為其弱點：本區長期以來只滿足於釀造品質一般的餐用葡萄酒。另外必須提到的是，在葡萄根瘤芽蟲病之後，重新大量種植的葡萄樹，只是用來釀造給一次大戰前線士兵飲用的簡單葡萄酒，目的只是激勵士氣……

阿爾及利亞在1962年自法國獨立之後（阿國曾一度大量提供葡萄酒給法國），隆格多克－胡西雍開始以產量偏大的品種，大量且毫無節制地釀產葡萄酒，這樣的酒質可想而知。

在過去三十年的持續革新後，本區已以優良酒質吸引愛酒人。這番改頭換面得以達成，必須歸結於以下幾點：降低每公頃產量、選擇適當的品種、年輕一代酒農的進駐。本地區的努力還不僅止於此，隆格多克－胡西雍也是法國面積最大的有機葡萄酒產區：占有全國36%之多。不過，的確這裡非常適合釀造有機酒、生物動力法葡萄酒以及自然酒。以上因素都讓隆格多克成為法國最令人興奮的產區之一。

本區已以優良酒質吸引愛酒人

隆格多克法定產區的層級

村莊級法定產區 APPELLATIONS COMMUNALES
Corbières Boutenac, Faugères, Fitou, La Clape, Minervois-La-Livinière

副區域級法定產區 APPELLATIONS SOUS RÉGIONALES
Cabardès, Clairette du Languedoc, Corbières, Limoux, Malepère, Picpoul de Pinet, Pic Saint Loup, Saint-Chinian, Saint-Chinian Roquebrun, Saint-Chinian Berlou, Terrasses du Larzac

指定區域級法定產區 DÉNOMINATIONS RÉGIONALES
Languedoc Cabrières, Languedoc Grés de Montpellier, Languedoc La Méjanelle, Languedoc Montpeyroux, Languedoc Pézenas, Languedoc Quatourze, Languedoc Saint Christol, Languedoc Saint Drézery, Languedoc Saint-Georges-d'Orques, Languedoc Saint-Saturnin, Languedoc Sommières

區域級法定產區 APPELLATION RÉGIONALE
隆格多克（Languedoc）

隆格多克的葡萄品種

卡利濃

卡利濃產量大，酒精濃度又高，在 20 世紀時又過度種植，所以常常飽受批評，以至於當地的葡萄酒公會決定不再將它用在混調裡。不過近來有酒農設法改變本品種在大眾心中的形象，想要證明只要限制產量，它在優良風土上的表現仍值得飲家一嘗！

希　哈

希哈是早熟品種，愈受到限制愈能表達最佳風味：它喜歡貧瘠的土壤。釀造希哈的挑戰在於，在獲得良好成熟度的同時，又不能讓地中海的陽光造成葡萄過熟。雖然希哈是北隆河的葡萄之后，但法國種植面積最大的產區其實在隆格多克。

希哈SYRAH

20%

卡利濃CARIGNAN

19%

18%

格那希GRENACH

格那希

本品種單寧不高，源自西班牙，常與希哈和／或慕維得爾進行混調，好替酒款帶來勁道。紅色的天然甜葡萄酒（VDN）也會用到格那希。

梅　洛

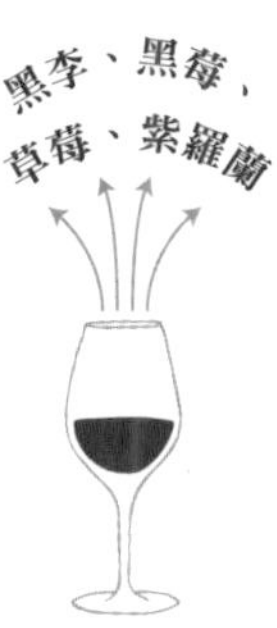

一如波爾多，梅洛在本地也常與卡本內蘇維濃一起混調，它可帶來果味與圓潤感。本品種較常用於隆格多克的 IGP（指定地理區保護）酒款裡，AOC（法定產區）酒款其實較少用到。梅洛怕熱，偏愛較冷涼的黏土質石灰岩土壤。

覆盆子、玫瑰、
杏仁、椴花、桃子

仙　梭

多數人不太熟悉的品種，種植面積也愈來愈少，過去三十年已經減少 50%。仙梭最常用於釀造粉紅酒，但也能釀造果香豐富、順口易飲的紅酒。

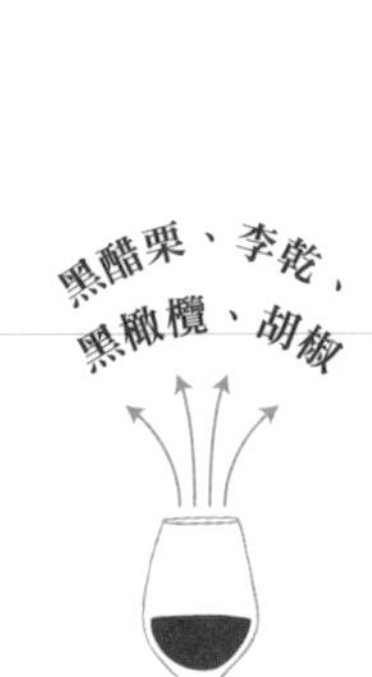

慕維得爾

本品種源自西班牙加泰隆尼亞地區，越過庇里牛斯山後，也常種在離海濱不遠之處。慕維得爾粗獷、晚熟且不怕熱。通常位居混調的次要地位（不若希哈與格那希重要）。在法國，僅在南方有見種植。

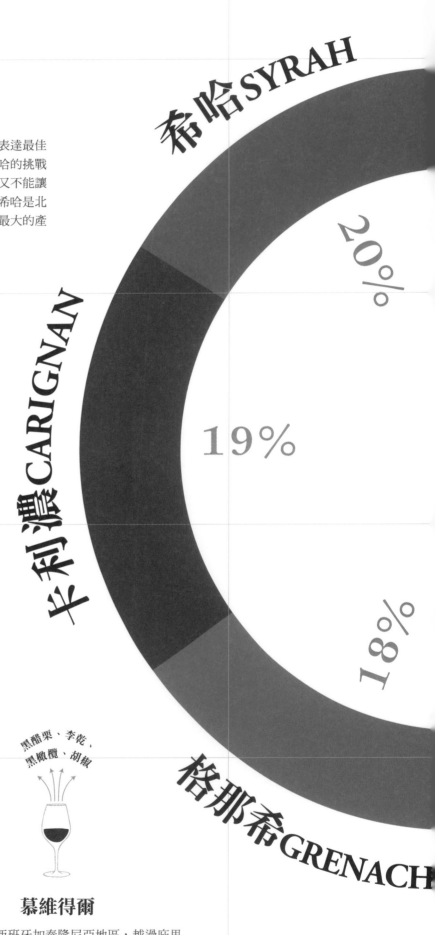

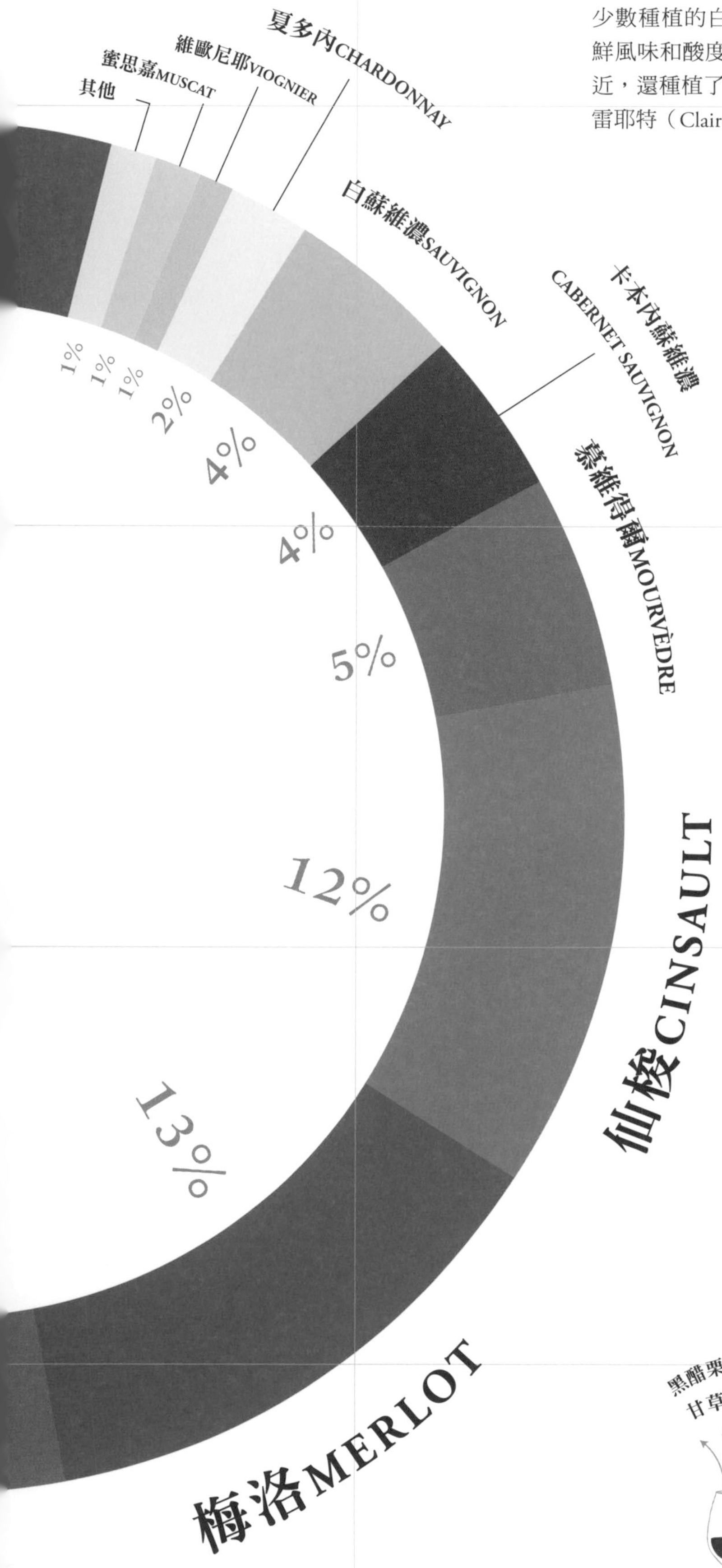

其他
蜜思嘉MUSCAT
維歐尼耶VIOGNIER
夏多內CHARDONNAY
白蘇維濃SAUVIGNON
卡本內蘇維濃 CABERNET SAUVIGNON
慕維得爾MOURVÈDRE
仙梭CINSAULT
梅洛MERLOT

1% 1% 1% 2% 4% 4% 5% 12% 13%

其他白酒品種

少數種植的白酒品種還有皮朴爾（Picpoul）：以清鮮風味和酸度為特色。在西部的利慕（Limoux）附近，還種植了隆格多克的古老品種：酒體圓潤的克雷耶特（Clairette）。

柳橙皮、無花果、葡萄乾、茉莉花

小粒種蜜思嘉

本品種源自希臘，古時候地中海周遭葡萄園都見種植。在隆格多克，它主要用於釀造天然甜葡萄酒。它的果實非常甜美，常會吸引胡蜂前來吸吮果汁，直到只剩下葡萄皮為止。

洋槐花、白桃、芒果、茉莉花

維歐尼耶

它是世界聞名的北隆河恭得里奧產區的釀酒品種，全球各地的葡萄農也都想種植維歐尼耶。它的異國水果風味非常吸引人。與平底鍋炒小螯蝦有著美味的搭配聯姻。

檸檬、剛割的青草地、打火石、葡萄柚

白蘇維濃

它是隆格多克地區少數幾個以單一品種釀造裝瓶的品種。白蘇維濃因波爾多白酒與索甸甜白酒而為世人所知，它偏愛矽石土壤、泥灰岩或是石灰岩土質。

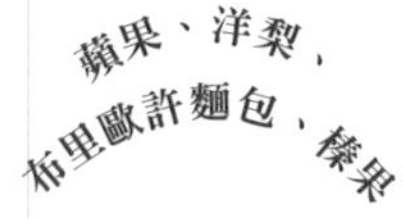

夏多內

夏多內被種在全球 41 個國家，是最為人知曉的白酒品種之一。它的強項是幾乎所有土質都能種，以表達出各種風土之別。在石灰岩土質上，它具鮮明的礦物質風味，若是種在黏土或是沙土上，則顯得較為圓潤。外國人在法國最喜歡說的一句話：「請給我一杯夏多內」（un chardonnay s'il vous plaît）。

黑醋栗、雪松、甘草、薄荷

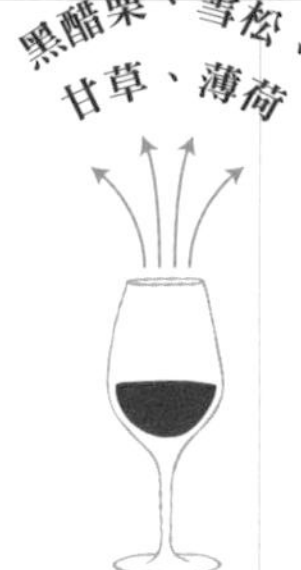

卡本內蘇維濃

法國南方各產區，都不免俗地要種植一些卡本內蘇維濃。本品種皮厚、果粒小，具有難以模仿的單寧質地。它通常會與梅洛進行混調，且具有相當好的儲存潛力。

黑醋栗、紫羅蘭、
胡椒、迷迭香
覆盆子、草莓、
百里香、迷迭香
聖路峰紅酒
Pic Saint-Loup rouge
聖路峰粉紅酒
Pic Saint-Loup rosé
聖路峰
聖德澤瑞
聖克里斯托
蒙佩里耶石丘
歐克聖喬治
拉梅賈奈爾
蒙佩利耶
歐圖斯山
520 公尺
聖路峰
658 公尺
梅尚水塘
摩吉歐水塘
阿內爾水塘
艾格摩特灣
0
2
4 km
Corconne
Claret
Brouzet-lès-Quissac
Vacquières
Sauteyrargues
Gailhan
Lecques
Carnas
St-Clément
Salinelles
Aspères
Rouet
Valflaunès
Fontanès
Garrigues
Campagne
Mas-de-Londres
Cazevieille
Galargues
Saussines
St-Mathieu-de-Tréviers
St-Hilaire-de-Beauvoir
Boisseron
St-Jean-de-Cuculles
St-Jean-de-Cornies
Le Triadou
St-Drézéry
Les Matelles
Beaulieu
Restinclières
St-Christol
Guzargues
Sussargues
Vérargues
Assas
St-Geniès-des-Mourgues
St-Gély-du-Fesc
Prades-le-Lez
Murles
Teyran
St-Clément-de-Rivière
Combaillaux
Castries
Vailhauquès
St-Brès
Valergues
Baillargues
Clapiers
Vendargues
Jacou
Lansargues
Montarnaud
Le Crès
Mudaison
Grabels
CASTELNAU-LE-LEZ
A9
Candillargues
MAUGUIO
St-Georges-d'Orques
Juvignac
Murviel-lès-Montpellier
Lavérune
Pignan
St-Jean-de-Védas
Saussan
LATTES
Pérols
Cournonterral
La Grande-Motte
Cournonsec
Fabrègues
Villeneuve-les-Maguelone
Palavas-les-Flots
Montbazin

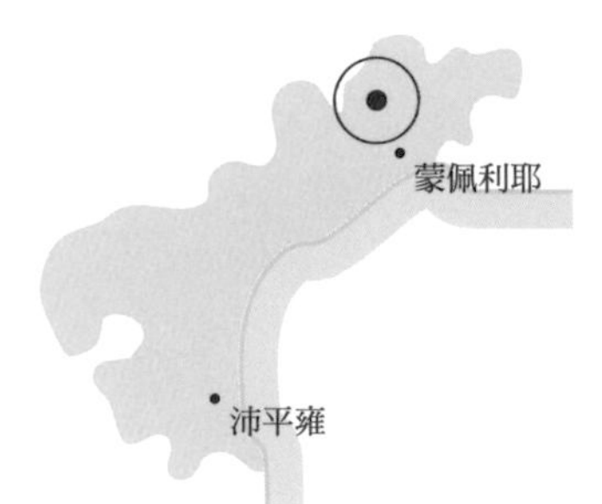

聖路峰以及該地區

Pic Saint-Loup

希哈、格那希、慕維得爾、仙梭、卡利濃

1,200 公頃

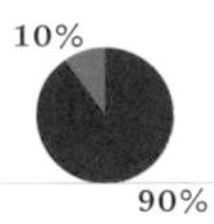

常言道：好酒都產自美麗的地方，本產區也不例外。海拔 658 公尺的聖路峰與海拔 520 公尺的歐圖斯山就聳立在本區葡萄園旁。這兩座山在灌木林裡拔地而起，一如摩天大樓，遠處即可看見。再往北深入，就是塞凡山脈（Les Cévennes）了。

常言道：好酒都產自美麗的地方

這兩座大山除了帶來美麗景觀，也能導引本區風向，在日落之後，提供葡萄樹一絲涼爽的氣息，也將雲氣阻擋在山頭：這裡是隆格多克雨量最多的地方。這裡谷地的微氣候造成相當大的溫差：日夜溫差可達攝氏 20 度。此溫差與聖路峰頂的石灰岩山尖有關，此石灰岩土質也提供本地的主要品種——希哈——良好的種植條件。在葡萄園周遭，自然環境仍保持原始樣態，常可看見金雀花、百里香與迷迭香恣意地生長。

聖路峰以前隸屬於隆格多區丘法定產區（Coteaux du Languedoc），在 1994 年成為附加地理命名名稱，之後在 2017 年獲得獨立的法定產區 AOC 的地位。本產區一如整個隆格多克地區的情形：它一直存在著，但直到近年才獲肯定。近二十年來，聖路峰已經成為南法的精英產風土之一。聖路峰的酒質深沉，風格意外地清鮮，具有良好儲存潛力。新一代與資深酒農的目標相同：向聖路峰的高度看齊，讓酒質攀向巔峰。

600 公頃　100%

歐克聖喬治
Saint-Georges-d’Orques

本產區就似一道綠色環帶圍繞著蒙佩利耶市，整個葡萄園可以分成兩大區塊：En-bas 與 En-hauts，前者位處一多石的臺地，排水性佳；後者的底土是黏土質石灰岩，上頭有矽石岩塊。

130 公頃　100%

聖德澤瑞
Saint-Drézéry

本產區的特色是有助於葡萄成熟的鵝卵石。這裡是隆格多克雨量最少的產區之一。

12,000 公頃　100%

蒙佩里耶石丘 Grès de Montpellier

在當地歐克方言裡，Grès 意指多石塊，適合種植葡萄樹的山頭。本產區有海洋濕氣可以調節夏季的乾旱。包括蒙佩里耶石丘在內，本頁的幾個產區都屬於隆格多克丘的大家族。自 2014 年起，可以在隆格多克丘後頭加上地理區域名稱，以讓酒農的努力被更多人認可。

130 公頃　100%

聖克里斯托
Saint-Christol

這裡有釀造慕維得爾的良好風土，該品種在法國相當少見。聖克里斯托紅酒飽滿強勁，帶香料調性。

90 公頃　100%

拉梅賈奈爾 La Méjanelle

這裡的圓形鵝卵石覆蓋在紅色黏土上的特色，讓人想起教皇新堡產區。目前有數位葡萄農的釀酒品質，都讓人感覺本產區的未來相當正面有希望。

N
S
E
O
0
3
6 km
Sumène
St-Hipp
du-F
Ganges
Laroque
Cazilhac
St-Bauzille-de-Putois
Brissac
西翰山脈
St-André-de-Buèges
St-Jean-de-Buèges
拉札克河階
Causse-de-la-Selle
St-Martin-de-Londres
A75
Pégairolles-de-l'Escalette
St-Étienne-de-Gourgas
Poujols
聖莎圖南
埃侯河
St-Privat
聖保迪爾山
848公尺
St-Guilhem-le-Désert
蒙貝胡
羅代夫
St-Jean-de-la-Blaquière
Puéchabon
Le Bosc
St-Saturnin-de-Lucian
St-Jean-de-Fos
Le Puech
Montpeyroux
Aniane
St-Félix-de-Lodez
Celles
Octon
Étang de Salagou
Gignac
Ceyras
St-André-de-Sangonis
A750
克雷蒙埃侯
Mérifons
Brignac
Mourèze
蒙佩利耶
Villeneuvette
Canet
Le Pouget
隆格多克—克雷耶特
Lieuran-Cabrières
卡布里耶
Cabrières
Tressan
Aspiran
Plaissan
Bélarga
Fontès
Paulhan
Adissan
Neffiès
St-Pargoire
埃侯河
Roujan
Caux
St-Pons-de-Mauchiens
Lézignan-la-Cèbe
Villeveyrac
Montagnac
維克水塘
A9
貝澤納斯
皮內皮朴爾
Loupian
Bouzigues
Tourbes
Castelnau-de-Guers
Nézignan-l'Évêque
Mèze
德多水塘
Pinet
塞特
Montblanc
St-Thibéry
A75
Pomérols
Florensac
地中海
BÉZIERS
Marseillan

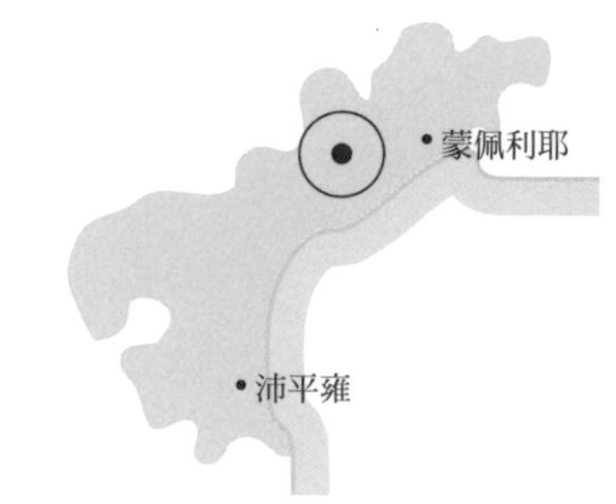

拉札克到德多水塘地區
Du Larzac à l’étang de Thau

拉札克河階 Terrasses du Larzac

格那希、慕維得爾、希哈、卡利濃

100%

拉札克是位於高處的河階臺地，範圍介於米佑村（Millau）與羅代夫村間，整體屬於中央高原末端的延伸。延伸到隆格多克地區時，喀斯特石灰岩高原在此突降高度（從800公尺降低到300公尺），不過葡萄樹在此仍處於相對較高的海拔，使果實能夠緩慢而漸進成熟，也因此本地紅酒仍帶有很好的清鮮感。不過本區葡萄酒獲得認可還是相當晚近的事：2014年才獲得AOC法定產區的地位。根據產區法規，本地紅酒必須至少混合三個品種，其中卡利濃比較受酒農偏愛。

蒙貝胡 Montpeyroux

本指定區域級法定產區位於黏土質石灰岩土壤上。這裡所釀的紅酒，本質上與拉札克河階相當類似。聳立一旁的聖保迪爾山，成為拉札克河階與本產區的界線。所產酒質架構優良，也顯得強勁。

100%

卡布里耶 Cabrières

本產區一般稱之為隆格多克卡布里耶（Languedoc Cabrières），在片岩上釀造紅酒與粉紅酒，在地中海沿岸的西北風吹拂下，可避免葡萄患上黴病。紅酒主要以希哈釀成，粉紅酒則採用格那希與仙梭。輔助釀酒品種還包括卡利濃、慕維得爾與Morrastel（即科西嘉的Minustéllu）。

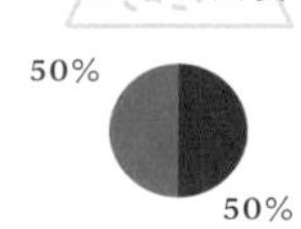

50%
50%

聖莎圖南 Saint-Saturnin

聖莎圖南與蒙貝胡是鄰居，就位在拉札克臺地的側坡處，土壤主要是片岩與砂岩。所種植的品種近似拉札克河階。這裡的紅酒在圓潤之餘，帶有紅色水果、薑黃與胡椒的氣息。粉紅酒則細緻清鮮。

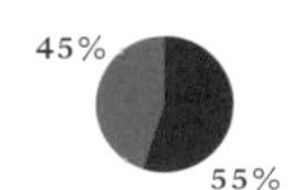

45%
55%

酸櫻桃、黑莓、紫羅蘭、甘草、黑橄欖

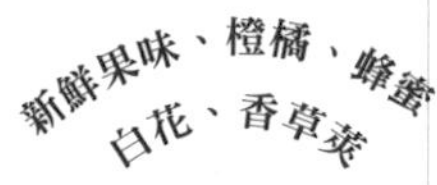

拉札克河階紅酒
Terrasses du Larzac

新鮮果味、橙橘、蜂蜜、白花、香草莢

隆格多克－克雷耶特
Clairette du Languedoc

橙花、山楂花、檸檬、葡萄柚

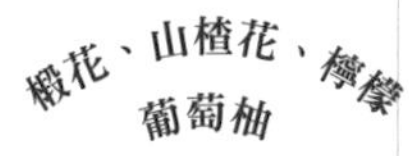

皮內皮朴爾
Picpoul de Pinet

隆格多克－克雷耶特 Clairette du Languedoc

此專釀白酒的法定產區位於貝茲耶市與拉札克河階之間，它除了釀造干白酒，也少量地釀造一些甜白酒，兩者都以克雷耶特白葡萄釀造。這裡的土壤主要是含石英的石塊、矽石與石灰岩。本區風味複雜的白酒，適合與塞特附近的豐富美食作搭配。

100%

皮內皮朴爾 Picpoul de Pinet

比為隆格多克面積最大的法定產區，位於德多水塘西北部，介於塞特、阿格得（Agde）與貝澤納斯之間，不過海拔最高處仍有100公尺。皮內皮朴爾是埃侯省（Hérault）最乾燥的區域之一，每年平均雨量只得600公釐。本產區白酒，都以當地的古老原生品種白皮朴爾（Picpoul blanc）釀成。

100%

聖西紐 Saint-Chinian

目前約有 300 名酒農在具有地質多樣性的聖西紐上耕作，本產區位於灌木林與貝茲耶西北邊的內陸地帶之間。在西北邊片岩較多的區塊，有兩個副區域級法定產區：聖西紐貝魯（Saint-Chinian Berlou）與聖西紐侯克布朗（Saint-Chinian Roqbrun）。在片岩土壤上，葡萄酒常常顯得較為細緻迷人，至於出自東南部石灰岩地塊上的酒，通常風味較為複雜，單寧較明顯，一般也認為具有較佳的儲存潛力。傳統上，聖西紐以紅酒著名，但也釀造粉紅酒，白酒則是近年的新產品。

聖西紐、佛傑爾與貝澤納斯 Saint-Chinian, Pézenas & Faugères

煙燻調性、炭焙咖啡，可可	灌木林、黑醋栗，白花、黑莓	櫻桃、黑醋栗，月桂葉、甘草	花香調性，桃子，橙花	灌木林、黑醋栗，甘草、菸葉
聖西紐片岩地塊紅酒 Saint-Chinian rouge sur schiste	聖西紐石灰岩土壤紅酒 Saint-Chinian rouge sur schiste	佛傑爾紅酒 Faugères rouge	佛傑爾粉紅酒 Faugères rosé	貝澤納斯紅酒 Pézenas rouge

佛傑爾 Faugères

卡利濃、仙梭、格那希、慕維得爾、希哈

2,100 公頃

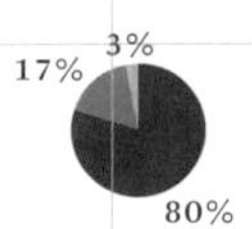

佛傑爾位在貝茲耶北方，產區範圍延伸至歐勃谷地，埃侯省中的七個村子都被允許釀造本村莊級法定產區葡萄酒。在隆格多克，佛傑爾是罕見的紅酒、白酒以及粉紅酒都釀造的產區（自 2005 年開始）。雖然位於純粹的地中海型氣候區，但平均 300 公尺的海拔也讓氣候得以調節。以片岩與砂岩為主的地塊，得以釀出礦物質風味明顯且均衡的酒質。有些酒莊為了凸顯本區的特殊風土，開始在比較高階的酒款上註記「佛傑爾，源自片岩的偉大風土」（Faugères, Grand Terroir de Schistes）。

貝澤納斯 Pézenas

格那希、慕維得爾、希哈、卡利濃、仙梭

1,500 公頃

地中海盆地種植釀酒葡萄樹的歷史悠久，18 世紀時發展尤其快速，正好與工業起飛的浪潮平行發展：當時貝澤納斯 80% 的農耕地種植了葡萄樹。位於地中海型氣候區的貝澤納斯雨量相當少，土壤包括片岩、石灰岩與火山質的沖積土，海拔最高可到 300 公尺。本產區紅酒具有黑色水果氣息，灌木林般的氣韻帶來複雜風味，酒質強勁的同時，不乏細緻感。

黑醋栗、甘草、紫羅蘭、灌木林
草莓、覆盆子、蜜桃、迷迭香
黑醋栗、櫻桃、百里香、灌木林
櫻桃、紅醋栗、甘草、灌木林
洋槐花、蜜桃、洋梨、芒果
李乾、胡椒、甘草、百里香
柯比耶紅酒
Corbières rouge
柯比耶粉紅酒
Corbières rosé
菲杜
Fitou
克拉伯紅酒
La Clape rouge
克拉伯白酒
La Clape blanc
夸圖茲
Quatourze
柯比耶—布特納克
Canet
Salles-d'Aude
Coursan
Fleury
卡爾卡頌
TERROIR DE MONTAGNAC D' ALARIC
TERROIR DE LÉZIGNAN
Capendu
雷日朗柯比耶
Montredon-des-Corbières
拿朋
Armissan
克拉伯
Luc-sur-Orbieu
Ornaisons
Bizanet
TERROIR DE FONTFROIDE
Fabrezan
Montlaur
TERROIR DE SERVIÈS
TERROIR DE LAGRASSE
TERROIR DE BOUTENAC
Thézan-des-Corbières
St-André-de-Roquelongue
TERROIR DE SIGEAN
Gruissan
Serviès-en-Val
Lagrasse
St-Laurent-de-la-Cabrerisse
Peyriac-de-Mer
巴奇水塘與希姜水塘
夸圖茲
Talairan
Fontjoncouse
Portel-des-Corbières
柯比耶
TERROIR DE SAINT-VICTOR
希姜
Villerouge-Termenès
Villesèque-des-Corbières
Cascatel-des-Corbières
柯比耶杜邦風土
TERROIR DE TERMENÈS
La Palme
地中海
Laroque-de-Fa
Palairac
Embres-et-Castelmaure
Caves
Treilles
歐得省
Montgaillard
Leucate
菲杜
TERROIR DE QUÉRIBUS
Tuchan
菲杜
Duilhac-sous-Peyrepertuse
Padern
Paziols
樂卡特水塘
Le Barcarès
東庇里牛斯省
N
O
E
S
0
4
8 km
沛平雍

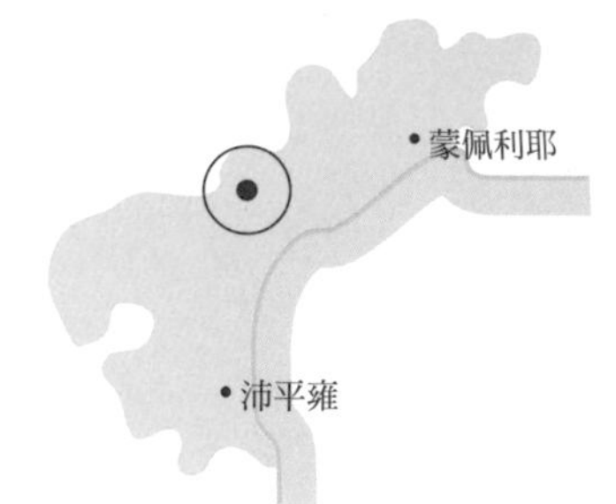

柯比耶、菲杜與克拉伯
Corbières, Fitou & La Clape

柯比耶 Corbières

卡利濃、格那希、希哈、慕維得爾、

白格那希、馬卡伯、胡姍、馬姍、維門替諾

11,000 公頃

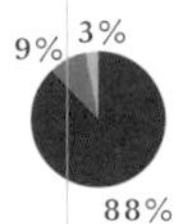

柯比耶可說是地中海的「巨人」：它是隆格多克裡最廣大的法定產區，每年可產 5,300 萬瓶葡萄酒。這裡風勢強勁，土壤乾燥，最重要的品種是卡利濃。以前常被稱為「南法葡萄酒」（Vin du Midi），所釀的酒的確有南方性格以及良好儲存潛力。本產區長期以來以釀酒合作社為主力，給人的印象酒就是簡單餐酒，不過酒農們也開始努力，好讓其內的各區塊風土獲得認可。為撕掉粗獷酒質的形象，他們試圖減少在小橡木桶內的培養期間，以釀出更細緻的葡萄酒。1985 年時，柯比耶劃分出 11 個區塊，其中只有布特納克（Boutenac）賦予 AOC 法定產區地位。杜邦（Durban）區塊由於土壤多元，有可能成為下一個。

柯比耶是隆格多克裡最廣大的法定產區

菲杜 Fitou

菲杜法定產區就像柯比耶的肺部，分成相距好幾公里的兩片葡萄園「肺葉」：此種情形在法國相當少見，其實與歷史因素比較有關，與地質比較無關。2019 年菲杜獲得村莊級法定產區的地位，使它比鄰居柯比耶更高了一級：後者仍維持地區級法定產區。我們也可將菲杜視為柯比耶的「優質村莊」（Cru）。

每個品種都種植在適合的區塊：格那希與卡利濃種在山坡地，而比較怕旱的希哈就植於土層較厚處。慕維得爾比較「懂得享受生活」，它的葡萄園都可以看到海景。

卡利濃、格那希、希哈、慕維得爾

2,400 公頃

克拉伯 La Clape

格那希、慕維得爾、希哈

布布蘭克、克雷耶特、白格那希、

1,000 公頃

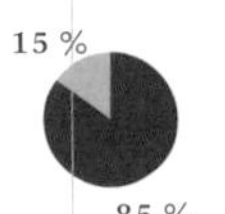

克拉伯是法國陽光最充足的地方之一，此地風勢強勁，掃過葡萄園上空後，呈現藍天以及每年超過 3,000 小時的陽光。產區名源於附近的克拉伯山脈（最高處 214 公尺），而 Clape 在當地方言裡是「石頭堆」的意思。有趣的是，克拉伯在 13 世紀時還是一座小島，之後歐得河帶來的沖積地，將該島與法國大陸連結在一起。克拉伯過去的島嶼風土遺緒也呈現在酒裡：具有清新感以及近似碘味的礦物質風情。

夸圖茲 Quatourze

本產區位於拿朋與巴奇水塘之間，面積極小的夸圖茲的特點是：沒有種植卡利濃，以及特殊的鵝卵石風土。由於面海，本產區成為種植慕維得爾的理想地點，酒風常帶有香料氣息。

慕維得爾、格那希、希哈

80 公頃

利慕 Limoux

利慕產區位於庇里牛斯山山腳下，他們可以驕傲地宣稱釀出世界第一瓶氣泡酒：早於香檳區一百年的 1544 年，利慕布隆凱特氣泡酒（Blanquette de Limoux）就已經起泡了！它主要以當地的莫札克品種釀造。在二次發酵後，利慕布隆凱特氣泡酒需進行至少 9 個月的瓶中培養。利慕氣泡酒（Crémant de Limoux） 在 1990 年代初次誕生，是以夏多內為主的多品種混調氣泡酒，需至少 12 個月的瓶中培養才能上市。

卡爾卡頌周遭
Autour de Carcassonne

馬勒佩爾 Malepère

梅洛、卡本內弗朗、馬爾貝克

500 公頃

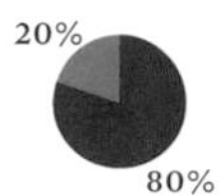

這個非常年輕的產區首次於 2007 年被認可。依品種組成來看，馬勒佩爾「非常波爾多」，不過由於它同時受到大西洋與地中海型氣候的影響，所以風格獨具。葡萄樹並非本區的唯一地景，還常常能看到穀物、向日葵與油菜花田點綴其中。

卡巴得斯 Cabardès

希哈、梅洛、卡本內蘇維濃、卡本內弗朗、格那希

550 公頃

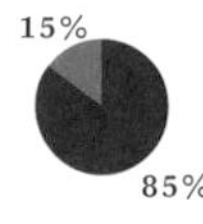

本產區已遠離蒙佩利耶，且開始往土魯斯（Toulouse）靠近（只離 80 公里遠），難怪開始可以感知一些西南產區的影響。卡巴得斯產出兩種風格的紅酒：西部是梅洛與卡本內蘇維濃的混調紅酒，東部的混調品種則為希哈與格那希。

密內瓦 Minervois

法國南法運河經過卡爾卡頌之後，繼續流經密內瓦與柯比耶兩產區之間，再注入地中海。產區名取自中世紀古村密內夫（Minerve），密內瓦產區內可以分為兩種氣候類型：大西洋氣候影響產區東部，地中海型氣候則主要影響西部葡萄園。發源自黑山的四條河道（克拉穆河、歐儂河、雙銀河、歐得河）將本產區切分出許多小河谷。占地不小的園區面積以及多元的土壤（石灰岩、鵝卵石、片岩）讓本區可以釀出具產區靈魂的酒風：豐富飽滿。在密內瓦的大範圍產區之中，包藏了首個在 1999 年列為隆格多克村莊級產區的里維聶爾：它以希哈、格那希與卡利濃釀出酒質強勁的紅酒。

里維聶爾是隆格多克首個名列村莊級的產區

格那希、希哈、慕維得爾

4,200 公頃

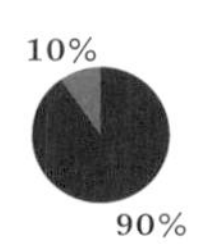

天然甜葡萄酒
Les Vins Doux Naturels, VDN

天然甜葡萄酒是隆格多克－胡西雍地區的特產酒款。它屬於酒精強化酒：剛開始的釀法同傳統的靜態葡萄酒，途中會加入葡萄蒸餾烈酒以停止果汁發酵。停止酒精發酵會產生兩種效用：一是增加酒精濃度，二是保留酒中的殘糖（依法定產區不同，酒中每公升殘糖量為 45-120 公克）。這樣釀出的酒款酒精度較高（15-21.5%），且酒中仍保留了葡萄的天然糖分。

我們可以將天然甜葡萄酒區分為兩類：第一類是以小粒種蜜思嘉和亞歷山大蜜思嘉（Muscat d'Alexandrie）所釀造的，主要產區在隆格多克；第二類是以格那希、馬爾瓦西（Malvoisie）、馬卡伯（Macabeu）或蜜思嘉釀成，主要產於胡西雍。

隆格多克

- 呂內爾－蜜思嘉 Muscat de Lunel
- 風替紐－蜜思嘉 Muscat de Frontignan
- 米黑瓦－蜜思嘉 Muscat de Mireval
- 密內瓦－聖尚蜜思嘉 Muscat de Saint-Jean-de-Minervois

胡西雍

- 莫利 Maury
- 麗維薩特 Rivesaltes
- 麗維薩特－蜜思嘉 Muscat de Rivesaltes
- 班努斯 Banyuls
- 班努斯特級園 Banyuls Cru
- 大胡西雍 Grand Roussillon

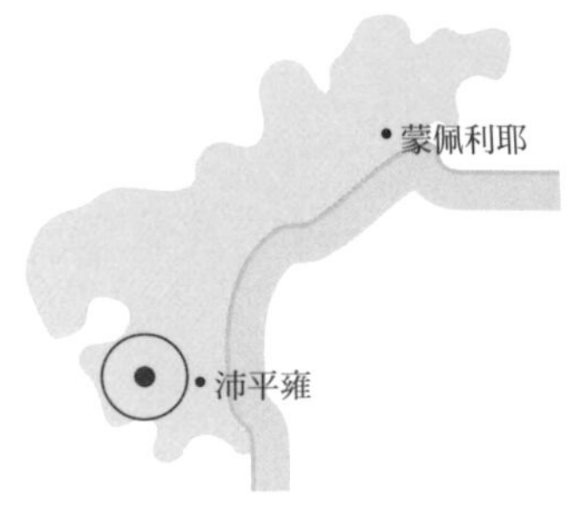

胡西雍 Roussillon

傳統上，胡西雍以釀造天然甜葡萄酒著稱；今日的胡西雍在地中海與山脈之間，於羅馬競技場一般的葡萄園裡，釀出個性獨具又酒質絕佳的美釀。

胡西雍的葡萄園（面積 20,000 公頃）位於東庇里牛斯省，每年可以接收到超過 2,600 小時的陽光。三面環山（分別是 Corbières、Canigou 與 Albères 山脈）造就了古羅馬競技場一般地勢的園區。三條經過本產區的河川（泰特、泰克與阿利河）將地形地貌形塑成梯田與坡地，也帶來多元土質，且種植了不下於 24 種葡萄品種。

1285 年，煉金術士阿諾．偉諾夫（Arnaud Villeneuve）發現了釀造天然甜葡萄酒的酒精強化（Mutage）釀酒技術：將葡萄蒸餾烈酒加入正在發酵的葡萄汁中，以阻止酵母將所有糖分都轉成酒精。因為莫利、麗維薩特以及班努斯的加持，胡西雍於是成為天然甜葡萄酒的重要產區。

不過，新一代的飲酒人似乎對天然甜葡萄酒不太熱衷，然而真正懂得這類酒的人還是太少，其實值得好好認識一番。時至今日，反而是干性不甜的酒款讓胡西雍又重新熱門了起來。

胡西雍丘與村莊胡西雍丘
Côtes du Roussillon & Côtes du Roussillon Villages

卡利濃、慕維得爾、格那希、希哈

白格那希、馬卡伯圖巴

8,000 公頃

2,500 公頃
村莊級法定產區

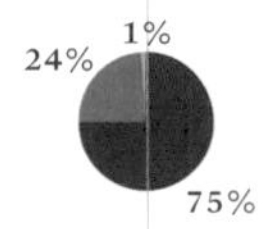

胡西雍丘產區介於歐得省下方直到西班牙邊境的地帶，占據了東庇里牛斯省大多數的面積。高溫以及地中海的西北風加強了本地的乾旱現象，此地中海型葡萄酒的風格既外放又強勁。村莊胡西雍丘位於偏北地帶，其內區分有四個村莊級法定產區，各自的葡萄品種種植比例都各有規範：托塔維爾位於該省的北區，其他三個村莊級產區則圍繞著阿利河附近發展，分別是：雷奎得、法蘭西拉圖與卡哈曼尼。

莫利 Maury

莫利是釀造天然甜葡萄酒的歷史產區，不過自 2011 年起也被允許釀造干性不甜的紅酒。對於酒農能將格那希馴化於此艱難又乾燥的風土上，我們必須致上高度敬意。莫利以泥灰岩與片岩土壤為主，酒色深沉，酒風強勁。

400 公頃

100%

高麗烏爾 Collioure

高麗烏爾的產區範圍與班努斯一模一樣，只不過前者只能釀造干性不甜酒款。直到 1960 年代，當時的高麗烏爾一直被稱為「班努斯天然葡萄酒」（Vins Naturels de Banyuls），直到 1971 年才改稱為高麗烏爾：後來被允許釀造白酒，接著在 2003 年也可釀造粉紅酒。本產區紅酒相當有名氣，酒質豐盛飽滿，適合久儲。除地區性法定產區胡西雍丘之外，高麗烏爾是胡西雍內唯一允許釀造粉紅酒者：酒質優雅，常帶有迷人紫羅蘭韻味

900 公頃

12%
28%
60%

阿爾薩斯

ALSACE

白葡萄酒的天堂

阿爾薩斯
51個特級園
3 Altenberg de Bergbieten
17 Altenberg de Bergheim
4 Altenberg de Wolxheim
35 Brand
5 Bruderthal
39 Eichberg
2 Engelberg
33 Florimont
13 Frankstein
23 Froehn
27 Furstentum
20 Geisberg
15 Gloeckelberg
41 Goldert
40 Hatschbourg
36 Hengst
31 Kaefferkopf
16 Kanzlerberg
9 Kastelberg
47 Kessler
6 Kirchberg de Barr
19 Kirchberg de Ribeauvillé
49 Kitterlé
30 Mambourg
26 Mandelberg
29 Marckrain
10 Moenchberg
11 Muenchberg
50 Ollwiller
18 Osterberg
38 Pfersigberg
45 Pfingstberg
14 Praelatenberg
51 Rangen
21 Rosacker
48 Særing
28 Schlossberg
22 Schoenenbourg
34 Sommerberg
24 Sonnenglanz
46 Spiegel
25 Sporen
42 Steinert
37 Steingrübler
1 Steinklotz
44 Vorbourg
8 Wiebelsberg
32 Wineck-Schlossberg
12 Winzenberg
43 Zinnkoepflé
7 Zotzenberg
圖說
阿爾薩斯特級園
阿爾薩斯葡萄園核心
附加村莊命名葡萄酒
阿爾薩斯地區級葡萄酒
阿爾薩斯葡萄酒之路
德國
威森堡
Rott
Steinseltz
Gimbrett
Alsace
Marlenheim
Westhoffen
Traenheim
Alsace Wolxheim
史特拉斯堡
Avolsheim
Mutzig
莫爾塞
Dorlisheim
下萊茵省
多農山 1009 公尺
Rosenwiller
Rosheim
Bischoffsheim
Boersch
Alsace Ottrott
Ottrott
歐貝內
St-Nabor
Bernardswiller
Mont Sainte-Odile 764 m
Alsace Klevener de Heiligenstein
Heiligenstein
Alsace Côtes de Barr
巴爾
Mittelbergheim
Andlau
火田山 1100 公尺
Albé
Itterswiller
Alsace Blienschwiller
Dambach-la-ville
VOSGES
Scherwiller
Alsace Scherwiller
Alsace Coteaux du Haut-Koenigsbourg
Châtenois
Haut-Kœnigsbourg
塞勒斯塔
Kintzheim
Sainte-Marie-aux-Mines
Orschwiller
Alsace Rodern
Alsace Saint Hippolyte
St-Hippolyte
阿爾薩斯平原
萊茵河
Bergheim
里伯維雷
Riquewihr
Beblenheim
Bennwihr
Kayserberg
Kientzheim
孚日山脈
Niedermorschwihr
柯爾瑪
Turckheim
Wintzenheim
Alsace Val Saint Grégoire
德國
Munster
Wettolsheim
Eguisheim
歐內克山 1362 公尺
Husseren-les-Châteaux
Alsace Vallée Noble
Hattstatt
Gueberschwihr
Pfaffenheim
小巴隆山 1267公尺
Soultzmatt
Alsace Côte de Rouffach
Rouffach
上萊茵省
Westhalten
大巴隆山 1424 公尺
大杜蒙山 1223 公尺
Guebwiller
Soultz
Alsace
阿爾薩斯巴隆山 1247 公尺
坦恩
Vieux-Thann
Cernay
阿爾薩斯葡萄酒之路
N
E
S
O

阿爾薩斯 Alsace

阿爾薩斯的葡萄園離萊茵河不遠，在孚日山脈山腳下綿延開展，
能釀出世上最芬芳多樣的白葡萄酒。

品種

●
黑皮諾

●
麗絲玲、灰皮諾、格烏兹塔明那、希爾瓦那、白皮諾、蜜思嘉

種植面積

15,600公頃

釀造酒種

25%　10%　65%

土壤

石灰岩、花崗岩、片岩、片麻岩與砂岩土壤

氣候

大陸性氣候

阿爾薩斯葡萄酒在你杯中所展現的豐富多樣性，要從地底下幾公尺的土壤去尋找關鍵。幾百萬前年，孚日山脈部分區段的陷落，形成了阿爾薩斯土壤的極高多樣性。從西元一世紀起，不管是羅馬人、汪達爾人或阿拉曼人，這些阿爾薩斯的入侵者都戮力保存釀酒葡萄樹，並保護酒農。

阿爾薩斯是法國唯一一個主要以葡萄品種命名的產區，葡萄園的來處反而屬於其次。但這並非阿爾薩斯真正的葡萄酒史：早期當地小酒館的酒單上，都會寫明特定葡萄園（Lieux-dits）的名稱，像是 Gloeckelberg 或 Schoenenbourg。不過在二次大戰後的 1950 年代，阿爾薩斯酒農為提振葡萄酒名聲，認為不讓酒名聽起來過於「德國」有助銷售。今日，以品種命名的特點又成為論辯的焦點。不過現在潮流是，愈來愈多的酒農強調的是特定葡萄園，而非品種名。

雖然長久以來，酒農便知道某些地塊總能釀出較為優秀的酒質，卻要等到 20 世紀才有正式法規認可這些傑出地塊：即特級園的法定產區命名。原有 50 個特級園，後增至 51 個。阿爾薩斯特級園能產出本區最精彩的酒質。特級園由地籍資料嚴格劃定，雖占有 10% 的葡萄園面積，年產量卻僅占總產量的 2%，這是「重質不重量」所產生的結果。

一如法國北方所有產區，阿爾薩斯也以釀造白酒為主，常見白酒品種有麗絲玲、格烏兹塔明那、白皮諾等，不過約自十五年前起，黑皮諾因氣候暖化之助，也可以達到非常好的熟度，它在阿爾薩斯北方的石灰岩土壤上表現尤佳。目前只有白酒能冠上特級園，不過阿爾薩斯特級園紅酒在幾年後可望問世。最後，也不要忘了在全球大受歡迎的阿爾薩斯氣泡酒。在法國，除了香檳之外，銷量最大的氣泡酒便源自阿爾薩斯。

阿爾薩斯特級園能產出本區最精彩的酒質

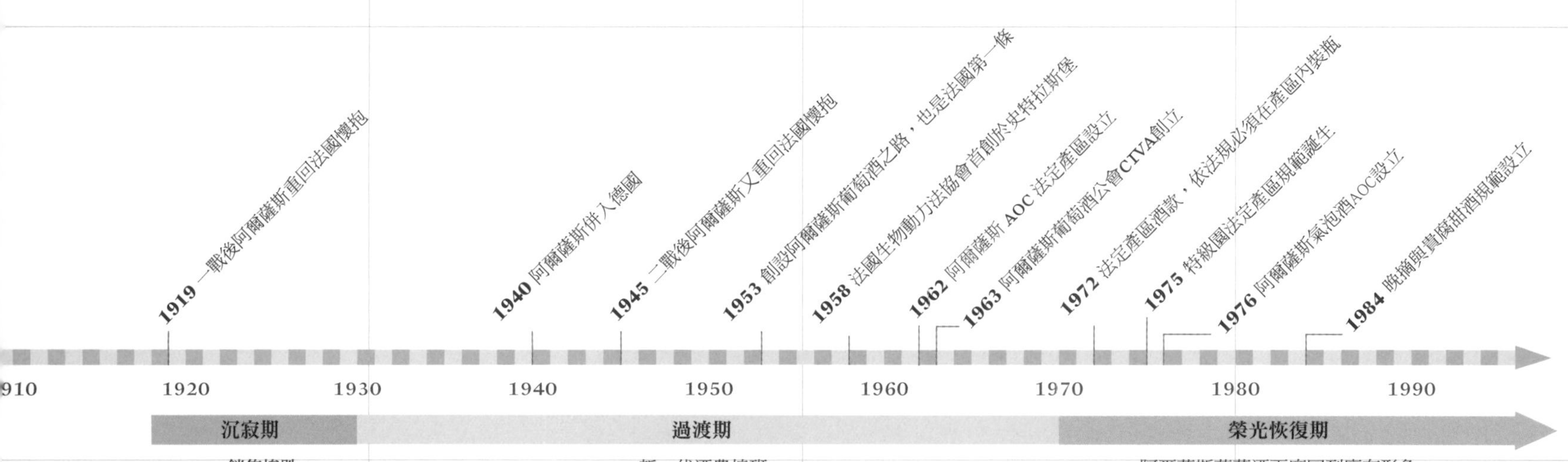
1919 一戰後阿爾薩斯重回法國懷抱
1940 阿爾薩斯併入德國
1945 二戰後阿爾薩斯又重回法國懷抱
1953 創設阿爾薩斯葡萄酒之路，也是法國第一條
1958 法國生物動力法協會首創於史特拉斯堡
1962 阿爾薩斯 AOC 法定產區設立
1963 阿爾薩斯葡萄酒公會CIVA創立
1972 法定產區酒款，依法規必須在產區內裝瓶
1975 特級園法定產區規範誕生
1976 阿爾薩斯氣泡酒AOC設立
1984 晚摘與貴腐甜酒規範設立
1910
1920
1930
1940
1950
1960
1970
1980
1990
沉寂期
過渡期
榮光恢復期
銷售慘跌：
在德國，阿爾薩斯葡萄酒完全滯銷
新一代酒農接班，
阿爾薩斯開始重塑產區形象
阿爾薩斯葡萄酒再度回到應有形象，
世界頂尖餐廳酒單都選用阿爾薩斯酒款

阿爾薩斯的葡萄品種

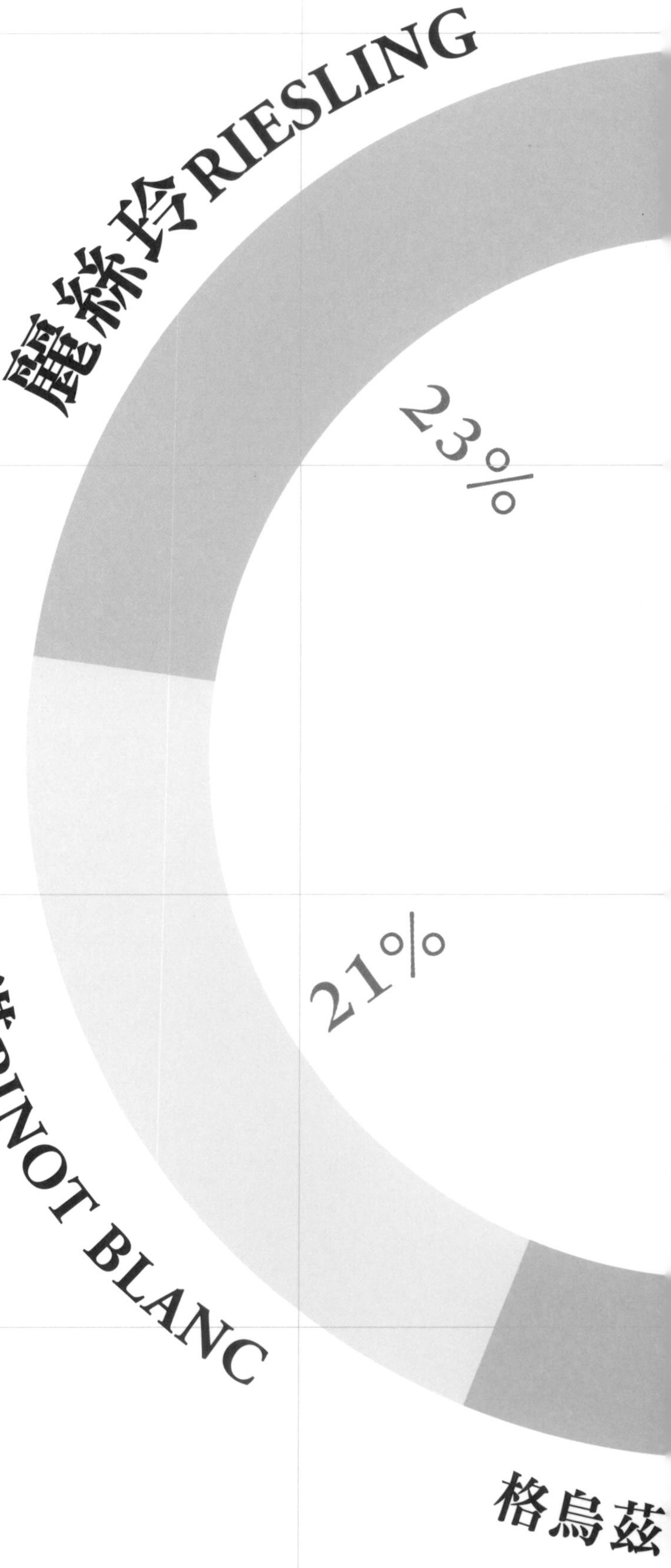

麗絲玲

麗絲玲源自萊茵河谷地，是阿爾薩斯最適搭精緻美食的尊貴品種。它能完美詮釋所源自的土壤，風味寬廣，從礦物風格到果香系都能找著。來自花崗岩的麗絲玲風格較為輕盈，來自黏土質石灰岩或泥灰岩土壤者則具有較強的架構。釀自特級園的麗絲玲有時須耐心等上十年才能達風味巔峰。如何辨識某人是不是阿爾薩斯人？如果他冰箱裡總是冰著一瓶麗絲玲備用，那肯定是了。

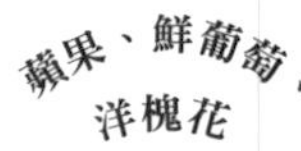

白皮諾

白皮諾果香較不奔放，也不若阿爾薩斯同儕品種來得芳香，通常釀成清新易飲的型態。白皮諾很少單獨釀造，最常用來釀造阿爾薩斯氣泡酒（它是主要品種），可以為氣泡酒帶來酸爽的風味。

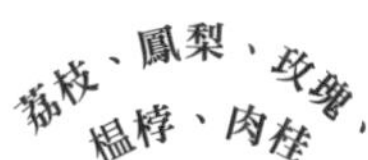

格烏茲塔明那

Gewürz 是德文，意指香料；Tramin 指本品種還未種植在阿爾薩斯之前的發源處：北義的同名小村。知道本品種的寫法之後，一定要試喝一下囉！只要一聞到格烏茲塔明那的香氣，你會大感驚豔，就像來了趟異國香氣之旅！本品種的小粒粉紅色果實讓它非常好辨認。它算是相當罕見的品種：全球四分之一的產量來自阿爾薩斯。與印度料理或是歐維涅藍黴起司（Bleu d'Auvergne）可以形成完美酒菜聯姻。

麗絲玲RIESLING

23%

白皮諾PINOT BLANC

21%

格烏茲

黑皮諾PINOT NOIR

蜜思嘉MUSCAT

希爾瓦那SYLVANER

灰皮諾PINOT GRIS

那GEWURZTRAMINER

11%

2%

8%

15%

20%

黑皮諾

阿爾薩斯釀造黑皮諾已經有幾百年之久，不過以前的酒質常常顯得過於清淡，無法引人興趣。黑皮諾是阿爾薩斯唯一允許可以釀造紅酒的品種，酒農希望阿爾薩斯黑皮諾可以在布根地之外活出自己的風格。在酒農的努力以及讓夏天愈來愈熱的溫室效應作用下，阿爾薩斯已經成為釀造黑皮諾的應允之地。

鮮葡萄、洋梨、薄荷、
蜜桃、柳橙

蜜思嘉

與法國南部的蜜思嘉甜酒不同，阿爾薩斯的版本屬於干性不甜，酒體也比較輕巧。阿爾薩斯種植兩種蜜思嘉：小粒種蜜思嘉（Muscat à petits grains）與歐投奈爾蜜思嘉（Muscat ottonel）。一般而言，阿爾薩斯蜜思嘉的酒精度不高，適合早飲。

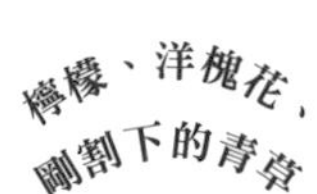

希爾瓦那

希爾瓦那，應該是阿爾薩斯最被忽視的品種。不過，已有酒農藉由降低每公頃產量釀出優質且價格平易近人的好酒。過去不受重視，但現今的希爾瓦那已逐漸再度擄獲阿爾薩斯人的心。

蜜桃、杏桃、
蜂蜜、杏仁片

灰皮諾

源自布根地的灰皮諾是黑皮諾的變種。它能在大陸性氣候適應良好，因為它喜愛寒冬，也愛夏日。灰皮諾的最佳潛力，在晚摘甜酒（Vendanges Tardives）與貴腐甜酒（Sélection de Grains Nobles）裡展露無遺。

必須知道的是，阿爾薩斯並不總是種植著同樣的品種。1829年時的人總愛說著克寧佩雷（knipperlé）與小麗須玲（Petit rischling）的優點，如今的阿爾薩斯葡萄園已經見不到這兩品種的蹤跡。

阿爾薩斯南部
Alsace Sud

自坦恩村到
貝格翰村之間

阿爾薩斯南部有著數量最多的特級園：51 個特級園中的 37 個都在南部。這南段的葡萄酒之路也是最多遊客造訪的區段，其中有不少風光明媚、鮮花處處的美麗酒村，如 Ribeauvillé、Riquewihr 或是 Kaysersberg，都值得造訪。柯爾瑪（Colmar）可說是阿爾薩斯的葡萄酒之都，必看的景點包括運河、木桁架建築以及美麗的廣場。柯爾瑪附近的微氣候很適合貴腐黴的生長。一如索甸（Sauternes）產區，這貴腐葡萄在陽光下乾縮後糖分極為濃縮，能在灰皮諾與格烏茲塔明那葡萄上釀出驚人的成果。在南部，介於坦恩到貝格翰之間，葡萄種植在阿爾薩斯海拔較高的山坡上。

翰根特級園的灰皮諾
Pinot gris Grand Cru Rangen

翰根特級園占地 22 公頃，以其陡峭的葡萄園聞名，是阿爾薩斯唯一主要以火山岩土壤為特色的葡萄園。園區海拔起自 320 公尺，終於 450 公尺。葡萄園坡度可達 60 度，使園中農事難度大增，甚至相當危險。採收工人身上需要繫上繩索以策安全。本特級園朝正南，對麗絲玲來說過於溫暖，灰皮諾在此成為優勢品種。

恩斯特特級園的格烏茲塔明那
Gewurztraminer Grand Cru Hengst

恩斯特園區朝南，屬於摻有砂岩的泥灰岩質石灰岩土壤，可以遠眺柯爾瑪市。本特級園一半的面積都種植了格烏茲塔明那。在阿爾薩斯的方言裡，「Hengst」意指「種馬」。在酒質年輕時，葡萄酒風格常常顯得激昂強烈。

在葡萄酒之路西方幾公里處，約與柯爾瑪同緯度的芒斯特谷地，生產非常著名的同名乳酪：芒斯特（Munster）。它屬洗皮軟質乳酪（牛乳），與特級園灰皮諾的搭配可說天造地設。

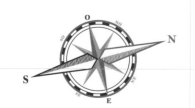

史若斯貝格特級園的麗絲玲
Riesling Grand Cru Schlossberg

史若斯貝格是阿爾薩斯最具指標性的葡萄園，也是首個成立的特級園。屬於花崗岩土質，園區海拔 230-400 公尺，總面積達 80 公頃。酒風清鮮靈動，可以等待幾年再飲，以嘗出最佳風味。

布朗德特級園的麗絲玲晚摘甜酒
Riesling Grand Cru Brand Vendanges Tardives

布朗德特級園是個神奇的所在，就位在圖克翰酒村（Turckheim）旁的山坡上。能釀出既清鮮又飽滿扎實的麗絲玲。酒標上的「Vendanges Tardives」指故意延遲採收期以採取過熟的葡萄串用以釀酒。

貴族谷地的阿爾薩斯粉紅氣泡酒
Crémant d'Alsace rosé de la Vallée noble

來自本谷地的粉紅氣泡酒的酒質甚至可以勝過某些香檳。杯中的草莓與覆盆子香氣與細密的氣泡，共同譜出屬於本地風土的詩篇。

阿騰伯格得貝格翰特級園
Grand Cru Altenberg de Bergheim

這是阿爾薩斯唯二允許酒農在特級園裡進行混種（Complantation）的特例。在這裡，格烏茲塔明那、麗絲玲與灰皮諾被種在同一塊地上，一起採收、一起釀造。這樣的混種與混釀，使品種角色退位，讓風土直接發聲。

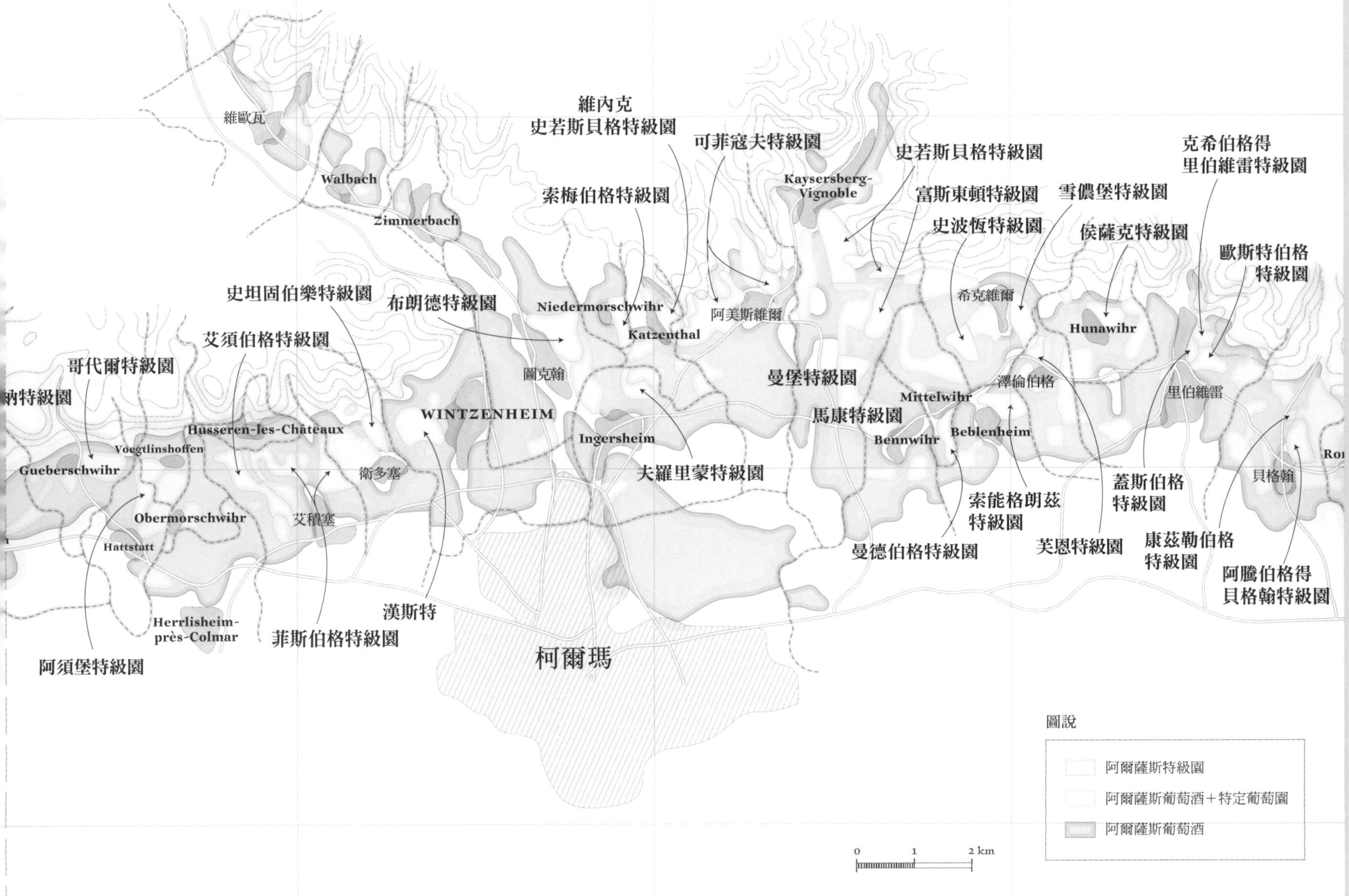

維歐瓦
Walbach
Zimmerbach
維內克
史若斯貝格特級園
可菲寇夫特級園
索梅伯格特級園
Kaysersberg-Vignoble
史若斯貝格特級園
富斯東頓特級園
雪儂堡特級園
史波恆特級園
侯薩克特級園
克希伯格得
里伯維雷特級園
歐斯特伯格
特級園
史坦固伯樂特級園
布朗德特級園
Niedermorschwihr
阿美斯維爾
希克維爾
Hunawihr
Katzenthal
艾須伯格特級園
哥代爾特級園
納特級園
圖克翰
曼堡特級園
Mittelwihr
澤倫伯格
里伯維雷
WINTZENHEIM
馬康特級園
Husseren-les-Châteaux
Voegtlinshoffen
Ingersheim
Bennwihr
Beblenheim
Gueberschwihr
衛多塞
夫羅里蒙特級園
貝格翰
蓋斯伯格
特級園
索能格朗茲
特級園
Obermorschwihr
艾積塞
Hattstatt
曼德伯格特級園
芙恩特級園
康茲勒伯格
特級園
阿騰伯得
貝格翰特級園
漢斯特
Herrlisheim-près-Colmar
菲斯伯格特級園
柯爾瑪
阿須堡特級園

圖說
阿爾薩斯特級園
阿爾薩斯葡萄酒＋特定葡萄園
阿爾薩斯葡萄酒
0 1 2 km

阿爾薩斯北部
Alsace Nord

自塞勒斯塔到
馬冷翰之間

在阿爾薩斯，光看表面，有時會被騙：下萊茵省（Bas-Rhin）其實位於北邊，上萊茵省（Haut-Rhin）反而位於南邊。阿爾薩斯北部的下萊茵省不若上萊茵省那麼出名，但其實值得繞道參觀。當你駛離史特拉斯堡時，建議不要直上高速公路，直接開到柯爾瑪。我建議你開上法國歷史最悠久（設立於1953年）的「葡萄酒之路」觀光路線。觀光一如葡萄酒，需要一些時間來品味。黑皮諾在阿爾薩斯北部以石灰岩為主的土壤上能釀得非常出色。上柯寧斯堡（Château du Haut-Kœnigsbourg）位於歐許維勒（Orschwiller），建於800公尺海拔的谷地上，約位於上、下萊茵省的分界。本堡非酒堡，雖不釀酒，但登堡可以一覽絕美的阿爾薩斯風光！

在艾林根斯坦（Heiligenstein）村附近，種有一鮮為人知的品種：在一片麗絲玲汪洋樹海中，存在著「滄海一滴」的44公頃粉紅莎瓦涅（Savagnin rose），其粉紅色果粒與格烏茲塔明那頗為相似，除帶有荔枝風味之外，礦物質風味也較為明顯。

阿爾薩斯氣泡酒
Crémant d'Alsace

別忘了，阿爾薩斯釀產的每五瓶酒中，就有一瓶是氣泡酒。請給自己一個機會試試「阿爾薩斯泡泡」吧：它的洋梨、蜜桃與杏桃風味非常引人。請記得：寧飲一瓶優質的阿爾薩斯氣泡酒，也不要喝一瓶劣質的香檳。

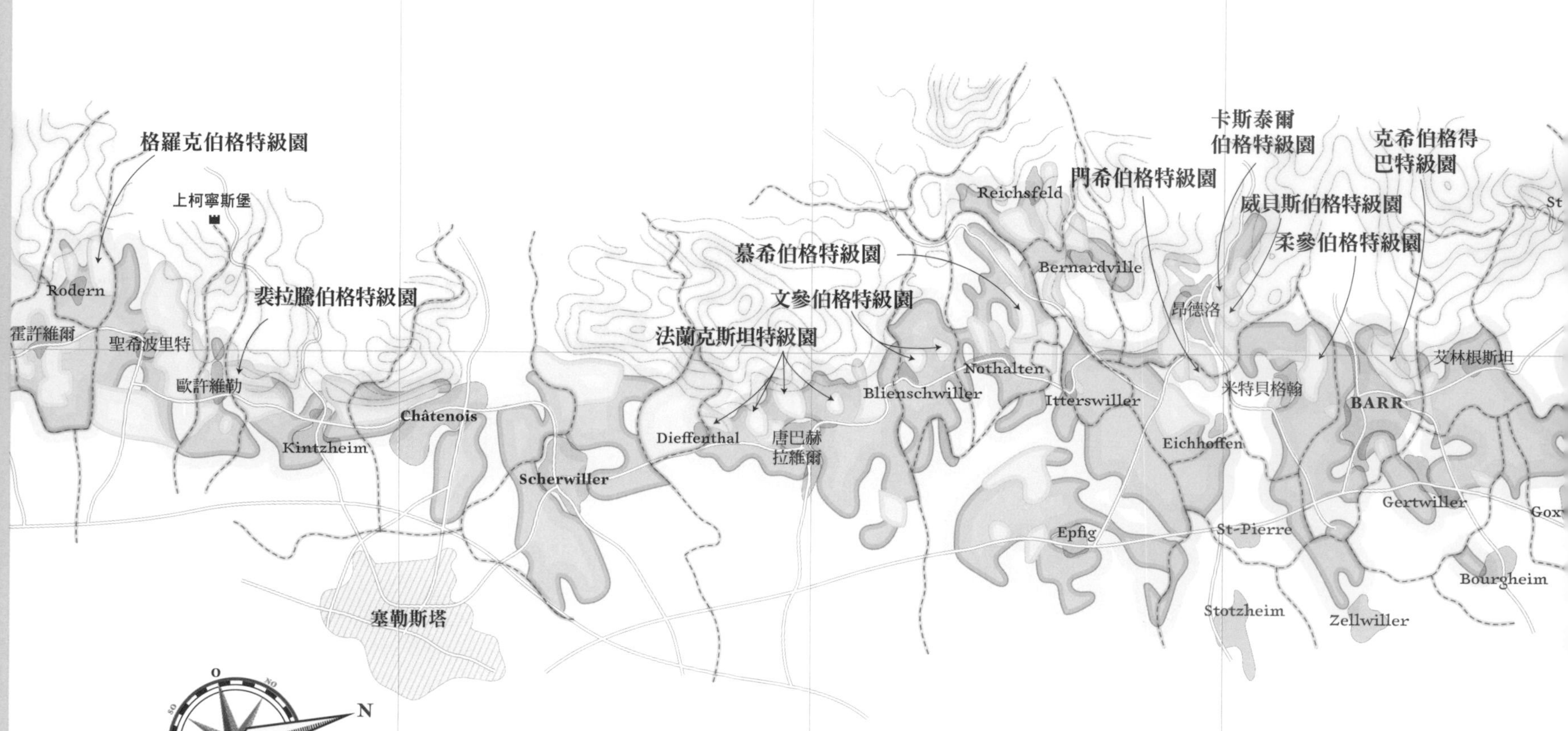

柔參伯格特級園
Sylvaner Grand Cru Zotzenberg

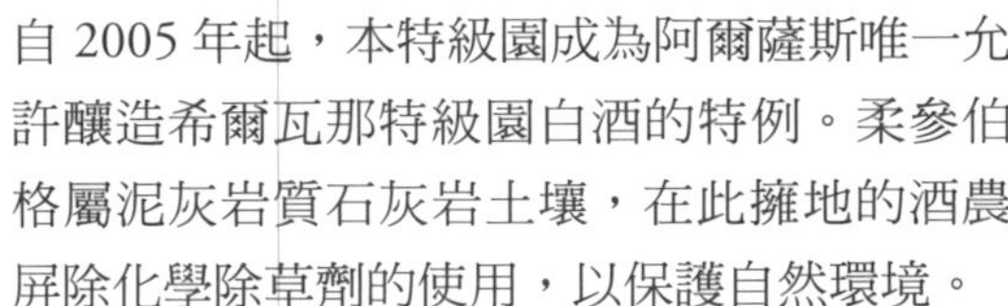

自 2005 年起，本特級園成為阿爾薩斯唯一允許釀造希爾瓦那特級園白酒的特例。柔參伯格屬泥灰岩質石灰岩土壤，在此擁地的酒農屏除化學除草劑的使用，以保護自然環境。

威貝斯伯格特級園麗絲玲
Riesling Grand Cru Wiebelsberg

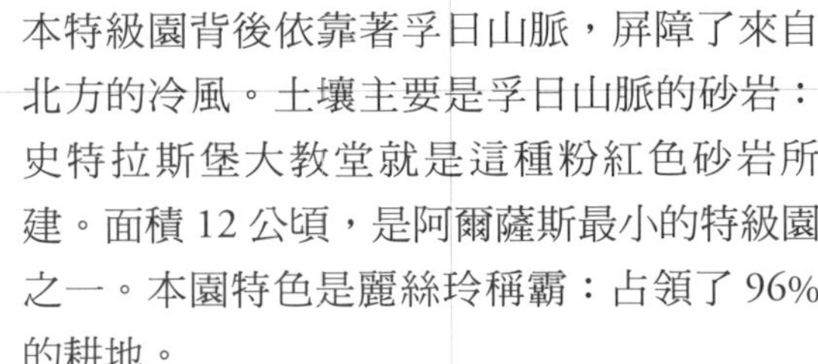

本特級園背後依靠著孚日山脈，屏障了來自北方的冷風。土壤主要是孚日山脈的砂岩：史特拉斯堡大教堂就是這種粉紅色砂岩所建。面積 12 公頃，是阿爾薩斯最小的特級園之一。本園特色是麗絲玲稱霸：占領了 96% 的耕地。

艾德茲威可
Edelzwicker

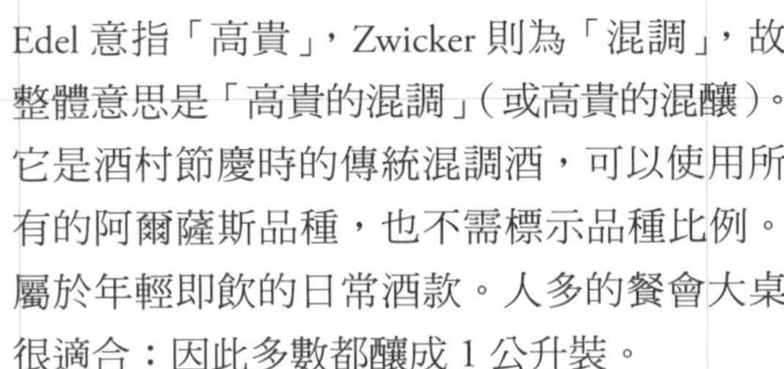

Edel 意指「高貴」，Zwicker 則為「混調」，故整體意思是「高貴的混調」（或高貴的混釀）。它是酒村節慶時的傳統混調酒，可以使用所有的阿爾薩斯品種，也不需標示品種比例。屬於年輕即飲的日常酒款。人多的餐會大桌很適合：因此多數都釀成 1 公升裝。

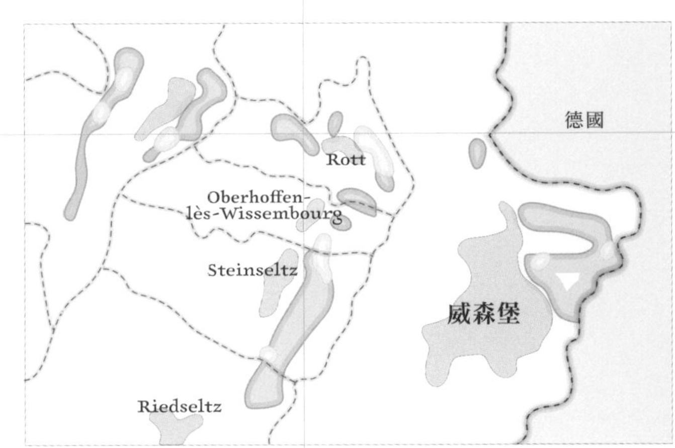

阿騰伯格得
貝比騰特級園
Westhoffen
Flexbourg
Balbronn
布德塔特級園
Wangen
Bergbieten
Traenheim
斯坦克羅茲特級園
Rosenwiller
Mutzig
-Nabor
歐托特
Dangolsheim
Odratzheim
馬冷翰
Nordheim
Boersch
Kirchheim
Soultz-les-Bains
Kuttolsheim
侯塞
Dorlisheim
安潔伯格特級園
Avolsheim
Dahlenheim
莫爾賽
Bernardswiller
沃爾塞
Fessenheim-
le-Bas
Egersheim
Bischoffsheim
阿騰伯格得沃爾塞特級園
歐貝內
Dachstein
Furdenheim
willer
Osthoffen

圖說
阿爾薩斯特級園
阿爾薩斯葡萄酒＋特定葡萄園
阿爾薩斯葡萄酒

0 1 2 km

基恩翰
Berstett

羅亞爾河谷地
LOIRE

有待重新認識的葡萄酒樂園

羅亞爾河谷地

Loire

羅亞爾河谷地過去是皇家居所，現在的羅亞爾河沿岸則成為年輕酒農的探險樂園。羅亞爾河谷地產區橫跨 14 個省份，為世界上占地最廣的葡萄酒產區之一。

整個羅亞爾河谷地被暱稱為「法國的花園」，此地乃是對多樣化的頌歌。葡萄園巧妙地融入地景之中，不特別突出搶眼，這對一個葡萄酒產區而言其實相當罕見。

法國皇室在此定居之後，文藝復興時期所建立的美麗城堡在此雲集。羅亞爾河谷地位居法國核心，具有戰略位置的意義、溫和宜居的氣候以及非常優質的葡萄酒。與波爾多的「酒堡」不同，這裡的城堡與釀酒並無關聯。

這裡的葡萄園地價尚稱合理，故而吸引許多年輕酒農前來安居。這股新生代力量使得本區成為法國最具活力的產區之一，這些新一代也更加注重環保。

土壤之上種植的是葡萄樹，土壤之下則是人們挖掘的地穴培養酒窖。這些地穴是先民鑿挖後作為居所，之後轉為種植香菇的地窖。今日則用為培養酒窖或是保存已裝瓶酒款。這些地窖可以維持終年穩定的濕涼溫度。

羅亞爾河谷地產區可以依據品種來學習。由於羅亞爾河的源頭靠近薄酒來，所以種植了加美葡萄。下游一點的松塞爾（Sancerre）具有大片的石灰岩質土壤，能讓白蘇維濃展現長才。中游地方的安茹（Anjou）附近氣候溫和，以白梢楠與卡本內弗朗為特色。在注入海洋之前，南特地方的重點品種則是布根地香瓜。

羅亞爾河谷地產區可依品種來學習

品種

卡本內弗朗、加美、黑皮諾、葛洛

布根地香瓜、白梢楠、白蘇維濃、夏多內

種植面積

57,000 公頃

法定產區 47,000 公頃

釀造酒種

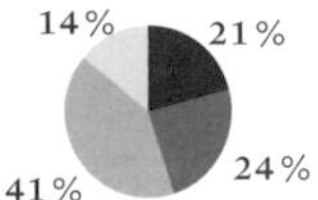

土壤

片岩、石灰華、黏土質石灰岩、石灰岩、花崗岩

氣候

介於海洋性氣候與半大陸性氣候之間

拜訪羅亞爾河谷地產區最賞心悅目的方式，就是順著河流騎自行車。現在從內韋爾（Nevers）到聖拿澤兩城之間，已有長達 600 公里的自行車道可以暢行。這段順著法國最長河流的「腳踏航行」必定讓你終生難忘……

羅亞爾河谷地的各種土質

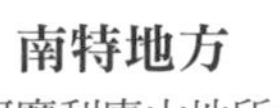

南特地方
阿摩利康山地所噴發出的岩石

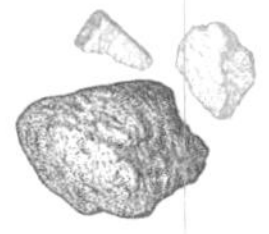

安茹
片岩與砂岩

梭密爾
石灰華（白堊）

都漢區
石灰華、帶燧石黏土、沙土、黏土質石灰岩與礫石

中央產區
啟莫里階石灰岩（Calcaire Kimmeridgien）、燧石與礫石

歐維涅
雲母片岩、砂岩與花崗岩

奧爾良
Orléans
Orléans
Orléans-Cléry
LOIRET
Jasnières
Le Loir
Vendôme
Coteaux du Vendômois
-Loir
Cheverny
羅亞爾河
Touraine Mesland
布盧瓦
Cour Cheverny
都漢
Touraine Amboise
Vouvray
Cherverny
LOIR-ET-CHER
Cheverny
Touraine Oisly
都爾
Amboise
Montlouis
le Cher
Romorantin-Lanthenay
Touraine Noble-Joué
l'Indre
Touraine Chenonceaux
Touraine Azay-le-Rideau
Loches
Vierzon
Quincy
INDRE-ET-LOIRE
Valençay
Reuilly
Gien
羅亞爾河
Coteaux-du-Giennois
YONNE
Sancerre
Cosne-Cours-sur-Loire
Menetou-Salon
Sancerre
NIÉVRE
Pouilly-Fumé
Pouilly-sur-Loire
la Charité-sur-Loire
CHER
布爾吉
中央產區
Issoudun
INDRE
le Cher
La Creuse
Châtellerault
La Vienne
棕堡
St-Amand-Montrond
l'Indre
Châteaumeillant
ALLIER
歐維涅
ALLIER
Saint-Pourçain
羅亞爾河
l'Allier
Vichy
Côtes d'Auvergne
Riom
克雷蒙菲宏
PUY-DE-DÔME
N S O E
0 15 30 km

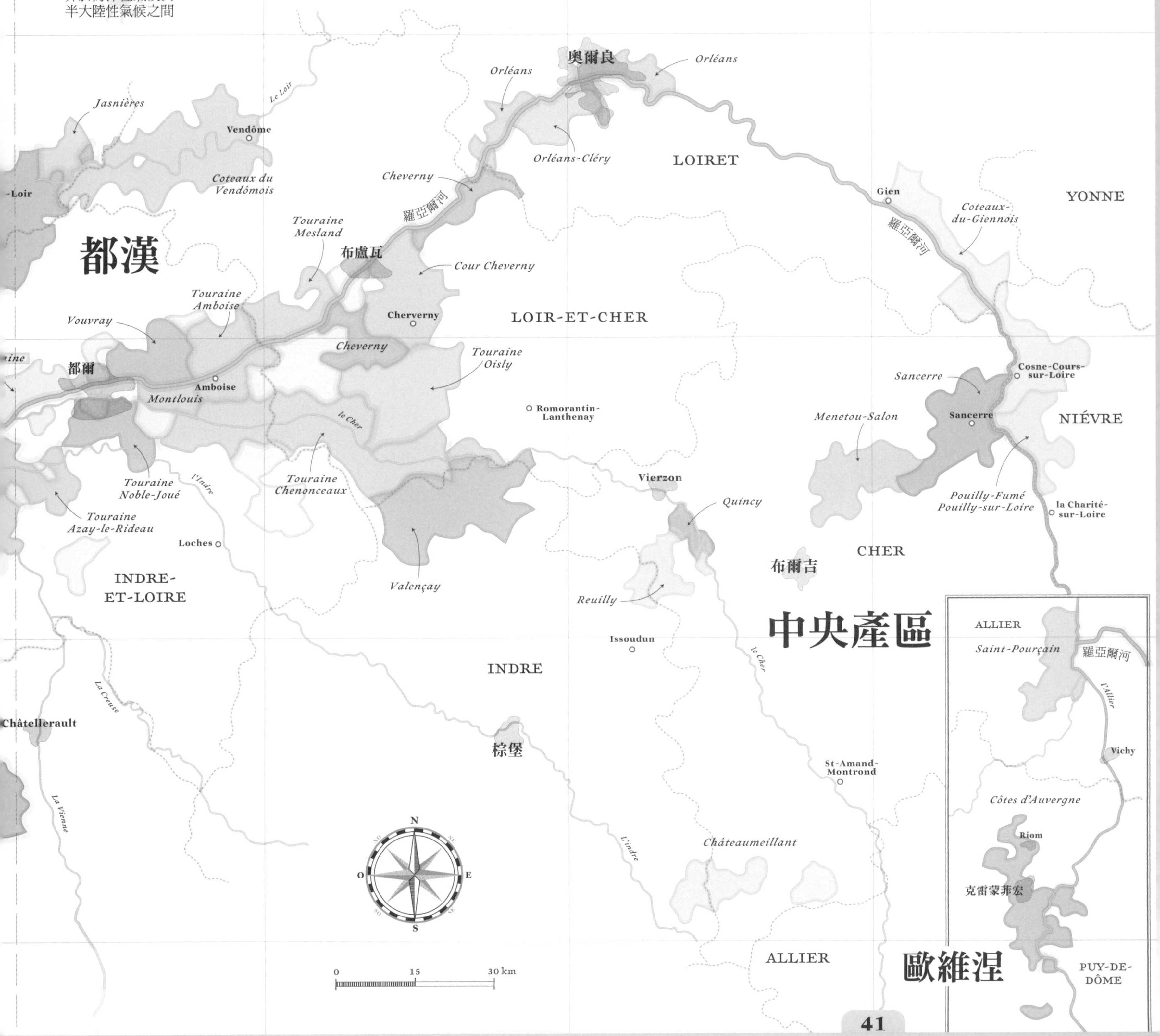

羅亞爾河谷地的葡萄品種

帶些碘味，
檸檬與葡萄柚風味

布根地香瓜

布根地香瓜這個品種常與蜜思卡得（Muscadet）白酒以及相關的法定產區搞混，前者是品種，後者是產區。世人對布根地香瓜的認可雖來得有點晚，但此清鮮酸爽的白酒仍征服了愛酒人的味蕾，讓更多人認識本品種的潛力。

檸檬、剛割的草地、
燧石與杏桃

白蘇維濃

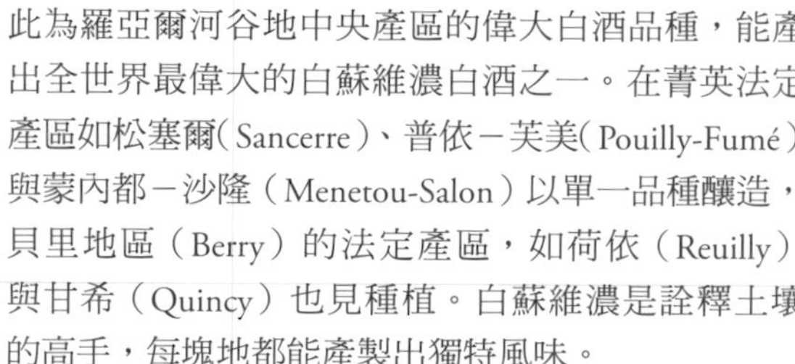

此為羅亞爾河谷地中央產區的偉大白酒品種，能產出全世界最偉大的白蘇維濃白酒之一。在菁英法定產區如松塞爾（Sancerre）、普依－芙美（Pouilly-Fumé）與蒙內都－沙隆（Menetou-Salon）以單一品種釀造，貝里地區（Berry）的法定產區，如荷依（Reuilly）與甘希（Quincy）也見種植。白蘇維濃是詮釋土壤的高手，每塊地都能產製出獨特風味。

白梢楠

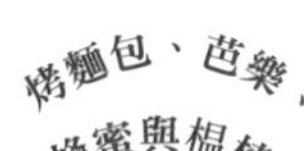

白梢楠可說是為羅亞爾河谷地量身訂做的品種，其他產區罕見種植。主要種植於安茹與都漢區，在莎弗尼耶（Savennières）、休姆－卡德（Quart de Chaume）、梧雷（Vouvray）與蒙路易（Montlouis）法定產區裡綻放光芒。白梢楠因為晚熟與易罹病，故被列為難纏品種，但對詳知馴服此品種者，其實產量不算差。當心，本品種會讓你一飲愛上！

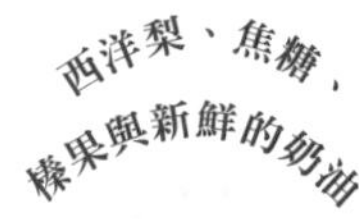

夏多內

夏多內源自布根地，於中世紀時移植到羅亞爾河谷地。用於釀造羅亞爾谷地氣泡酒（Crémant de Loire）與梭密爾氣泡酒（Saumur Brut），也能用來釀造羅亞爾河谷地指定地理區保護等級（IGP Val de Loire）的白酒。

白芙爾

白芙爾也稱作果葡隆（Gros Plant），因為它是南特果葡隆（Gros plant du Pays Nantais）法定產區所使用的品種。白芙爾活在蜜思卡得白酒的陰影下而不太為人所注意，所釀酒款以低酒精度與高酸度為特色。

其他白酒品種

馬爾瓦西（Malvoisie）、夏思拉（Chasselas）、侯莫宏丹（Romorantin）……

布根地香瓜MELON B
16%
白蘇維濃SAUVIGNON
15%
白梢楠CHENIN
14%
夏多內CHAEDONN
6%

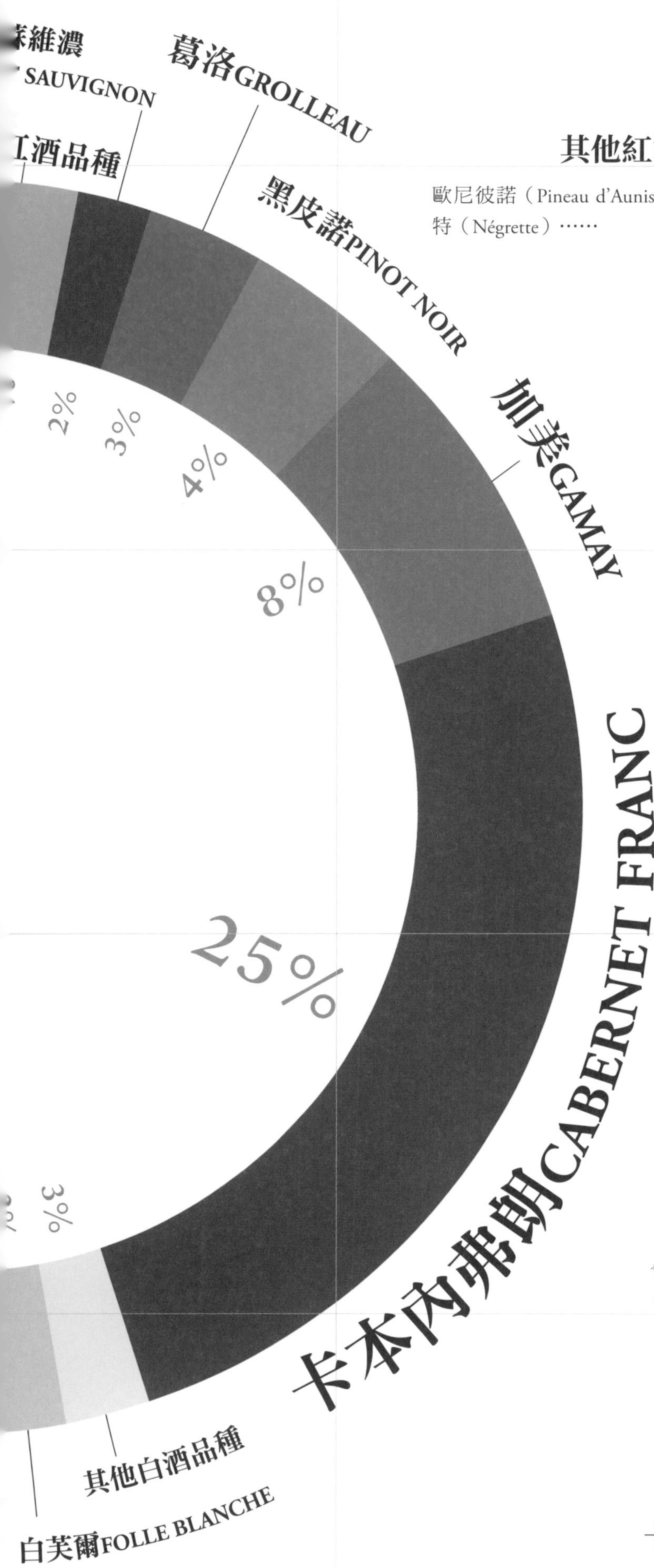

蘇維濃
SAUVIGNON

葛洛GROLLEAU

紅酒品種

黑皮諾PINOT NOIR

加美GAMAY

卡本內弗朗CABERNET FRANC

2%

3%

4%

8%

25%

3%

其他白酒品種

白芙爾FOLLE BLANCHE

其他紅酒品種

歐尼彼諾（Pineau d'Aunis）、鉤特（Côt）、聶格列特（Négrette）……

卡本內蘇維濃

本品種出現在羅亞爾河谷地乍看之下很奇怪，不過它在梭密爾以及都漢區很好用：可將卡本內蘇維濃添入卡本內弗朗中，增添紅酒的勁道、架構與顏色。當地紅酒中若出現一絲薄荷腦氣息，很有可能就是添加卡本內蘇維濃在裡頭。

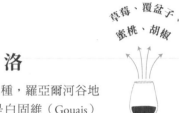

草莓、覆盆子、
蜜桃、胡椒

葛　洛

葛洛是相當罕見的品種，羅亞爾河谷地之外更是如此。它是白固維（Gouais）的後代，抗病能力強且多產，可以釀出果香豐富、可口易飲的紅酒。

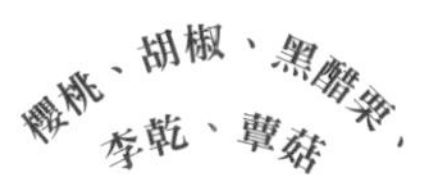

黑皮諾

黑皮諾脆弱且難以捉摸，它也「選擇」了法國北方當作棲身之所，尤其是布根地、香檳區以及阿爾薩斯（是阿爾薩斯唯一允許的紅酒品種）。在羅亞爾河谷地的松塞爾與蒙內都－沙隆有優秀的表現。

加　美

沒錯，加美與薄酒來產區非常合拍（該產區的99%面積種的都是加美），但在羅亞爾河谷地的旺代省至歐維涅之間，種植得也不少。加美非常多產，故要獲得高品質的葡萄，就必須嚴格剪枝以限制每株葡萄樹的產量。加美葡萄酒以輕巧順口而廣受歡迎。

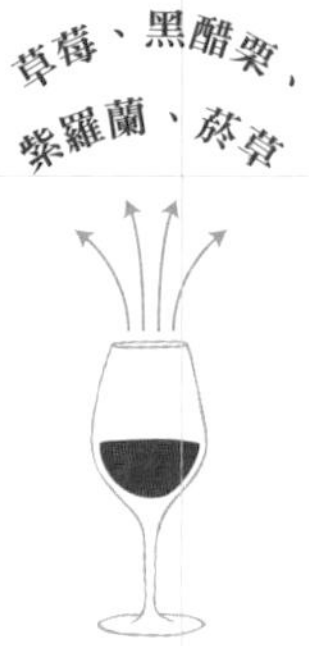

草莓、黑醋栗、
紫羅蘭、菸草

卡本內弗朗

卡本內弗朗是羅亞爾河谷地最受尊崇的紅酒品種，它源自法國西南部，在當地是用於混調的次要品種，但在羅亞爾河地區通常為單一品種釀造。在希濃（Chinon）、布戈憶（Bourgueil）與梭密爾－香比尼（Saumur-Champigny）的石灰華（白堊）土壤上能釀出絕佳風味。

10個蜜思卡得 —
塞夫爾緬因優質村莊
Vair-sur-Loire
St-Mars-le-Désert
ANCENIS
LA LOIRE
Oudon
Orée-d'Anjou
Le Cellier
CARQUEFOU
Divatte-sur-Loire
香托索
LE LOROUX-
BOTTEREAU
Le Landreau
HAUTE-GOULAINE
古蘭
拉耶富阿榭
La Chapelle-Heulin
瓦列
La Haie-Fouassière
勒巴雷
VALLET
提波堡
Le Pallet
Mouzillon
穆茲雍 – 提列
Monnières
Château-Thébaud
摩尼耶 – 聖費亞克
戈治
Maisdon-sur-Sèvre
Gorges
克里松
St-Lumine-de-Clisson
CLISSON
古蘭：和諧
香托索：絲滑
拉耶富阿榭：優雅
勒巴雷：稠潤
提波堡：細緻
瓦列：豐滿
穆茲雍－提列：複雜
摩尼耶－聖費亞克：豐腴
戈治：綿長
克里松：強勁
蜜思卡得－羅亞爾丘
昂瑟尼丘
MAIN-ET-LOIRE
LOIRE-ATLANTIQUE
Nort-sur-Erdre
l'Erdre
Ligné
Ancenis
蜜思卡得
A11
羅亞爾河
Donges
Carquefou
聖拿澤
Paimbœuf
南特果葡隆
Montrevault-sur-Èvre
St-Brévin-les-Pins
St-Père-en-Retz
南特
Vallet
Bouaye
Sèvremoine
Pornic
Chaumes-en-Retz
Lac de Grand-Lieu
A83
Aigrefeuille-sur-Maine
Clisson
蜜思卡得－塞夫爾緬因
Villeneuve-en-Retz
la Boulogne
St-Philbert-de-Grand-Lieu
Machecoul
Île de Noirmoutier
Montaigu
Mortagne-sur-Sèvres
蜜思卡得－塞夫爾緬因優質村莊
Rocheservière
Beauvoir-sur-Mer
VENDÉE
Legé
Challans
蜜思卡得－格蘭里奧丘
N
E
S
O
0
6
12 km

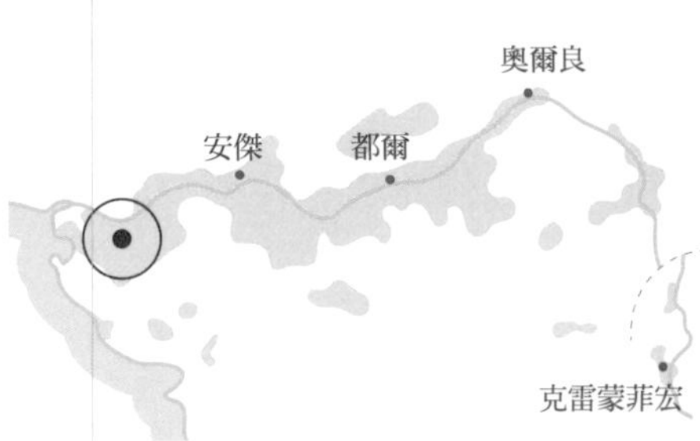

蜜思卡得與夥伴產區
Muscadet & compagnie

蜜思卡得 Muscadet

布根地香瓜

7,900 公頃

100%

幾百萬年前，就在此地，各大陸在此「分手」，各奔東西。所造成的長期地質變動仍歷歷在目，也解釋了阿摩利康高原（Massif Armoricain）的土壤之所以豐沃的原因。

另一次「分手」也影響著本區的命運。1395 年，布根地與其歷史品種布根地香瓜（舊時稱為白加美〔Gamay blanc〕）正式分手。當時的亞帝公爵（Duc Philippe le Hardi）認為布根地香瓜是「不正當」的品種。本品種出逃後，最終落腳於相距甚遠的西部：南特市周遭出海口附近。今日的蜜思卡得是唯一獨尊此品種的產區。

波爾多人喝波爾多，阿爾薩斯人崇尚麗絲玲，布根地人骨子裡就是黑皮諾。不過南特人卻長期與蜜思卡得白酒賭氣。由於長年過度量產，使它帶著「吧檯前喝的小酒」的形象。雖然現在世界上的許多星級餐廳酒單上都賣蜜思卡得，但它原鄉的南特人就是不愛。還好，上述情況現已結束。集合了酒農、專賣店以及餐飲業的共同努力，南特人終於再度將蜜思卡得擁抱入懷。

南特人終於再度將蜜思卡得擁抱入懷

不過刻板印象已經深深刻入某些消費者的骨髓，他們認為蜜思卡得就只是用來搭配生蠔的簡單白酒，如此而已。真是大錯特錯！本產區是全世界唯一在釀造干白酒時，連同細緻死酵母渣一同浸泡長達 24、60 甚至 120 個月的地方，因此而產生絕佳的儲存潛力。再者，布根地香瓜是絕佳的風土詮釋者，其品種特色不特別鮮明，卻能藉由特定風土釀出獨特風貌。

2011 年起，法定產區管理局允許蜜思卡得在酒標上標示 10 個優質村莊（Crus）。這些優質村莊依據地質與地形特性而遴選與劃定。產區的下一步呢？管理局會更近一步在優質村莊之內界定出更小單位的特定葡萄園（Lieux-dits），好向布根地的 Climats 劃定看齊。沒錯吧，這「香瓜」真的源自布根地。

南特果葡隆 Gros plant du Pays Nantais

白芙爾

570 公頃

100%

南特果葡隆的產區範圍，其實與蜜思卡得重疊。唯一差別在於，這裡用的品種是白芙爾。此品種是干邑與雅馬邑的傳統釀造品種，在南特則宛若新生，能釀出酸爽、低酒精度的干白酒。

昂瑟尼丘 Coteaux d'Ancenis

加美、灰皮諾（Malvoisie）

150 公頃

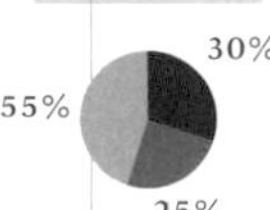

很明顯地，本產區愛用令人意想不到的品種。產區主要位於羅亞爾河的北邊、南特的東邊，主要種植 Malvoisie：其實就是阿爾薩斯的灰皮諾。灰皮諾能釀出美味且帶一些甜味的白酒。加美則有本地特有的鮮美果味。

0 5 10 km

Mauges-sur-Loire

Orée-d'Anjou

安茹－羅亞爾丘

萊陽丘休姆一級園

安茹與梭密爾
Anjou & Saumur

此為羅亞爾河唯一呈現如此多元風貌的產區。多元是優點，但難有清晰的定位也成為缺點。一同來探索多采多姿的產區吧。

品種

●
卡本內弗朗、卡本內蘇維濃、歐尼彼諾、葛洛、加美

●
白梢楠、白蘇維濃、夏多內

種植面積

19,400 公頃

釀造酒種

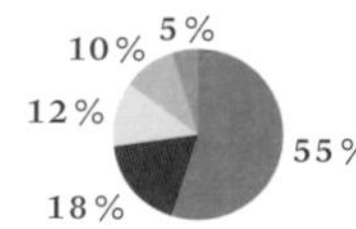

土壤

板岩質片岩砂岩、泥炭土石灰華、火山岩

安茹產區從不過冷或過熱，以溫和氣候著稱，其生活藝術與酒質皆如此。卡本內弗朗是本區歷史品種，仍占最重要地位。梭密爾在石灰華土壤上可釀出個性獨具的紅酒；最佳法定產區為梭密爾－香比尼（Saumur Champigny）。在此西邊，是「黑色安茹」地帶，因土壤主要是深色片岩而得名。本產區以安茹卡本內與安茹粉紅酒（Rosé d'Anjou）著稱，你知道這兩種表親酒款的差異嗎？就是品種：前者只能使用卡本內弗朗與卡本內蘇維濃，後者則允許再添入加美、歐尼彼諾與葛洛。

雖然安茹以產粉紅酒知名，但新一代酒農決心將它「漂白」：不管是干性、微甜或是甜白酒，白梢楠都能在此獨挑大梁。一如索甸產區，這裡的微氣候有助於貴腐黴的發展：正式採收前幾週，貴腐黴會使果皮乾縮起皺，並在陽光下「糖漬」濃縮。此現象使本區得以產出羅亞爾河谷地最偉大的甜白酒：萊陽丘、休姆－卡德（Quarts-de-chaume）與邦若（Bonnezeaux）。

安茹卡本內詮釋了本區的溫和生活藝術

別忘了，繼香檳之後，羅亞爾河谷地是法國氣泡酒的最大產地，並由梭密爾地區領銜。這裡生產羅亞爾河氣泡酒（Crémant de Loire），而品質最高的是梭密爾細泡酒（Saumur Fines Bulles）法定產區。這裡的酒農可使用具當地特色的地窟酒窖，完美地培養氣泡酒。這些深挖入岩的酒窖可保終年陰暗與恆溫。以前種香菇的地窟，現在成為酒農的最佳王牌利器。

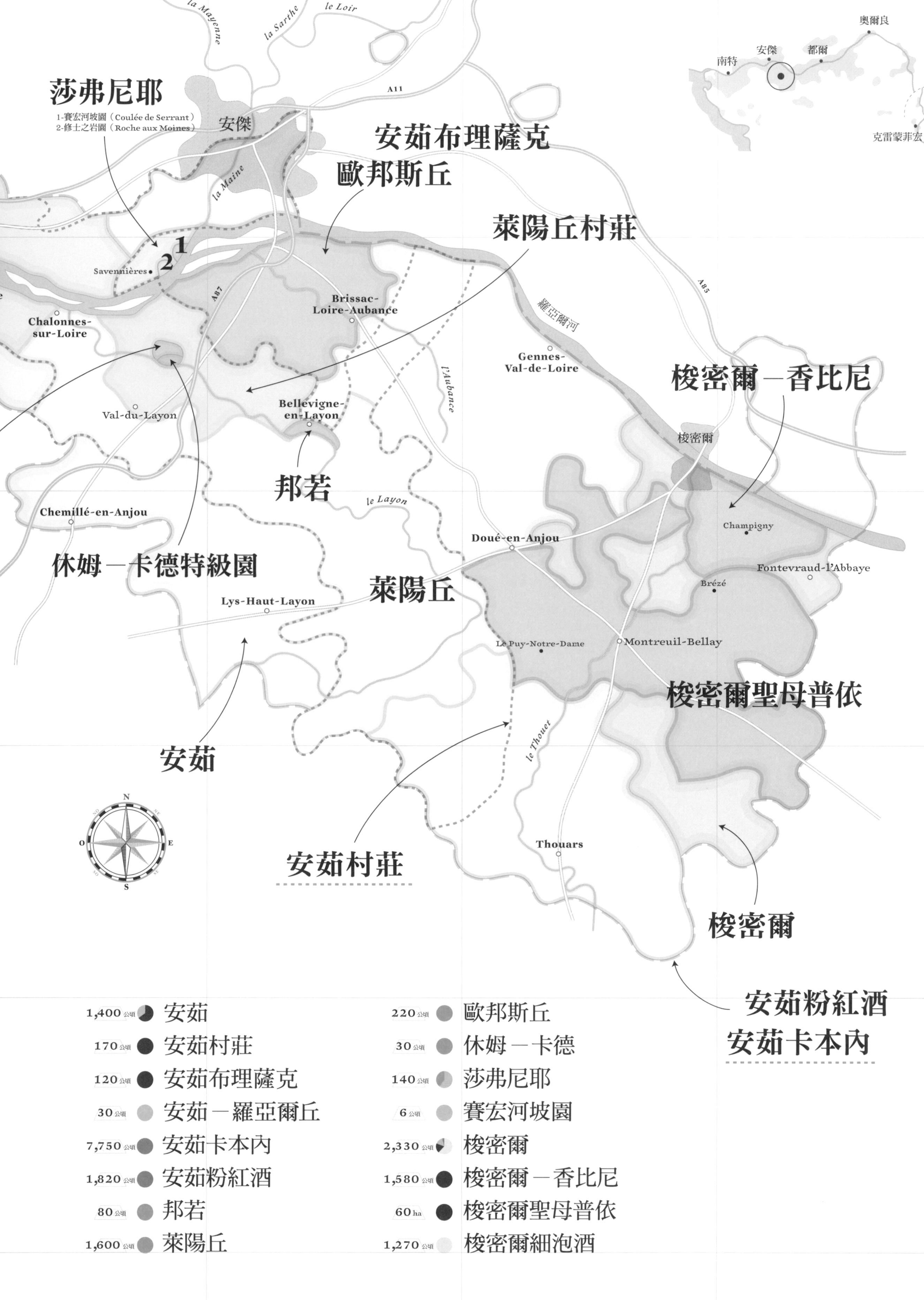

面積	產區	面積	產區
1,400 公頃	安茹	220 公頃	歐邦斯丘
170 公頃	安茹村莊	30 公頃	休姆－卡德
120 公頃	安茹布理薩克	140 公頃	莎弗尼耶
30 公頃	安茹－羅亞爾丘	6 公頃	賽宏河坡園
7,750 公頃	安茹卡本內	2,330 公頃	梭密爾
1,820 公頃	安茹粉紅酒	1,580 公頃	梭密爾－香比尼
80 公頃	邦若	60 ha	梭密爾聖母普依
1,600 公頃	萊陽丘	1,270 公頃	梭密爾細泡酒

都漢區東部 Touraine Est

從梭密爾到都爾

布戈憶 Bourgueil

布戈憶法定產區酒款正流行，可能你家附近的專賣店也跟你推薦過都漢區這區塊的酒。布戈憶的酒絕大部分以卡本內弗朗單一品種釀成。種植在平原區塊的以沙土及礫石為主，山坡園區則以石灰華為特色，這兩者之間能產出具驚人多樣性的布戈憶。平原的布戈憶以酸櫻桃與草莓風味為主，石灰華地塊上則擅長黑莓與覆盆子風情。

1,400 公頃

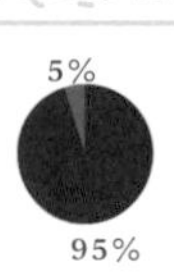

希濃 Chinon

希濃葡萄酒大受來自於同名城市的大作家拉伯雷（Rabelais）讚揚，其實希濃曾有著輝煌的過去。新一代酒農的活力將希濃過去的榮光重新找回，再度以釀自山坡的優質儲存潛力卡本內弗朗擄獲人心。粉紅酒非常可口，產量相當少的白酒清鮮而干性。最佳年份酒款可以保存5年以上。本區紅酒可以是細緻芬芳或是強勁飽滿的型態。

2,400 公頃

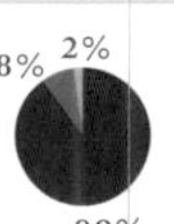

布戈憶－聖尼古拉 Saint-Nicolas-de-Bourgueil

在本區，人們會說：「布戈憶可拿來保存，布戈憶－聖尼古拉就拿來喝。」兩區乍看之下不易區分，其實差別就在腳下。簡而言之，布戈憶的土壤以黏土質石灰岩為主，布戈憶－聖尼古拉則屬沙土與礫石，所釀酒款輕盈且細緻。

1,100 公頃

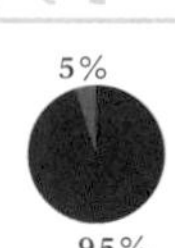

都漢 Touraine

這是羅亞爾河谷地內面積最大的區域級法定產區之一，底下還分為5個地理區標示。所產干白酒非常芬芳酸爽，以白蘇維濃為主要品種。白梢楠與夏多內被用以釀造氣泡酒。這裡的加美紅酒通常為單一品種釀造，風味清爽直率，以紅色水果氣息為特色。粉紅酒非常之清鮮細膩，以經典的多品種混調而成。

5,000 公頃

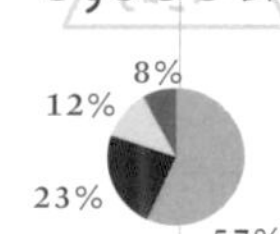

都漢－諾伯勒－茱耶
Touraine Noble-Joué

35 公頃

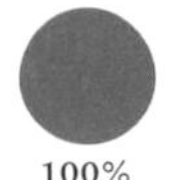

100%

極罕見僅釀造粉紅酒的法定產區，產區名一部分源自 Joué-lès-Tours，另一部分的 Noble（高貴之意）用以指稱皮諾家族品種，本產區主要以皮諾莫尼耶（Pinot Meunier）釀造粉紅酒：帶有胡椒、紅醋栗、酸櫻桃與葡萄柚氣息。

都漢－阿列－麗多
Touraine Azay-le-Rideau

40 公頃

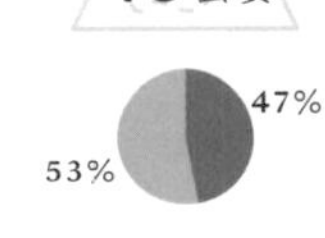

53% 47%

本產區的紅白酒各有其釀造品種。白酒品種是白梢楠，粉紅酒則以葛洛釀成。葛洛的原鄉就在不遠的幾公里外。本法定產區是羅亞爾河谷地唯一以 100% 葛洛釀造粉紅酒者。

旺多姆地區
Vendômois

奧爾良
安傑
南特
克雷蒙菲宏

羅瓦丘 Coteaux-du-Loir

順著羅瓦河（Loir）的水道，旺多姆丘產區便讓位給羅瓦丘。不過兩者所種的品種很相似，羅瓦丘的粉紅與紅酒以歐尼彼諾釀成，白酒則是白梢楠。此地紅酒單寧不多，但風味複雜，粉紅酒則清鮮而輕巧。白酒干性，具不錯的飽滿度，依據風土之別，有些以礦物風味取勝，有些則圓潤迷人。

75 公頃

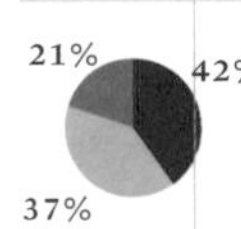

21% 42% 37%

賈尼耶 Jasnières

賈尼耶位於羅瓦河右岸山坡處，坡度最陡可達 15%，朝南，以白梢楠釀造的白酒產量不高，市面也不常見著。本區土壤主要是混合矽砂的黏土與石灰岩土質。白酒風格常帶有礦物質風味，也些點殘糖，以花香為主：如山楂花與洋槐。此酒通常需要耐心等待幾年，以達滋味巔峰。

50 公頃

100%

旺多姆丘 Coteaux-du-Vendômois

本區下層是黏土質石灰岩土壤，上層蓋有多石河泥，主要品種是歐尼彼諾，其次是加美、卡本內弗朗、卡本內蘇維濃與鉤特（即馬爾貝克）。本地特產是以歐尼彼諾釀成的淡粉紅酒（Vin gris）：酒色極淡，近乎透明，此因浸皮時間極短。這裡的酒都多數以年輕即飲為特色。

140 公頃

20% 42% 38%

都漢區西部
Touraine Ouest

從都爾到布盧瓦

都漢－安伯日 Touraine Amboise

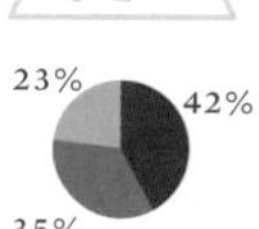

本產區受到歷屆法王愛戴，旁臨安伯日城堡，順著羅亞爾河岸而觸及都漢－梅思隆產區，種植最多的是加美，可與鉤特與卡本內弗朗混調以獲得更佳的儲存潛力。

都漢－梅思隆 Touraine Mesland

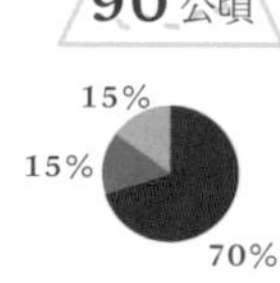

依據史載，加美葡萄首次於 1830 年引入羅亞爾河谷地之處就是都漢－梅思隆。雖然這裡種有所有羅亞爾河谷地的重要品種，但加美依舊是一枝獨秀。

都漢－瓦思利 Touraine Oisly

本法定產區就位於瓦思利市（Oisly）周遭，都漢－瓦思利園區歷史悠久，能釀出羅亞爾河谷地裡最佳的白蘇維濃白酒：清鮮感與細緻的香氣是其最大特色。

都漢－雪儂梭 Touraine Chenonceaux

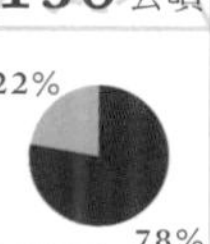

都漢－雪儂梭法定產區一直到 2011 年才成立，名稱當然與名聞遐邇的雪儂梭堡有關。白酒以 100%的白蘇維濃釀成，紅酒則由鉤特與卡本內弗朗混調而成。

修維尼 Cheverny

修維尼法定產區的葡萄藤就長在美觀堡（Ch. de Beauregard）與香波堡（Ch. De Chambord）的周邊，特殊的是，以羅亞爾河產區而言，修維尼的沙土更多也更為冷涼，因此，所產黑皮諾細緻婉約。白酒以夏多內、白梢楠以及白蘇維濃釀成，多屬干性，但也可釀成半甜（Demi-sec）、帶甜（Moelleux）與甜酒（Doux），酒標也必須如此標示。少見的粉紅酒風格鮮爽，以紅色水果氣息為主調。

574 公頃

10% 45% 45%

庫爾－修維尼 Cour-Cheverny

本產區可說創了法國、甚至全球首例：在修維尼法定產區中特別劃出庫爾－修維尼，並且只能以侯莫宏丹（Romorantin）品種釀造白酒：帶有柑橘香、白花、白色果肉水果，甚至是大黃或是薄荷氣息。根據史載，法王弗朗索瓦一世曾將幾千葡萄株自布根地帶來此地，種在侯莫宏丹村（位於本產區西南部），村名後來也借用成為品種名。

60 公頃

100%

瓦隆樹 Valençay

在地理上，我們已從都漢區進入到貝里地區。瓦隆樹高原被三條小河（Nahon、Fouzon 與 Sauldre）形成的河谷挖鑿成形，之後皆注入薛爾河。也因此在周遭形成許多小丘，其上便種植了瓦隆樹產區的葡萄樹，可釀出清鮮紅酒、帶礦物味的白酒與酸爽的粉紅酒。

140 公頃

10% 40% 50%

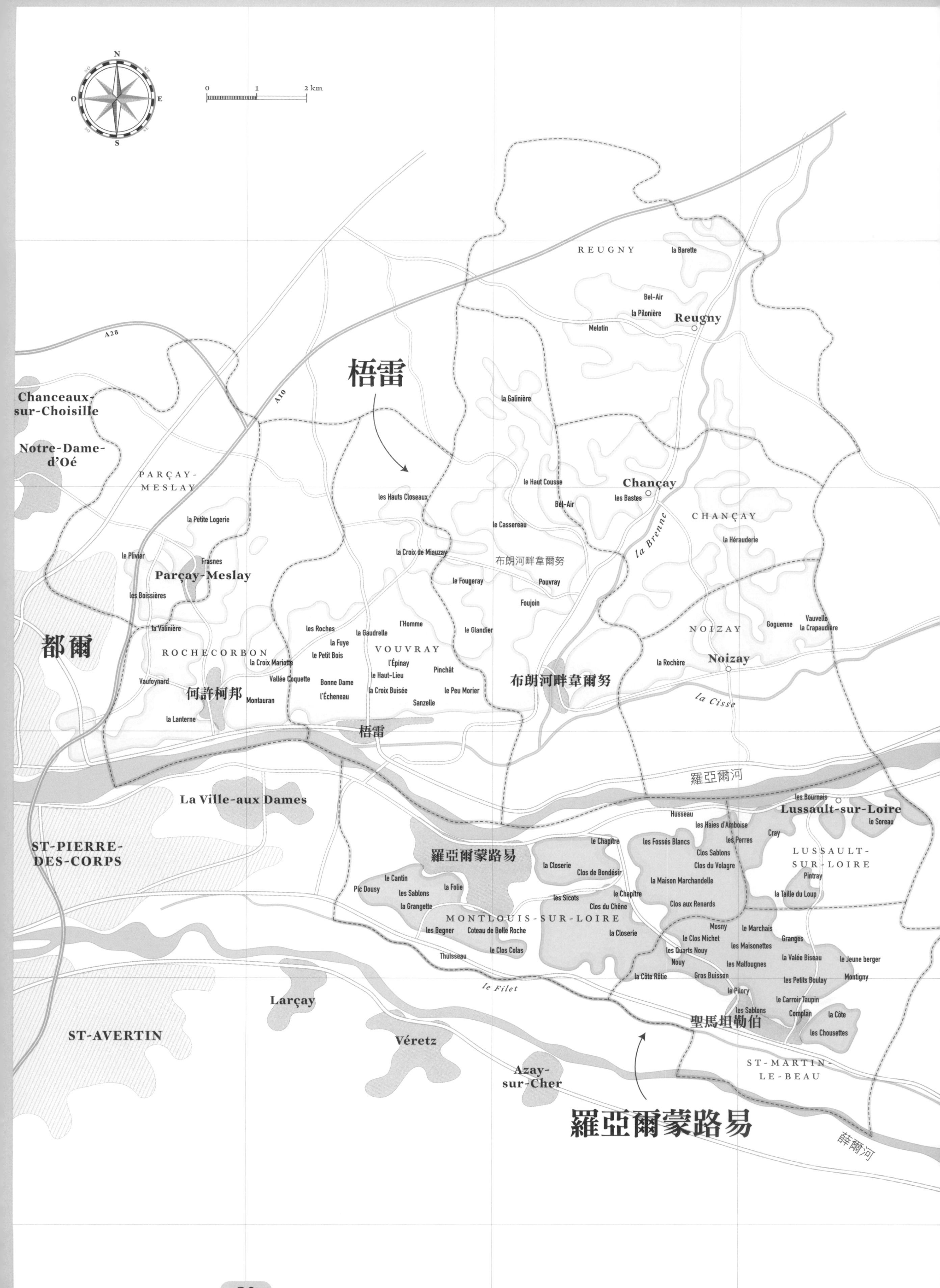

N
O
E
S
0
1
2 km
A28
A10
REUGNY
la Barette
Bel-Air
la Pilonière
Reugny
Melotin
梧雷
Chanceaux-sur-Choisille
la Galinière
Notre-Dame-d'Oé
PARÇAY-MESLAY
le Haut Cousse
Chançay
les Bastes
Bel-Air
les Hauts Closeaux
la Petite Logerie
le Cassereau
CHANÇAY
la Brenne
la Héraudérie
le Plivier
Frasnes
la Croix de Miauzay
布朗河畔韋爾努
Parçay-Meslay
le Fougeray
Pouvray
les Boissières
Foujoin
la Valinière
l'Homme
les Roches
la Gaudrelle
le Glandier
NOIZAY
Goguenne
Vauvelle
la Crapaudière
都爾
la Fuye
ROCHECORBON
les Petit Bois
VOUVRAY
la Croix Mariotte
l'Épinay
la Rochère
Noizay
le Haut-Lieu
Pinchât
Vallée Coquette
Bonne Dame
Vaufoynard
la Croix Buisée
le Peu Morier
布朗河畔韋爾努
何許柯邦
Montauran
l'Écheneau
Sanzelle
la Cisse
la Lanterne
梧雷
羅亞爾河
La Ville-aux Dames
les Bournais
Lussault-sur-Loire
Husseau
le Soreau
les Haies d'Amboise
Cray
les Perres
ST-PIERRE-DES-CORPS
le Chapitre
les Fossés Blancs
羅亞爾蒙路易
Clos Sablons
LUSSAULT-SUR-LOIRE
la Closerie
Clos du Volagre
Clos de Bondésir
le Cantin
la Maison Marchandelle
Pintray
Pic Dousy
la Folie
les Sablons
les Sicots
le Chapitre
la Taille du Loup
Clos du Chêne
la Grangette
Clos aux Renards
MONTLOUIS-SUR-LOIRE
Mosny
le Marchais
les Begner
Coteau de Belle Roche
la Closerie
le Clos Michet
Granges
les Maisonettes
le Clos Colas
les Quarts Nouy
la Valée Biseau
le Jeune berger
Thuisseau
Nouy
les Malfougnes
la Côte Rôtie
Gros Buisson
les Petits Boulay
Montigny
le Filet
le Pilory
le Carroir Taupin
Larçay
les Sablons
Complan
la Côte
聖馬坦勒伯
les Chousettes
ST-AVERTIN
Véretz
ST-MARTIN-LE-BEAU
Azay-sur-Cher
羅亞爾蒙路易
薛爾河

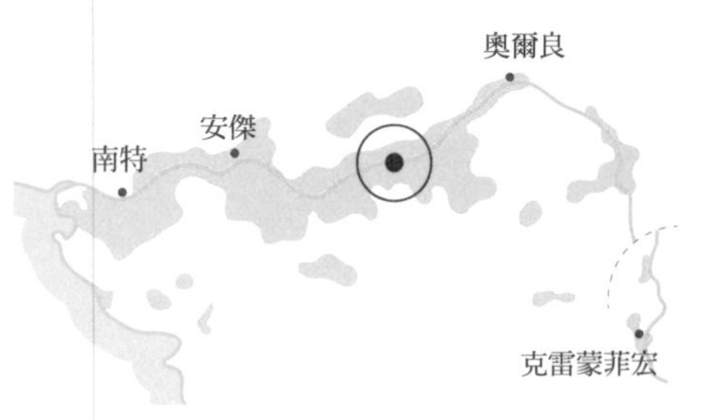

梧雷與蒙路易 Vouvray & Montlouis

位於羅亞爾河右岸的是梧雷產區，左岸的是羅亞爾蒙路易，兩產區位置介於都爾與安伯日市間，藉由釀造靜態酒與氣泡酒將白梢楠品種發揮得淋漓盡致。

梧雷 Vouvray

2,250 公頃

30%

70%

梧雷產區位於羅亞爾河右岸，在都爾東邊15公里處的臺地山坡上，中間有許多小河谷切過。訪客若騎腳踏車來此遊逛（頗有坡度），便可遊賞這裡的古老石灰岩建築，而腳下滋養葡萄樹的則是含矽砂的黏土質土壤。這裡的干白酒風味飽滿集中，年輕時以蘋果與洋梨滋味為主，隨著酒齡日漸增長，則出現蜂蜜與榛果風味。當氣候條件充足，葡萄糖度也夠，隨酒農會讓貴腐黴發展，以讓白酒獲取水果的風味。梧雷氣泡酒顏色偏麥稈黃，熟成幾年後，會出現迷人的柑橘與布里歐許（Brioche）麵包氣韻。

梧雷的白酒風味飽滿集中

羅亞爾蒙路易 Montlouis-sur-Loire

羅亞爾蒙路易位於羅亞爾河左岸，梧雷的對岸，最早的釀酒葡萄種植紀錄可上溯至5世紀。羅亞爾河到此段已經被沙土壅塞，無法行船，碼頭雖消失，美酒依舊永流傳。與梧雷一樣，使用白梢楠釀酒（當地人稱它為 Pineau de la Loire）。葡萄園位於南岸的石灰岩臺地上，過去的羅亞爾蒙路易都以梧雷為名銷售（甚至混合了梧雷的葡萄）；除同名酒村，本產區的酒也可在 Lussault-sur-Loire 村或是聖馬坦勒伯釀造。不過現已揮別過去，以本產區名貼標銷售。除氣泡酒之外，靜態酒可分為干性、半甜（Demi-sec）與甜酒（Doux）。

過去的羅亞爾蒙路易都以梧雷為名銷售

435 公頃

40%

60%

若標為干性白酒，年輕時的風味以花香、果香為主，隨酒齡增加，會顯現出蜂蜜氣息。帶甜酒款的儲存潛力較佳，隨著陳年，會釋出果乾、熱帶水果、烤杏仁片與榅桲滋味。

羅亞爾蒙路易的氣泡酒，通常以橙橘類香氣以及白肉水果為表徵。陳過幾年後，會展現杏仁與蜂蠟風韻。

中央產區
Les Vignobles du Centre

荷依 Reuilly

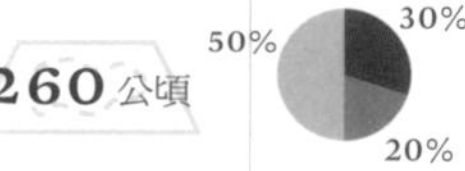

長久以來，荷依的葡萄酒用於供應鄰近的布爾吉與維爾松（Vierzon）。自 19 世紀末期起，荷依沉寂了相當長的時間，不過四十年前，一群酒農重新激發了產區活力。山坡葡萄園屬於泥灰岩質石灰岩土，高處梯田的區段則為沙土與礫石。具有柑橘香的干白酒以白蘇維濃釀成，黑皮諾紅酒輕巧多果香。這裡的粉紅酒以灰皮諾釀成，這粉紅酒在此地被稱為「灰荷依」（Reuilly Gris）。

甘希 Quincy

一般認為甘希是中央產區歷史最悠久的葡萄園。旁臨的荷依有兩塊葡萄園與甘希幾乎接壤。甘希只以白蘇維濃釀造白酒，且該品種在此地的熟成期也較早。白蘇維濃在此展現葡萄柚、新鮮薄荷、胡椒與洋槐花的氣息。

夏朵梅楊 Châteaumeillant

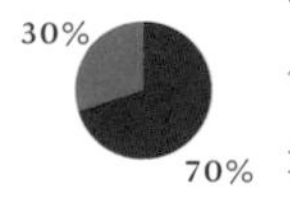

夏朵梅楊是法國地理位置最中央的產區，介於安德爾省（Indre）與薛爾省（Cher）之間。這裡的土壤組成相當複雜，包括雲母片岩、片麻岩、矽砂與沙質黏土。此占地不大的法定產區，主要以加美與黑皮諾產出果味成熟且帶點胡椒氣息的紅酒。這裡的淡粉紅酒（Gris 類型）清鮮多果味（白色果肉水果）。

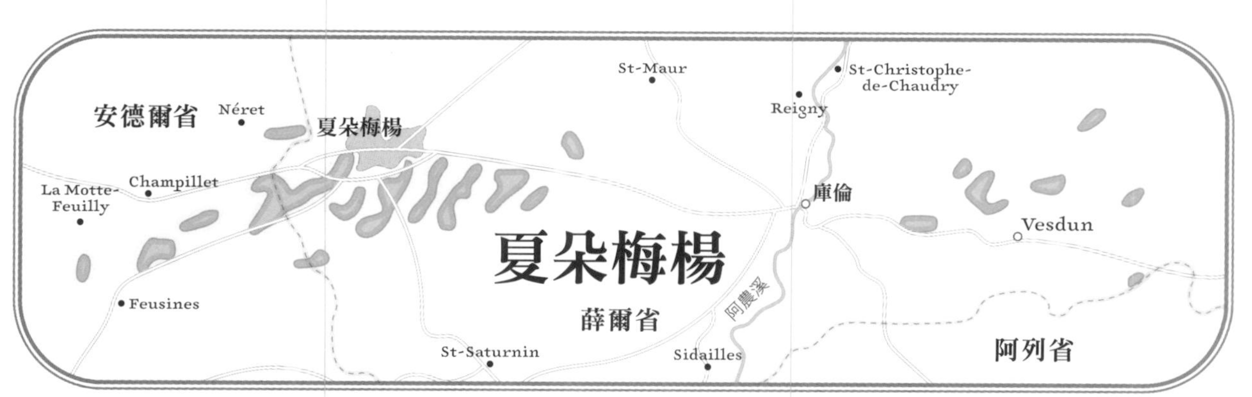

姜城丘 Coteaux du Giennois

200 公頃

28% 55% 17%

姜城丘的葡萄園順著羅亞爾河綿延超過 50 公里。這裡的白蘇維濃礦物風味鮮明，以白花與榲桲為主調；加美與黑皮諾紅酒則細緻多果香。此地的粉紅酒以細膩出名，以鮮桃風味吸引人，有時還帶點胡椒氣息。

普依－芙美 Pouilly-Fumé

1,350 公頃

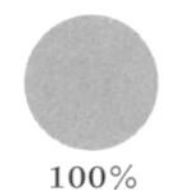

100%

不要把它和普依－富塞（Pouilly-Fuissé）搞混了。此白酒在本地也稱為「Blanc Fumé de Pouilly」：此因白蘇維濃在成熟時，會有一層灰色果粉覆蓋在果粒上，因而有了「燻白」（Blanc fumé）的別稱。本產區有三種土壤：石灰岩土（多為小石灰岩碎塊 Caillottes）、泥灰岩土以及燧石土壤。普依－芙美白酒通常以柑橘調為主，不過在小石灰岩碎塊區段會傾向出現白花香，燧石地則以打火石風味為特色。

普依－羅亞爾 Pouilly-sur-Loire

30 公頃

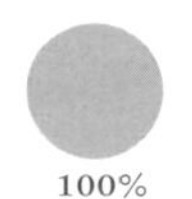

100%

普依－羅亞爾的產區劃界，其實與普依－芙美相同，但是必須以夏思拉（Chasselas）品種釀造：瑞士最知名以及種植最多的品種。普依－羅亞爾屬於順口易飲的類型，有時會出現榛果般的滋味。

蒙內都－沙隆 Menetou-Salon

560 公頃

29% 68% 3%

本產區位於布爾吉市西北邊的石灰岩土壤上，與鄰近的松塞爾（Sancerre）產區有不少相似處。白蘇維濃帶有香料、麝香、薄荷腦、柑橘與胡椒氣息。黑皮諾則質地柔軟，以櫻桃、李子以及熟美果味引人。粉紅酒少見，但與魚類形成良好的餐酒聯姻。

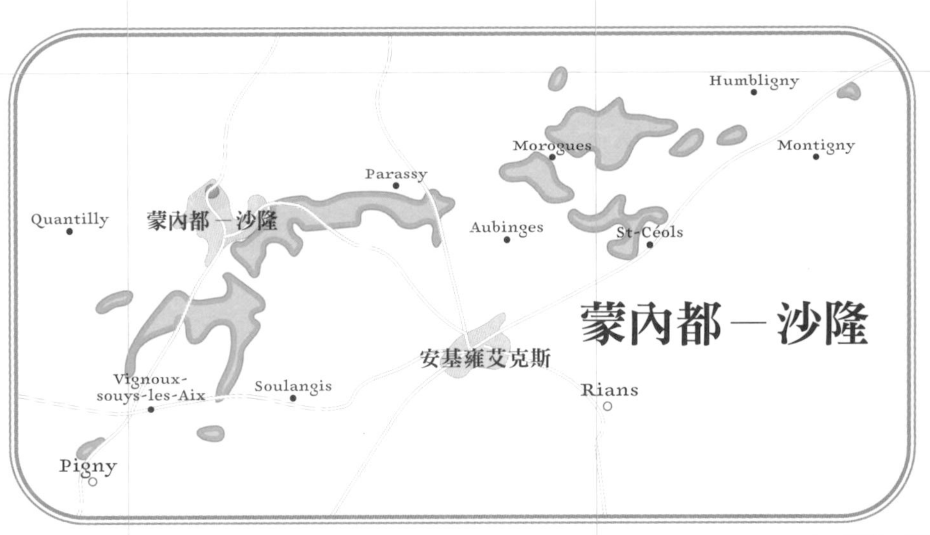

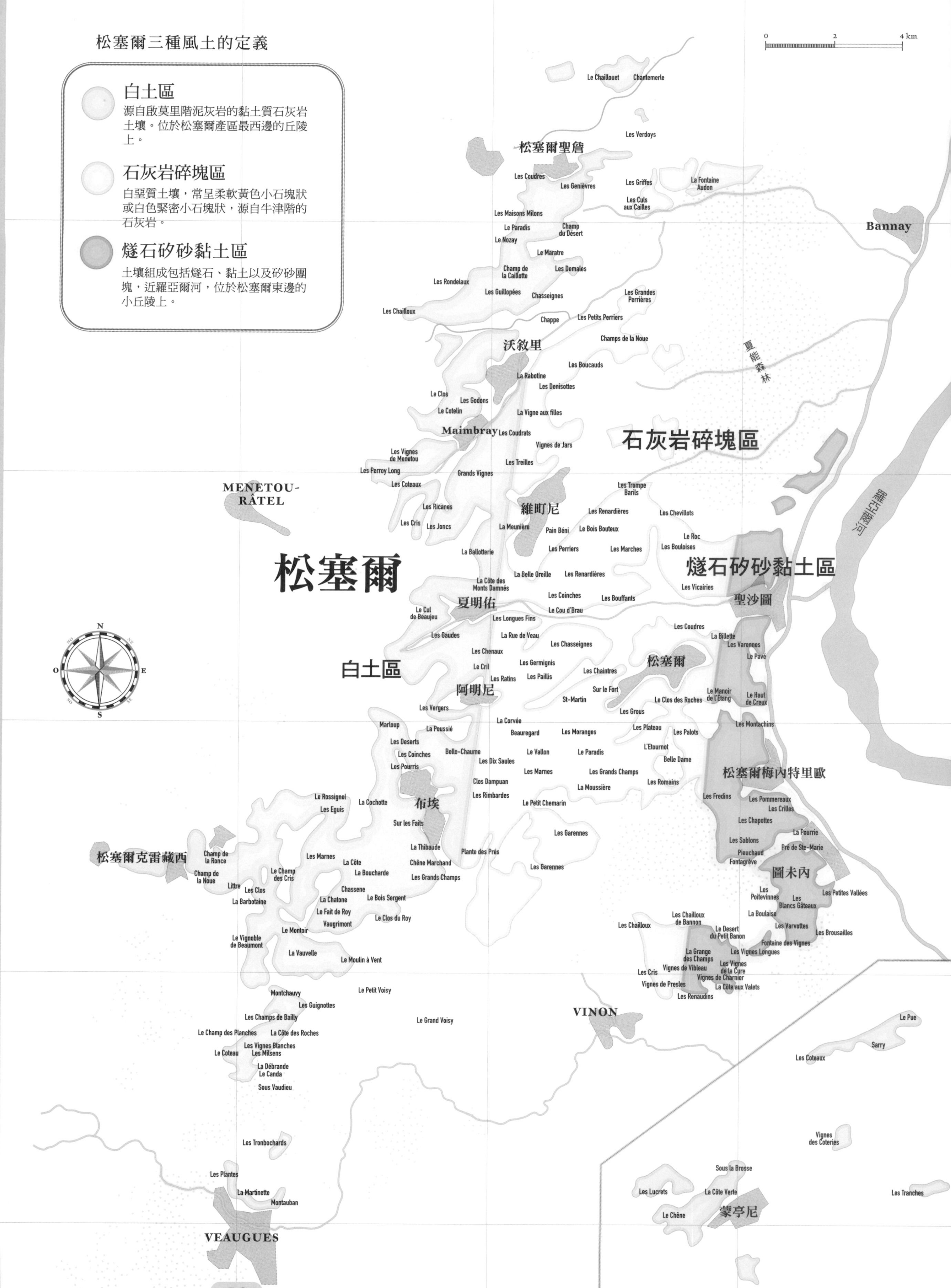

松塞爾三種風土的定義
白土區
源自啟莫里階泥灰岩的黏土質石灰岩土壤。位於松塞爾產區最西邊的丘陵上。
石灰岩碎塊區
白堊質土壤，常呈柔軟黃色小石塊狀或白色緊密小石塊狀，源自牛津階的石灰岩。
燧石矽砂黏土區
土壤組成包括燧石、黏土以及矽砂團塊，近羅亞爾河，位於松塞爾東邊的小丘陵上。
0
2
4 km
松塞爾
白土區
石灰岩碎塊區
燧石矽砂黏土區
松塞爾聖詹
沃敘里
Maimbray
維町尼
夏明佑
阿明尼
布埃
松塞爾克雷藏西
聖沙圖
松塞爾梅內特里歐
圖未內
蒙亭尼
夏能森林
羅亞爾河
MENETOU-RÂTEL
Bannay
VINON
VEAUGUES
N
S
E
O
Le Chaillouet
Chantemerle
Les Verdoys
Les Coudres
Les Genièvres
Les Griffes
La Fontaine Audon
Les Culs aux Cailles
Les Maisons Milons
Le Paradis
Champ du Désert
Le Nozay
Le Maratre
Champ de la Caillotte
Les Demales
Les Rondelaux
Les Guillopées
Chasseignes
Les Grandes Perrières
Les Chailloux
Chappe
Les Petits Perriers
Champs de la Noue
Les Boucauds
La Rabotine
Les Denisottes
Le Clos
Les Godons
Le Cotelin
La Vigne aux filles
Les Coudrats
Vignes de Jars
Les Vignes de Menetou
Les Perroy Long
Les Treilles
Grands Vignes
Les Coteaux
Les Trompe Barils
Les Ricanes
Les Renardières
Les Chevillots
Les Cris
Les Joncs
La Meunière
Pain Béni
Le Bois Bouteux
Le Roc
La Ballotterie
Les Perriers
Les Marches
Les Bouloises
La Belle Oreille
Les Renardières
La Côte des Monts Damnés
Les Vicairies
Les Coinches
Les Bouffants
Le Cul de Beaujeu
Les Longues Fins
Le Cou d'Brau
Les Gaudes
La Rue de Veau
Les Coudres
La Billette
Les Chasseignes
Les Varennes
Les Chenaux
Le Pave
Le Cril
Les Germignis
Les Chaintres
Les Ratins
Les Paillis
Sur le Fort
Le Manoir de l'Étang
Le Haut de Creux
St-Martin
Le Clos des Roches
Les Vergers
Les Grous
La Corvée
Marloup
La Poussié
Beauregard
Les Moranges
Les Plateau
Les Palots
Les Montachins
Les Deserts
L'Etournot
Les Coinches
Belle-Chaume
Le Vallon
Le Paradis
Les Pourris
Les Dix Saules
Belle Dame
Les Marnes
Les Grands Champs
Clos Dampuan
Les Romains
Le Rossignol
La Moussière
Les Eguis
La Cochotte
Les Rimbardes
Le Petit Chemarin
Les Fredins
Les Pommereaux
Les Crilles
Sur les Faits
Les Chapottes
Les Garennes
La Pourrie
La Thibaude
Plante des Prés
Les Sablons
Pré de Ste-Marie
Champ de la Ronce
Les Marnes
Pieuchaud
Fontagrève
La Côte
Chêne Marchand
Champ de la Noue
Le Champ des Cris
La Boucharde
Les Grands Champs
Les Garennes
Les Petites Vallées
Littre
Les Clos
Chassene
Les Poitevinnes
La Chatone
Le Bois Sergent
Les Blancs Gâteaux
La Barbotaine
Le Fait de Roy
Le Clos du Roy
La Boulaise
Vaugrimont
Les Chailloux de Bannon
Les Chailloux
Les Varvottes
Le Montoir
Le Desert du Petit Banon
Les Brousailles
Le Vignoble de Beaumont
Fontaine des Vignes
La Grange des Champs
Les Vignes Longues
La Vauvelle
Le Moulin à Vent
Les Vignes de la Cure
Les Cris
Vignes de Vibleau
Vignes de Charnier
Vignes de Presles
La Côte aux Valets
Montchauvy
Le Petit Voisy
Les Renaudins
Les Guignottes
Les Champs de Bailly
Le Grand Voisy
Le Pue
Le Champ des Planches
La Côte des Roches
Sarry
Les Vignes Blanches
Le Coteau
Les Milsens
Les Coteaux
La Débrande
Le Canda
Sous Vaudieu
Les Tronbochards
Vignes des Coteries
Les Plantes
Sous la Brosse
La Martinette
Les Lucrets
La Côte Verte
Les Tranches
Montauban
Le Chêne

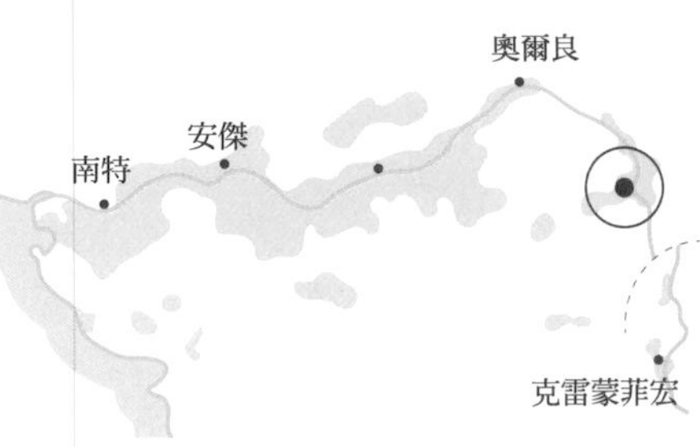

松塞爾
Sancerre

白蘇維濃在全世界皆已見種植，但在松塞爾的丘陵上，
它可展現最美的風情之一。

品種
黑皮諾
白蘇維濃

種植面積
2,980 公頃

釀造酒種

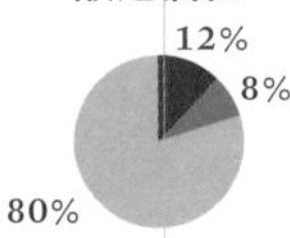

土壤
黏土質石灰岩、黏土質矽砂以及白堊土

四處林立的小酒村、一望無際的葡萄園、緩坡綿延中有許多特定葡萄園（Lieux-dits）點綴其中，白酒與紅酒品種各一……要不是羅亞爾河從旁流過，我們可能會誤以為身處布根地！更何況，舊時的地景主宰者其實是黑皮諾。不過，會攻擊葡萄樹根部的根瘤芽蟲，在造成本產區巨變的同時也引進了另一王者：白蘇維濃。白蘇維濃白酒以礦物質風味和張力見長。它屬多產品種，只有在刻意限制產量的情況下才可能產出偉釀。松塞爾的酒農證明了，最佳年份所產出的白蘇維濃，其實具有優良的儲存潛力。

一如所有偉大風土，我們必須回溯歷史以進一步瞭解。整個松塞爾產區就是地質學的千層派，其土壤的豐富性與古時形成的松塞爾斷層有關：此斷層是因造山運動所產生的阿爾卑斯山系折疊後所形成，甚至改變了羅亞爾河的河道方向。每塊葡萄園的表土與底土的年齡都不同，性質也各異。葡萄樹會穿透這些變化多端的地層，而丘陵的起伏又讓葡萄樹獲取不同的日照。以上的各項變因，再加上各酒農親身的勞動，在在增加了松塞爾葡萄酒的豐富與多樣性。「白土區」的白蘇維濃架構扎實；「石灰岩碎塊區」的白酒可口美味，可以提早飲用；「燧石矽砂黏土區」則具有鮮明礦物質風味。

松塞爾產區一如地質學的千層派

近年來，本區酒農證實了松塞爾黑皮諾的實力：相較於布根地，本地的黑皮諾比較清鮮、比較具有香料氣息，且酒價也比布根地夜丘區（Côte de Nuits）可親許多。

以酒搭餐裡我們常說「地酒搭地菜」。為了實證一下真偽，我們建議你試試松塞爾白酒與當地的夏明佑羊奶乳酪（Crottin de Chavignol）的搭配。

葡萄柚、杏仁、橙花

「白土區」松塞爾白酒

芒果、玫瑰花、洋槐花

「石灰岩碎塊區」松塞爾白酒

西洋梨、薄荷、打火石

「燧石矽砂黏土區」松塞爾白酒

松塞爾白酒的三種風土滋味表現

歐維涅地區葡萄園
Le vignoble auvergnat

歐維涅丘 Côtes d'Auvergne

占地不大的歐維涅丘於 2010 年列入法定產區，葡萄園位於克雷蒙－菲宏（Clermont-Ferrand）周遭，且散布於沉睡火山的山坡上（當地 Puys 的字義為火山），園區海拔介於 250-500 公尺。著名的火山活動造就了當地獨特的土壤：混合了石灰岩、泥灰岩以及玄武岩……紅酒主要以黑皮諾與加美釀成，白酒則源自夏多內。歐維涅丘的葡萄酒風味非常清新，如果能夠搭配當地的多樣起司，更添品嘗樂趣與溫暖歡樂的氣氛。

230 公頃

2020 年年底，在當地酒農的推動下，開始有專家被賦予重任：準確定義釀自歐維涅火山錐的葡萄酒之特有風味，並試圖創立「火山葡萄酒」的商標。

聖普桑 Saint-Pourçain

聖普桑的園區位於穆朗（Moulins）之南，介於內韋爾與克雷蒙－菲宏的中間。古時的聖普桑葡萄酒藉由水路（由阿列河再接羅亞爾河）「出口」到法蘭西帝國各地區。隨後，本區的酒逐漸被世人遺忘，自 2009 年起聖普桑法定產區開始減少白酒釀造比例，並專注於釀產紅酒，希望藉此回復昔日榮光。這裡的黑皮諾與加美紅酒以清鮮風味引人，但也不要忽略以本地品種崔塞怡（Tressaillier）釀造的白酒：它具有非常宜人的清爽活力。

550 公頃

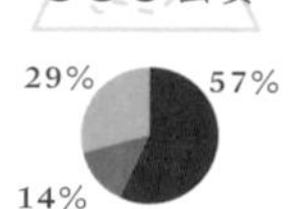

羅亞爾河谷地的其他葡萄園
Autres vignobles de Loire

費耶夫－旺代
Fiefs Vendéens

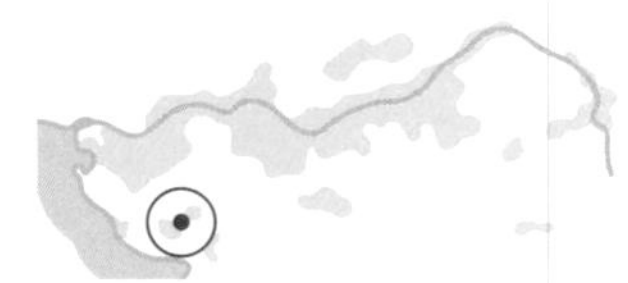

本產區的第一批葡萄樹，是由當年來此購買食鹽的羅馬人所種下。一百多年前的根瘤芽蟲，將費耶夫－旺代的葡萄園摧毀殆盡，所幸仍有一小批一身傲骨的旺代人，在二戰後將紅衣主教黎須留（Cardinal de Richelieu）最鍾愛的品種重新耕植於此。如今，仍有 18 個酒農家族釀造本區葡萄酒。旺代省幾乎可說是水鄉澤國：鹽田、普瓦圖沼澤地、河川與大海隨侍在側。這裡的微氣候提供了比蜜思卡得更多陽的條件，也因而這裡種的多為紅酒品種（卡本內弗朗、聶格列特與黑皮諾）。本地白酒偏愛白梢楠、夏多內以及白蘇維濃。只消看看所種植的品種，就能明瞭費耶夫－旺代與羅亞爾河谷地具有一定的關聯。這個面海產區的紅酒風味酸爽，白酒帶有一絲礦物鹽滋味。

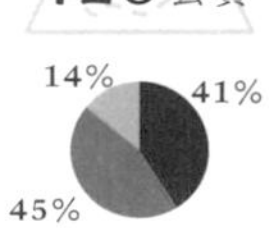

奧爾良 Orléans
奧爾良－克雷希 Orléans-Cléry

在 19 世紀的巴黎小餐酒館裡，非常容易喝到產自奧爾良地區的葡萄酒：當時就是大量生產的簡單餐酒。今日的葡萄園耕地雖已銳減，但仍一息尚存，共有兩個法定產區。奧爾良在 2006 年獲得法定產區地位，紅酒奇特地以黑皮諾與皮諾莫尼耶，混調出清爽帶花香的紅酒。白酒主要以夏多內釀成，有時混有灰皮諾。在奧爾良產區之中的左岸，又劃出一塊只能以卡本內弗朗釀造紅酒的奧爾良－克雷希，由此再往羅亞爾河上游走去，幾已看不到卡本內弗朗的蹤跡。奧爾良－克雷希鼻息強勁，酒色深沉，但其實口感偏輕，單寧絲滑。

上普瓦圖 Haut-Poitou

從前的葡萄酒常以出口港的名稱為酒名。早期的上普瓦圖被稱為「拉荷榭葡萄酒」（Vins de la Rochelle）。隨著阿基坦的艾莉諾（Aliénor d'Aquitaine）與英王亨利二世的聯姻，本區併入英國領土，也因此繁華一時。普瓦圖的葡萄園面積一度達到 4 萬公頃。不過因一樁在釀造過程中使用鉛的醜聞以及接連的戰爭，使得本區種植面積大減。今日僅剩九位酒農試圖重整旗鼓，重振一度被遺忘的葡萄園榮光。2011 年頗有斬獲：終於獲得法定產區 AOC 的認可。這裡主要釀白酒，採用白蘇維濃與灰蘇維濃。紅酒則使用羅亞爾河谷地特色品種：卡本內弗朗、黑皮諾與加美。

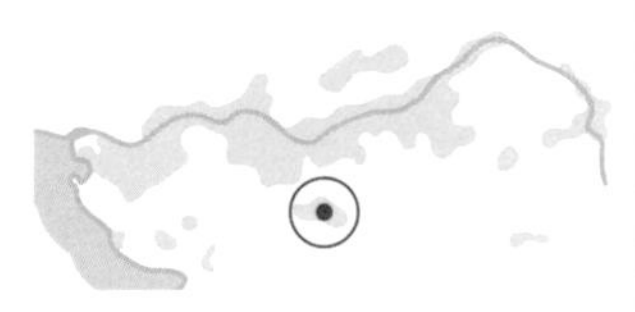

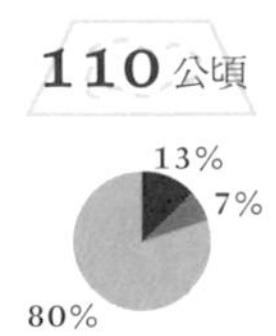

侏羅
JURA

有待重新認識的葡萄酒樂園

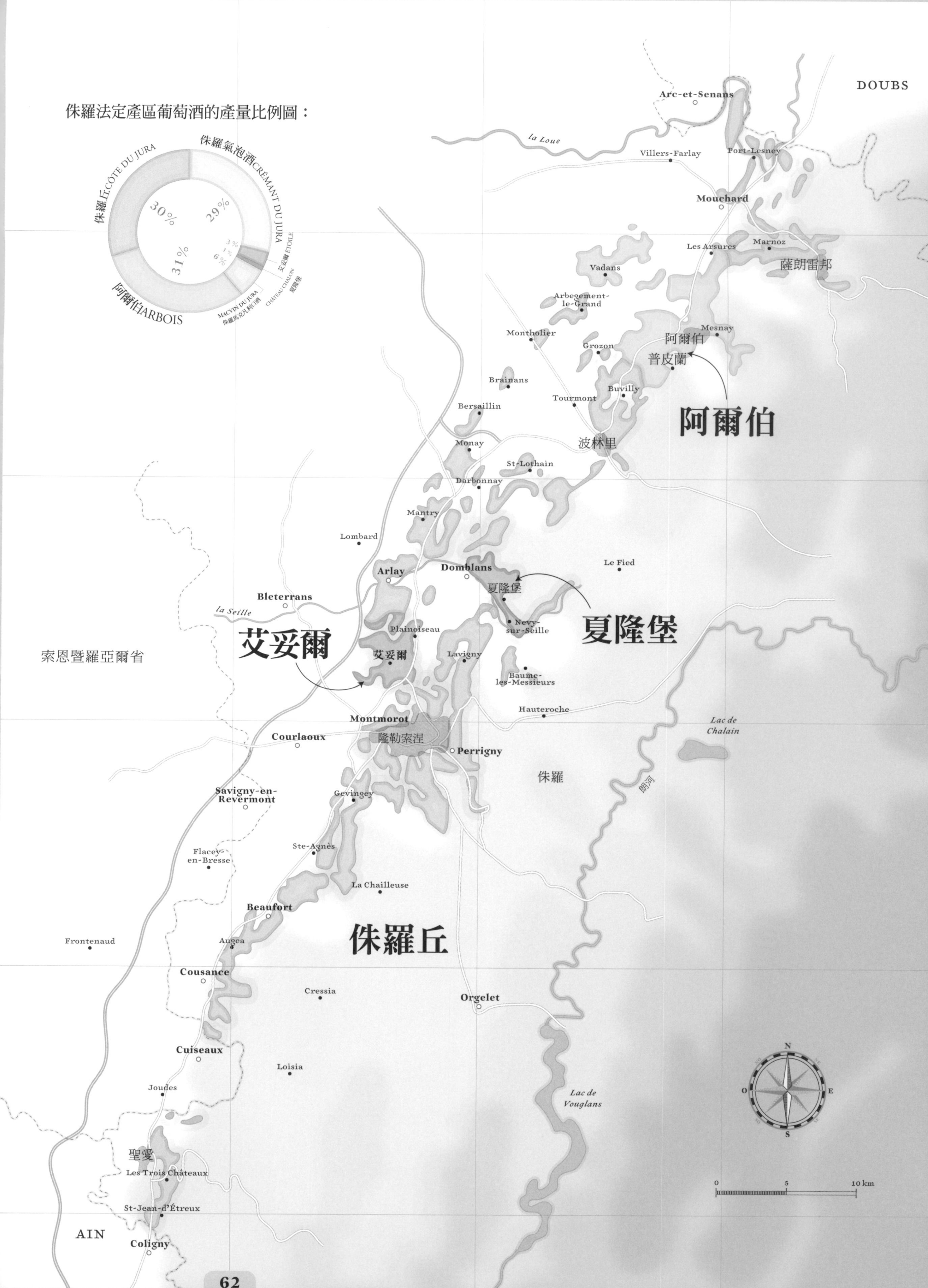

侏羅法定產區葡萄酒的產量比例圖：
侏羅氣泡酒CRÉMANT DU JURA
29%
侏羅丘CÔTE DU JURA
30%
阿爾伯ARBOIS
31%
MACVIN DU JURA 侏羅馬克凡利口酒
6%
CHÂTEAU CHALON 夏隆堡
1%
艾妥爾 ÉTOILE
3%
DOUBS
Arc-et-Senans
la Loue
Villers-Farlay
Port-Lesney
Mouchard
Les Arsures
Marnoz
薩朗雷邦
Vadans
Arbegement-le-Grand
Montholier
Mesnay
阿爾伯
普皮蘭
Grozon
Brainans
Tournont
Buvilly
Bersaillin
阿爾伯
Monay
波林里
St-Lothain
Darbonnay
Mantry
Lombard
Domblans
Le Fied
Arlay
夏隆堡
Bleterrans
la Seille
Nevy-sur-Seille
夏隆堡
艾妥爾
Plainoiseau
艾妥爾
索恩暨羅亞爾省
Lavigny
Baume-les-Messieurs
Hauteroche
Montmorot
Lac de Chalain
Courlaoux
隆勒索涅
Perrigny
侏羅
朗河
Savigny-en-Revermont
Gevingey
Flacey-en-Bresse
Ste-Agnès
La Chailleuse
Beaufort
Frontenaud
Augea
侏羅丘
Cousance
Cressia
Orgelet
Cuiseaux
Loisia
Joudes
Lac de Vouglans
N
O
E
S
聖愛
Les Trois Châteaux
0
5
10 km
St-Jean-d'Étreux
AIN
Coligny

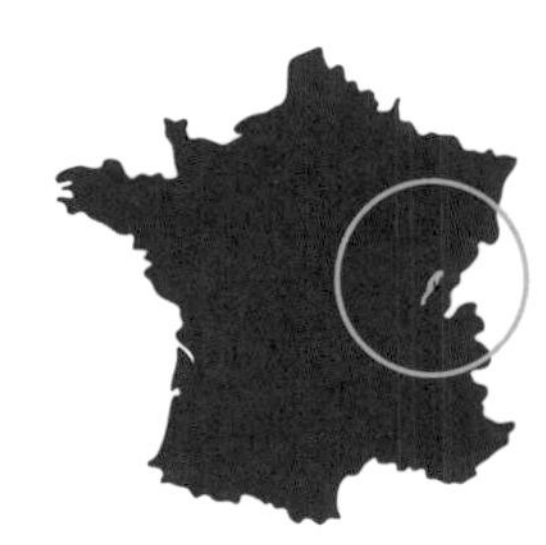

侏羅 Jura

侏羅產區就集中在 80 公里的範圍內，產區規模很人性化，卻能提供多樣多彩的葡萄酒。

品種

普沙、土梭、黑皮諾

夏多內、莎瓦涅

種植面積

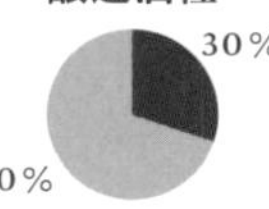

1,850 公頃

釀造酒種

30%

70%

土壤

黏土、石灰岩、泥灰岩

氣候

介於溫帶氣候與大陸性氣候之間

麥稈酒（Vin de paille）也是侏羅的另一特色。葡萄採收後，酒農會將葡萄放在一麥稈墊上，讓葡萄風乾至少 6 星期。這種釀法使得麥稈酒自然地帶甜，且量少難尋。

從輕巧的紅酒、生命之水蒸餾酒、氧化類型的白酒到氣泡酒，侏羅的葡萄酒可以應付各式菜餚。侏羅區就位在布根地旁，與後者也有些相似之處。整體而言，侏羅的葡萄園位於山坡上，主要品種是夏多內，種植在多樣的土壤上，通常以單一品種裝瓶。不過它有項特產是布根地沒有的：黃葡萄酒（Vin Jaune，以下簡稱黃酒）。依照邏輯，若想以小橡木桶培養，通常必須進行添桶。釀造黃酒時並不添桶，而所蒸發的部分，被稱為「天使的份額」。雖然「天使份額」每年只占 5%，然而依據 6 年培養期來計算，這蒸發的份額就占了三分之一橡木桶的量。在世界其他各處，葡萄酒與空氣過度接觸後的下場就是變成醋，在侏羅卻能釀成黃酒。這魔法的秘訣在於：該產區空氣中的酵母飄落在酒液表面之後，形成一層具保護性的薄膜，造成溫和的氧化式培養。風土之味，不僅來自葡萄樹，要獲得「黃酒」的稱號，則該酒必須在橡木桶裡耐心培養 6 年之久。夏隆堡法定產區僅涵括 60 公頃範圍，產量極微，這裡能釀出風味最豐富、最耐久儲的黃酒。

如果你有機會在侏羅的酒村裡閒晃，肯定會碰見來自加拿大或日本的學生，他們遠道而來不僅僅是為了美味的康提（Comté）乳酪，也為可口的夏多內。

侏羅的葡萄酒可應付各式菜餚

過去十年來，侏羅已經變成自然酒與生物動力農法的典範產區。一如薄酒來與蜜思卡得，侏羅在 1970 年代無情地被世人遺忘。侏羅土地價格在近年的滑落，也讓新一代酒農得以在此落戶，釀出愈來愈精湛的酒質。

草莓、椰棗乾、皮革

阿爾伯紅酒
Arbois rouge
普沙葡萄釀成

杏仁片、核桃、林下矮灌木叢

阿爾伯白酒
Arbois blanc
莎瓦涅葡萄釀成

桃子、椴花、布里歐許麵包

侏羅氣泡酒
Crémant du Jura

榅桲、李乾、糖漬橘皮

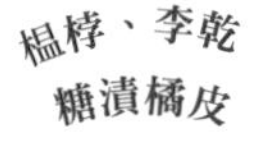

侏羅馬克凡利口酒
Macvin du Jura

核桃、羊肚菌、青蘋果

夏隆堡黃酒
Château-Chalon

榅桲、蜂蜜、鳳梨

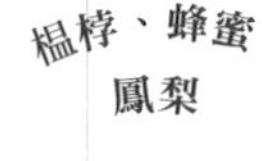

麥稈酒
Vin de paille

香草莢、酸櫻桃、糖漬葡萄乾

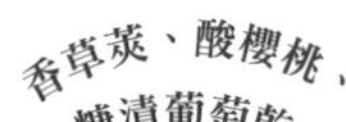

侏羅渣釀白蘭地
Marc du Jura

侏羅的葡萄品種

50%

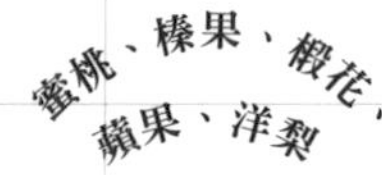

夏多內

侏羅的酒農可沒等到夏多內風潮後才跟風種植，早在 800 年前，夏多內就已經存在侏羅區了。不過也不必大驚小怪，侏羅省與金丘省其實相鄰。夏多內沒跑太遠，就找到法蘭許康提地區（Franche-Comté）的石灰岩土壤，在侏羅生根了。

莎瓦涅

身為格烏茲塔明那的親戚，莎瓦涅長期以來主要用來釀造黃酒。今日，以傳統方式釀造的莎瓦涅干白酒也愈來愈常見。它並非侏羅種植最多的品種，卻是最能詮釋侏羅區特有白酒風格者。

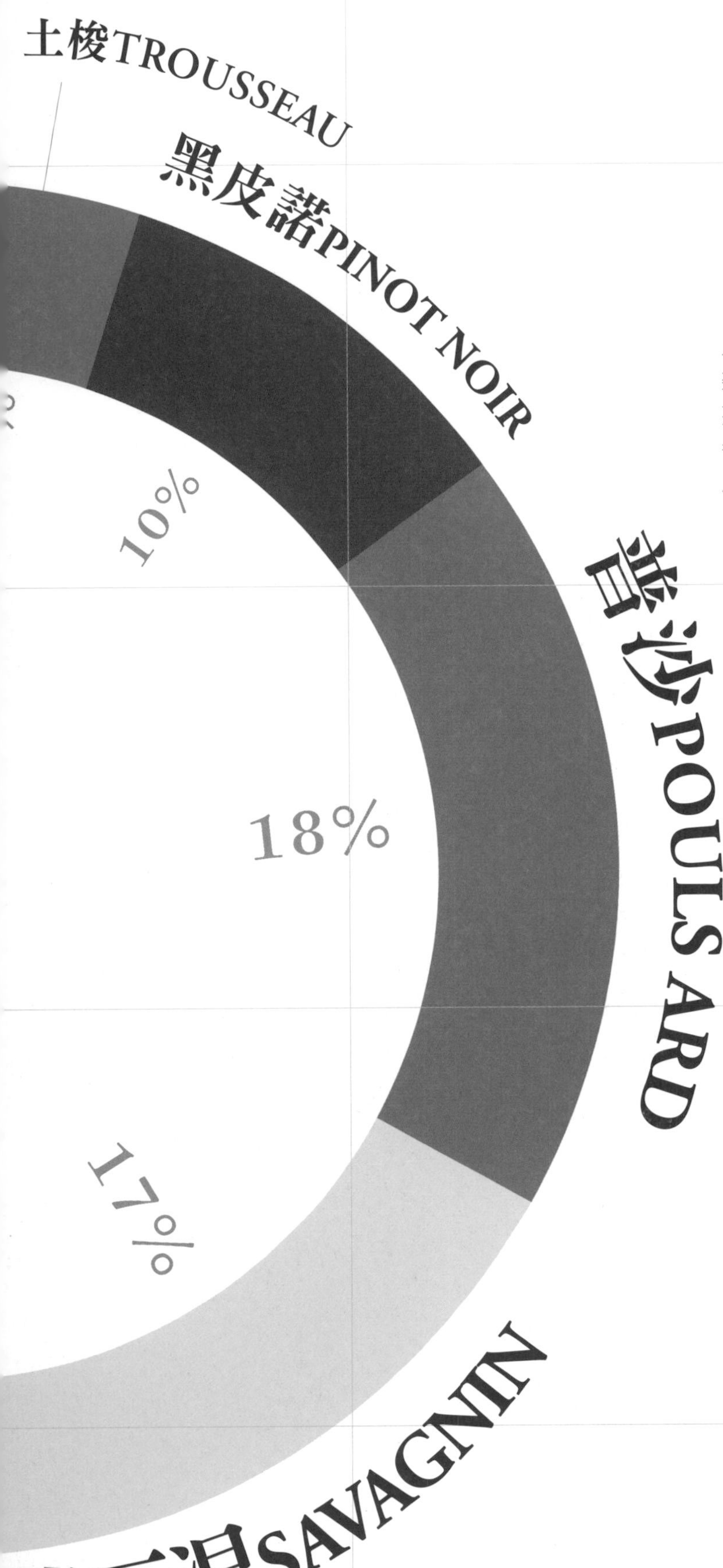

土 梭

土梭是一般大眾不熟知的品種，能釀出侏羅區中架構最強健的紅酒。本品種少見且不好照顧，需要陽光才能長得好，所釀紅酒也需幾年的瓶中培養才能見其潛力。主要種在阿爾伯與侏羅丘法定產區。

黑皮諾

自 16 世紀起，黑皮諾就種在侏羅區，卻曾經一度差點遭拔除。有些人責怪侏羅黑皮諾不若布根地的好喝，然而侏羅的酒農可不是輕言放棄的那類人。隨著近年氣溫的提高、對土壤的深刻理解、對酒質培養的專注與提升，不少酒莊的釀品都證明黑皮諾在此大有可為。本地最佳年份的黑皮諾酒質，甚至可以讓某些布根地釀造者汗顏……

普 沙

普沙在普皮蘭村也被拼寫成 Ploussard，酒色不深，卻有非常豐富的果香。普沙的美味與順口易飲，會讓人聯想起加美葡萄。它很適合用來搭配當地美食：摩托香腸（Saucisse de Morteau）。

波爾多
BORDEAUX

葡萄酒三部曲

波爾多
Bordeaux

波爾多以三種紅酒品種、三種白酒品種名揚五湖四四海。今日的波爾多因飲酒風潮的轉變而大受影響，但波爾多酒莊並未放棄努力，仍力爭酒壇地位。

吉隆特河
St-Vivien-de-Médoc
梅多克
LESPARRE-MÉDOC
St-Seurin-de-Cadourne
Saint-Estèphe
聖艾斯臺夫
梅多克
PAUILLAC
波雅克
聖朱里安
ST-LAURENT-MÉDOC
上梅多克
Listrac-Médoc
里斯塔克—梅多克
慕里
CASTELNAU-DE-MÉDOC
Margaux
瑪歌
上梅多克
ST-CIERS-SUR-GIRONDE
Braud et Saint-Louis
布拉伊與布爾
Blaye
Blaye Côtes de Bordeaux
Côtes de Blaye
ST-SAVIN
Blaye
Bourg
Côtes De Bourg
布爾
ST-ANDRÉ-DE-CUBZAC
Garonne
Dordogne
Blanquefort
波爾多
Mérignac
Pessac
Talence
Bègles
Gradignan
Villenave d'Ornon
貝沙克—雷奧良
LÉOGNAN
Martillac
LA BRÈDE
Portets
Graves
Graves Supérieures
PODENSAC
Cérons
BARSAC
巴薩克
格拉夫
索甸
Langon
索甸區
Montagne-Saint-Émilion
Saint-Georges-Saint-Émilion
Lussac-Saint-Émilion
Puisseguin-Saint-Émilion
Francs Côtes de Bordeaux
Lalande-de-Pomerol
COUTRAS
Isle
Fronsac
Canon-Fronsac
玻美侯
lussac
Montagne
利布恩區
Graves de Vayres
fronsac
Vayres
利布恩
聖愛美濃
Saint-Émilion
CASTILLON-LA-BATAILLE
Castillon Côtes de Bordeaux
Beychac-et-Caillau
Premières Côtes de Bordeaux
Branne
SAINTE-FOY-LA-GRANDE
Entre-Deux-Mers
Sainte-Foy-Bordeaux
CRÉON
La Sauve
Blasimon
PELLEGRUE
TARGON
Cadillac Côtes De Bordeaux
Entre-Deux-Mers Haut-Benauge
Bordeaux Haut-Benauge
SAUVETERRE-DE-GUYENNE
Escoussans
Cadillac
Loupiac
CADILLAC
Sainte-Croix-du-Mont
MONSÉGUR
LA RÉOLE
兩海之間
ST-MACAIRE
Côtes de Bordeaux-Saint-Macaire
AUROS
Bordeaux
Bordeaux Supérieurs
Lacs d'Hourtin et de Carcans
Lac de Lacanau
Bassin d'Arcachon
Arcachon
N
O
E
S
0
10
20 km

品種

●
卡本內蘇維濃、卡本內弗朗、梅洛

●
白蘇維濃、榭密雍、蜜思卡岱勒

種植面積

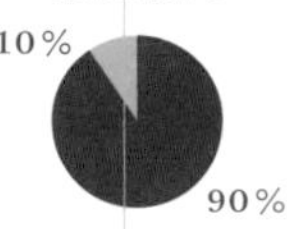

118,000 公頃

釀造酒種

10%
90%

土壤

礫石土壤、黏土質石灰岩土、帶沙質的黏土質石灰岩土壤

氣候

溫和且潮濕的海洋性氣候

波爾多是世界最知名的產區，也是法國人飲用最多的葡萄酒。由於英國人將波爾多酒運銷全球，更助長其聲名遠播。這塊偉大的紅酒產地也充滿不少矛盾。其他國家的人羨慕法國人擁有波爾多，法國人卻正在生波爾多的悶氣。怪其過於尊貴？然而過去二十年來波爾多知名酒莊的酒價飆漲的比例，也只是波爾多葡萄酒汪洋中的一小滴。橡木桶味過重？新一代酒農已意識到這一點，正試圖釀出更加細緻的酒質。有機種植比例過少？整體而言，波爾多不是模範生，但也不是法國產區的後段班：過去十年來，波爾多在這方面下了不少工夫改善。波爾多人深知，需要更努力重新贏回部分愛酒人的心。

其他國家的人羨慕法國人擁有波爾多但法國人卻正在生波爾多的悶氣

所有的波爾多都是由多品種混調而成：二到三種品種先分開釀造之後，於裝瓶之前再行混調。以白酒而言：白蘇維濃提供了清鮮感與豐盛的香氣，榭密雍則帶來圓滑與脂潤感。紅酒方面：單寧鮮明的卡本內蘇維濃，貢獻了可以讓酒長時間陳年的架構，梅洛與卡本內弗朗則攜來柔軟口感與果味。

波爾多葡萄酒的分銷系統與眾不同。知名的大酒莊並不賣給傳統的經銷體系，而是先賣給中介酒商（Négociants），這些中介商會在每年春天先購買前一年份還沒裝瓶的「酒花」（en primeur）。這麼做可讓酒莊先收到貨款，不至於財源空虛，但也助長了昂貴名酒的投機。

左岸與右岸特性對比

左岸	右岸
礫石土壤	黏土質石灰岩土壤
地勢無起伏	有許多不太陡峭的丘陵
14 個 AOC 法定產區	46 個 AOC 法定產區
卡本內蘇維濃品種為主	梅洛品種為主
酒莊平均擁園 40 公頃	酒莊平均擁園 7 公頃
紅酒架構宏大	紅酒酒質較為柔美
紅、白與甜酒均產	99 %為紅酒

43-71 羅馬人占領波爾多時期便開始種植葡萄樹，以提供當地駐軍飲用葡萄酒。

1152 阿基坦女公爵艾莉諾嫁給未來的英國國王金雀花亨利二世，此聯姻也種下波爾多酒聞名世界的姻緣。

1241 英國國王金雀花亨利三世偏愛波爾多，使得英國成為當時最大的出口市場，但此長達五百年的偏愛，也讓法國西南部的其他釀造者，被剝奪了自波爾多港出口的機會。

1855 在巴黎世界博覽會的機緣下，拿破崙三世下令產出一份波爾多葡萄酒的分級名單，之後有超過 60 家酒堡因絕佳的風土而被列級，此份名單沿用至今。

1875-1892 葡萄根瘤芽蟲病摧毀了法國多數葡萄園，也改寫了法國葡萄酒的歷史。

1936 法國法定產區管理局在 1936 年設立，同年讓 97 % 的波爾多葡萄園進入法定產區的管理體系，進而減少假酒橫行。

1955 借鏡於 1855 年的分級制，格拉夫與聖愛美濃分級於焉成立。

1983 美國酒評家羅伯特．帕克（Robert Parker）頌揚 1982 年份之後，波爾多酒價開始狂飆。波爾多與帕克的姻緣自此牽起。

2016 位於波爾多市的「葡萄酒城」（Cité du Vin）開幕，世界最大的葡萄酒主題博物館。

波爾多的葡萄品種

梅 洛

我們總是先想到卡本內蘇維濃，其實梅洛才是波爾多之王：共 59% 的種植面積。它最愛的生長環境是：聖愛美濃與玻美侯的涼爽黏土質石灰岩土壤。梅洛的小顆粒果實可以釀出相當深的酒色，以紅色水果氣息為主，隨著陳年時間增加，會展現出李乾以及松露的氣息。

卡本內蘇維濃

本品種是左岸頂尖酒堡的釀酒根基，卡本內蘇維濃特別在梅多克與格拉夫產區的礫石土壤如魚得水，其實格拉夫的法文 Graves 就是礫石的意思。它是晚熟品種，因此採收時間晚於梅洛，能替酒帶來勁道、結構與複雜度。以黑色水果為主調。年輕的卡本內蘇維濃可能顯得較艱澀，但其單寧架構則是久儲潛力的保證。

卡本內弗朗

本品種後來成為羅亞爾河谷地的紅酒品種之王，但別忘了，卡本內弗朗源於法國西南部，而今日的波爾多美釀裡頭，也都將其混調在內。它的單寧細緻，具宜人優雅的覆盆子與紫羅蘭氣息，在波爾多混調中除了帶來優質果香，也攜來細膩口感與更好的複雜度。卡本內弗朗具有可以更早飲用的優點，但在好年份也可擁有極佳的久儲潛力。

其他紅酒品種

除以上三種主要的品種之外，其他紅酒品種都相當罕見。不過，讀者必須知道的還有源自庇里牛斯山的小維鐸（Petit verdot）：有時會出現在左岸的混調裡。另外，來自柯希地區（Quercy）、存在不同稱呼的馬爾貝克也偶見。極罕見的情形下會遇見的，還包括卡門內爾（Carménère）：身為波爾多的原生品種，它是卡本內弗朗與大卡本內（Gros cabernet）的雜交種，它在義大利的艾密利亞－羅曼亞（Emilia-Romagna）地區也稱為「Bordo」。

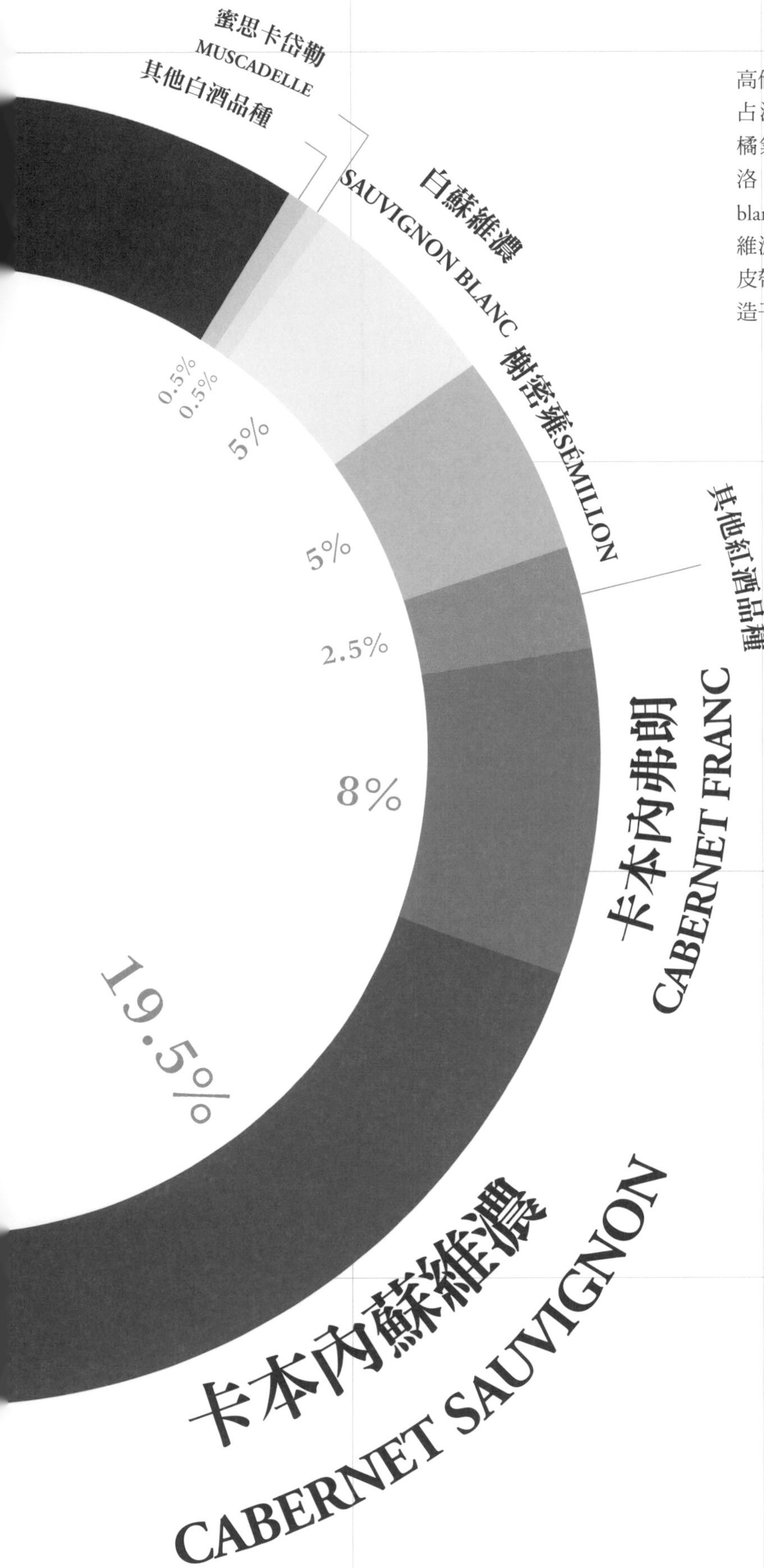

蜜思卡岱勒
MUSCADELLE
其他白酒品種

白蘇維濃
SAUVIGNON BLANC

樹密雍 SÉMILLON

其他紅酒品種

卡本內弗朗
CABERNET FRANC

卡本內蘇維濃
CABERNET SAUVIGNON

0.5%
0.5%
5%
5%
2.5%
8%
19.5%

其他白酒品種

高倫巴（Colombard）是夏朗德地區最古老的品種之一，占波爾多 1% 的種植面積，能為酒帶來酸鮮風味、柑橘氣息與花香，最常種植在布拉伊與布爾。至於白梅洛（Merlot blanc）就真的非常罕見：它是白芙爾（Folle blanche）與（黑）梅洛的雜交種。同樣少見的還有灰蘇維濃（Sauvignon gris），它是白蘇維濃的變種，成熟的果皮帶點粉紅色。至於白于尼（Ugni blanc）則是常用來釀造干邑與雅馬邑（Armagnac）。

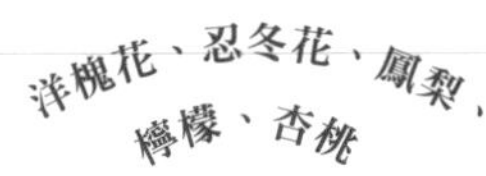

蜜思卡岱勒

在波爾多的干白或是甜白酒裡，蜜思卡岱勒都扮演次要的混調角色。屬於比較脆弱的品種，能帶來花系列與麝香葡萄般極為芬芳的氣息。

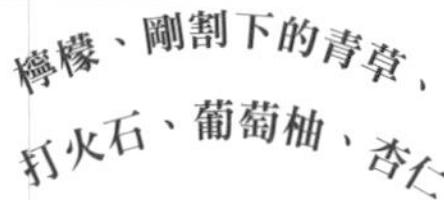

白蘇維濃

白蘇維濃是波爾多干白酒裡的要角，可以搭配魚鮮或是阿卡雄海灣（Bassin d'Arcachon）的新鮮生蠔。本品種能為酒帶來酸度、礦物質風味與清鮮感。它的典型風味是柑橘、黃楊木與無花果葉子。

蜜桃、榛果、橙花、
蘋果、洋梨

樹密雍

本品種主要用來釀造索甸以及兩海之間產區的甜白酒。當地葡萄農故意將葡萄留在樹上直到 10 月，以使果粒感染貴腐黴，藉此釀出的甜白酒具有脂潤的質地，以及杏桃與蜂蜜的滋味。

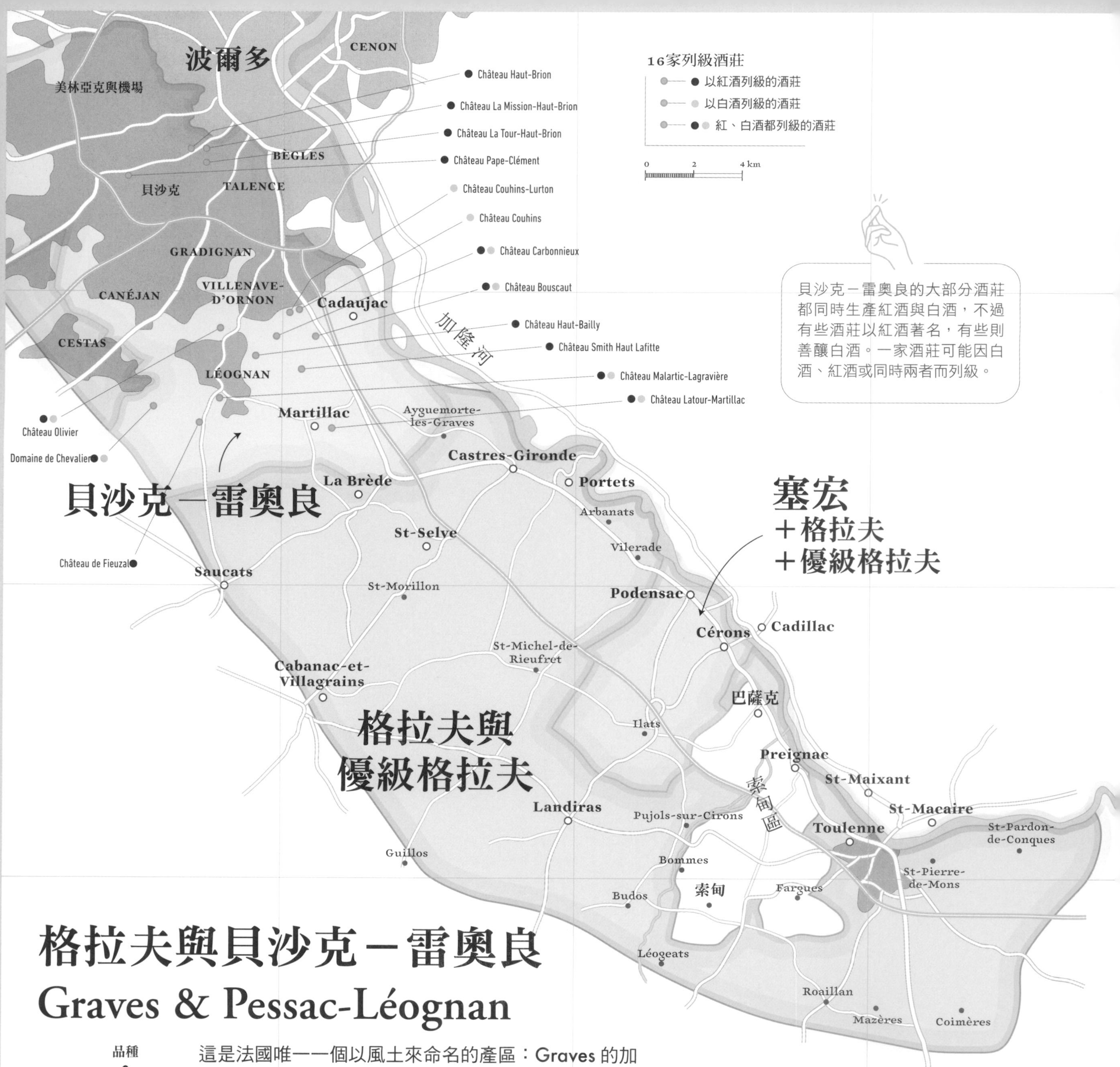

波爾多
CENON
美林亞克與機場
BÈGLES
貝沙克
TALENCE
GRADIGNAN
VILLENAVE-D'ORNON
CANÉJAN
CESTAS
LÉOGNAN
Cadaujac
加隆河
Martillac
Ayguemorte-les-Graves
Castres-Gironde
Portets
La Brède
Arbanats
St-Selve
Vilerade
Saucats
St-Morillon
Podensac
Cérons
Cadillac
St-Michel-de-Rieufret
Cabanac-et-Villagrains
巴薩克
Ilats
Preignac
St-Maixant
St-Macaire
Landiras
Pujols-sur-Cirons
索甸區
Toulenne
St-Pardon-de-Conques
Guillos
Bommes
St-Pierre-de-Mons
Budos
索甸
Fargues
Léogeats
Roaillan
Mazères
Coimères
16家列級酒莊
以紅酒列級的酒莊
以白酒列級的酒莊
紅、白酒都列級的酒莊
0 2 4 km
Château Haut-Brion
Château La Mission-Haut-Brion
Château La Tour-Haut-Brion
Château Pape-Clément
Château Couhins-Lurton
Château Couhins
Château Carbonnieux
Château Bouscaut
Château Haut-Bailly
Château Smith Haut Lafitte
Château Malartic-Lagravière
Château Latour-Martillac
Château Olivier
Domaine de Chevalier
Château de Fieuzal
貝沙克－雷奧良
塞宏
＋格拉夫
＋優級格拉夫
格拉夫與
優級格拉夫
貝沙克－雷奧良的大部分酒莊都同時生產紅酒與白酒，不過有些酒莊以紅酒著名，有些則善釀白酒。一家酒莊可能因白酒、紅酒或同時兩者而列級。

格拉夫與貝沙克－雷奧良

Graves & Pessac-Léognan

品種

卡本內蘇維濃、卡本內弗朗、梅洛

白蘇維濃、榭密雍、蜜思卡岱勒

種植面積

4,800 公頃

釀造酒種

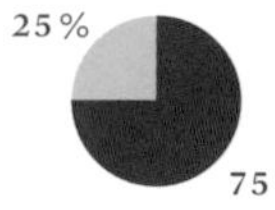

25%
75%

土壤

礫石與砂岩

這是法國唯一一個以風土來命名的產區：Graves 的加斯空方言（Gascon）就是 Gravas。這裡的葡萄樹都綿延地生長在礫石土質上。

本區葡萄園裡頭的礫石，有時可以達到一顆網球的大小，它們是葡萄農最好的朋友。冬天時，這些礫石可以吸收白日陽光的熱能，然後在晚間釋放給葡萄樹。夏季時，它能保住夜間的冷涼，於白天釋出給葡萄藤。這種互助關係，可保護葡萄樹免於春霜凍害與 8 月的幾波熱浪。

貝沙克－雷奧良位於波爾多南郊，這裡聚集了非常多適合卡本內蘇維濃生長的優質風土，該品種在這裡發展出比梅多克更加柔美的口感。

貝沙克－雷奧良也是波爾多唯一同時能產出絕佳紅酒與白酒的產區。原因來自本產區更加靠近位於西南邊的朗德森林區（Forêt des Landes），海洋性氣候所帶來的涼爽更加顯著，也使酒款更具多樣性。

紅醋栗、紫羅蘭、黑莓
松露、甘草、皮革
0-7歲的
年輕紅酒
8-15歲的
成熟紅酒
青蘋果、檸檬、洋槐蜂蜜
榛果、洋梨、香草莢
0-3歲的
年輕白酒
3-10歲的
成熟白酒

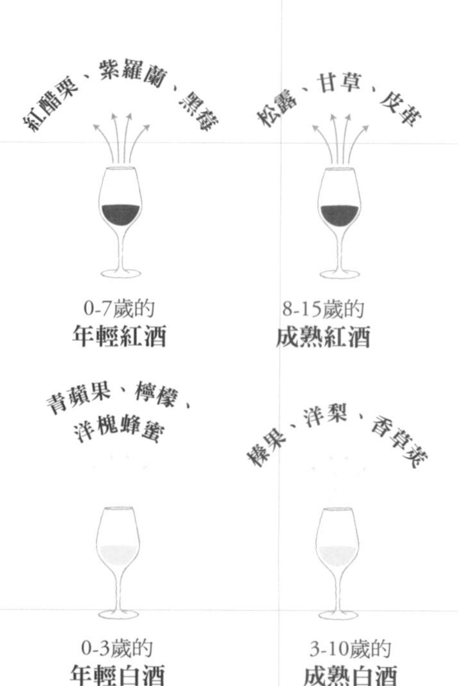

27 家列級酒莊
優等一級酒莊 Premier Cru Supérieur
一級酒莊 Premier Cru
二級酒莊 Second Cru

0 1 2 km

巴薩克
巴薩克
裴亞克
索甸
波姆
索甸
法格
加隆河
西洪溪
A62

Château Broustet
Château Nairac
Château Coutet
Château Caillou
Château Suau
Château de Myrat
Château Doisy – Dubroca
Château Doisy Daëne
Château Climens
Château Doisy-Vedrines
Château Lamothe-Guignard
Château Suduiraut
Château de Malle
Château Rabaud-Promis
Château Sigalas-Rabaud
Château Lafaurie-Peyraguey
Château de Rayne-Vigneau
Château Clos Haut-Peyraguey
Château La Tour Blanche
Château d'Arche
Château Lamothe Despujols
Château Filhot
Château Guiraud
Château d'Yquem
Château Rieussec
Château Romer
Château Romer du Hayot

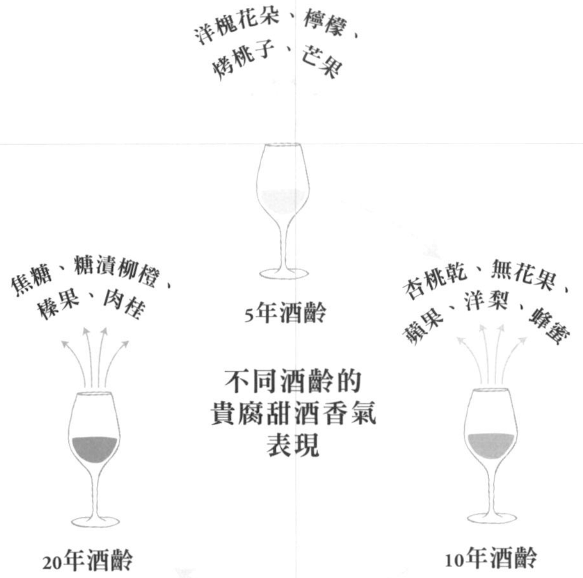

洋槐花朵、檸檬、烤桃子、芒果
5年酒齡
焦糖、糖漬柳橙、榛果、肉桂
20年酒齡
杏桃乾、無花果、蘋果、洋梨、蜂蜜
10年酒齡
不同酒齡的貴腐甜酒香氣表現

索甸與巴薩克
Sauternes & Barsac

在法國，平均一棵葡萄樹可以釀成一瓶酒。然而，本產區需要十棵葡萄樹才能釀成一瓶索甸。

品種
榭密雍
白蘇維濃、
蜜思卡岱勒

種植面積
1,857 公頃

釀造酒種

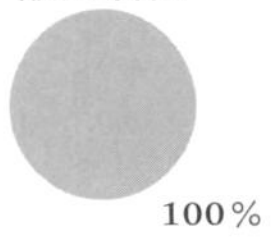

100%

土壤
礫石、石灰岩土壤上的鵝卵石

貴腐黴是葡萄酒界最美的逆論（既珍貴，又腐敗）

葡萄酒界裡逆論（矛盾形容手法）的最佳典範，莫過於貴腐黴一詞（既珍貴，又腐敗）。在秋季時，加隆河與西洪溪的河水聚流後，會激起水氣凝結，以晨霧的形式覆蓋在葡萄樹上頭。此現象有利於貴腐黴（Botrytis cinerea）的形成。此黴會使葡萄果粒在太陽下乾縮起皺，而釀成本區個性獨具的甜酒。採收時間通常自 10 月份才開始，好讓葡萄有時間聚積糖分，並降低水分。採收期甚至可以拉長至 30 天。為了採到完美的貴腐葡萄，常常必須進行多次採收。由於每公頃產量相當低，這點也反映在不便宜的酒價上。

梅多克
Médoc

本區葡萄園沿著吉隆特河延展，在此非典型的氣候中，葡萄樹一望無際地生長。梅多克可說是法國葡萄園的珍寶之一。

對紅酒的愛好者來說，梅多克是必飲的品項。聖艾斯臺夫、波雅克、瑪歌……這些產區名稱對品飲者來說，可說如雷貫耳。這些產區位於梅多克區，全長約 25 公里，寬甚至不到 10 公里。

北緯 45 度線在梅多克通過，因此普遍認為它聚集了最好的釀酒條件：溫暖、潮濕，但又時時有微風吹動。以上氣候條件通常可以讓葡萄樹避免晚春的霜凍及霜黴病。此外，梅多克半島兩側的大面積水域，也扮演了溫度條調節的重要角色。

梅多克區常見的礫石是由加隆河在過去幾千年來，自庇里牛斯山藉由河道的推送與時間的積累，慢慢地大量堆積出來。這些礫石可以保持白日的熱能，在入夜後釋放於葡萄園中。此現象有助於卡本內蘇維濃的成熟，說明了為何本區最佳葡萄園都位於靠近河岸的東部。這也坐實了俗諺的說法：「最好的葡萄園都可看見河岸。」

來梅多克的訪客乍看之下會以為身處葡萄樹海之中

來梅多克一遊的訪客，乍看之下會以為身處葡萄樹海之中。不過，本半島的景色其實沒這麼簡單，除葡萄樹之外，我們還能見到松樹林與泥澤，全部集中在吉隆特河的河口附近。

梅多克整區，可以切分成 8 個法定產區。以梅多克法定產區（Médoc AOC）來說，雖然理論上全區可釀造，但實際上出產的區塊只限於最北部，受到最多海洋性氣候影響的區塊。上梅多克（Haut-Médoc）法定產區因為稍微有丘陵起伏而得名：但其實最高處也僅得海拔 43 公尺。

1855 年巴黎國際博覽會之際，拿破崙三世下令建立葡萄酒分級制度：共分五級（最佳為一級酒莊），最終有 60 家酒莊（酒堡）列級，且本分級仍然沿用至今。

梅多克的 60 家列級酒莊

一級酒莊 Classé Premier Cru
二級酒莊 Classé Deuxième Cru
三級酒莊 Classé Troisième Cru
四級酒莊 Classé Quatrième Cru
五級酒莊 Classé Cinquième Cru

0 2 4 km

O
S N
E

Grayan-et-l'Hôpital
Vendays-Montalivet
Vensac
St-Vivien-de-Médoc
Queyrac
Jau-Dignac-et-Loirac
Gaillan-en-Médoc
LESPARRE-MÉDOC
Prignac-en-Médoc
Civrac-en-Médoc
Bégadan
Valeyrac
Blaignan
St-Germain-d'Esteuil
Conquèques
Ordonnac
St-Yzans-de-Médoc
St-Sauveur
Cissac-Médoc
Vertheuil
St-Seurin-de-Cadourne
St-Estèphe
Île de Patiras

上梅多克

梅多克

波雅克

聖艾斯臺夫

吉隆特河

Château Grand-Puy-Ducasse
Château Lynch-Moussas
Château Pontet-Canet
Château Lafon-Rochet
Château d'Armailhac
Château Cos-Labory
Château Calon-Ségur
Château Grand-Puy-Lacoste
Château Montrose
Château Croizet-Bages
Château Pichon Longueville Baron
波雅克
Château Clerc-Milon
Château Pédesclaux
Château Duhart-Milon
Château Mouton Rothschild
Château Cos d'Estournel
Château Lafite Rothschild
Château Haut-Bages-Libéral
Château Lynch-Bages
Château Latour
Château Pichon Longueville Comtesse De Lalande

品種
卡本內蘇維濃、梅洛、卡本內弗朗、小維鐸

種植面積
16,500 公頃

釀造酒種

100%

土壤
礫石與砂岩

布拉伊與布爾
Blayais & Bourgeais

布拉伊與布爾是兩個被世人過度低估的產區，它們位在海洋夏宏特省下方不遠，與梅多克隔河對望。

根據法國地理學家賈克．布杭（Jacques Baurein, 1713-1790）的撰述指出，17世紀時，布爾是波爾多最佳的釀酒風土之一。之後發生了什麼事呢？為使收入的來源多樣化，當地酒農一度施行「多作物混種」（en Joualles）：每隔一行葡萄樹，就種植一行的穀物，以增加產量。作物多元性是優點，但缺點是葡萄同時會被過度地灌溉。

**酒農積極地
證明本區酒質優秀
盼能擺脫
梅多克的陰影**

在20世紀末的品質革新之後，當地的酒農職業公會非常積極地證明本區酒質優秀，也不再隱藏於梅多克的陰影之下：葡萄酒之春（Printemps des Vins）、布拉伊吧臺（Blaye au Comptoir）或是布拉伊馬拉松（Marathon de Blaye）都是由公會組織策劃的推廣活動。

布拉伊的微氣候非常適合釀酒葡萄的種植：附近吉隆特河口的水域相當廣大，使河濱氣溫更顯溫和。布爾的葡萄園都位在向陽方位不一的斜坡上，具有多樣的微氣候。

兩海之間
Entre-Deux-Mers

品種

白蘇維濃、榭密雍、蜜思卡岱勒

種植面積

30,000 公頃 **1,500** 公頃

兩海之間地區　兩海之間法定產區

釀造酒種

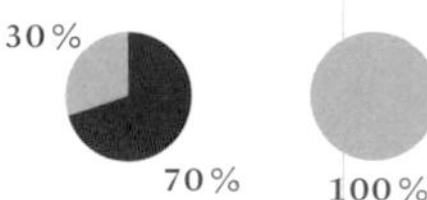

土壤

黏土質石灰岩

兩海之間被暱稱為是「吉隆特地區的佩里哥爾」(le périgord girondin),本區風土多變,且尚不太為人所熟悉,反而揭露了波爾多葡萄園的另一種面貌。

之所以稱為兩海之間,原因其實很簡單:北邊的多爾多涅河(Dordogne)與南邊的加隆河兩者所框界的地區就是所謂兩海之間。而加斯空方言裡的「Mar」,可指稱河與海。必須說的是,這裡靠近河口,河面寬大,也同時受到潮汐的影響,稱為兩海之間其實恰恰好。

這片山巒起伏的三角地帶,除了葡萄園,還有草原與森林,相對於波爾多其他法定產區,兩海之間顯得原始許多。這些起伏的山巒是過去幾千年來,經由加隆河與多爾多涅河的支流之河流作用,刻畫此片臺地後,形成了小河谷與小圓丘。丘陵山坡地通常用於種植葡萄樹,較為潮濕的谷地則通常用於林業使用。

這片山巒起伏的三角地帶
除了葡萄園
還有草原與森林

在兩海之間法定產區裡,依法規只能釀造干白酒:酒質酸爽,麥稈黃的酒色不時閃現綠光,暗藏有洋槐、橙橘與異國水果風味。

在大範圍的兩海之間地區裡,也釀造甜度不一的貴腐甜白酒,如位在加隆河右岸的卡迪亞克、盧皮亞克與聖十字山法定產區就生產這類甜白酒,而它們就位在較為尊貴的塞宏、巴薩克與索甸法定產區的對岸。

兩海之間法定產區只能釀造白酒。不過在同名大區域的範圍之內,其實產製最多的是區域級紅酒:優級波爾多(Bordeaux Supérieur)。

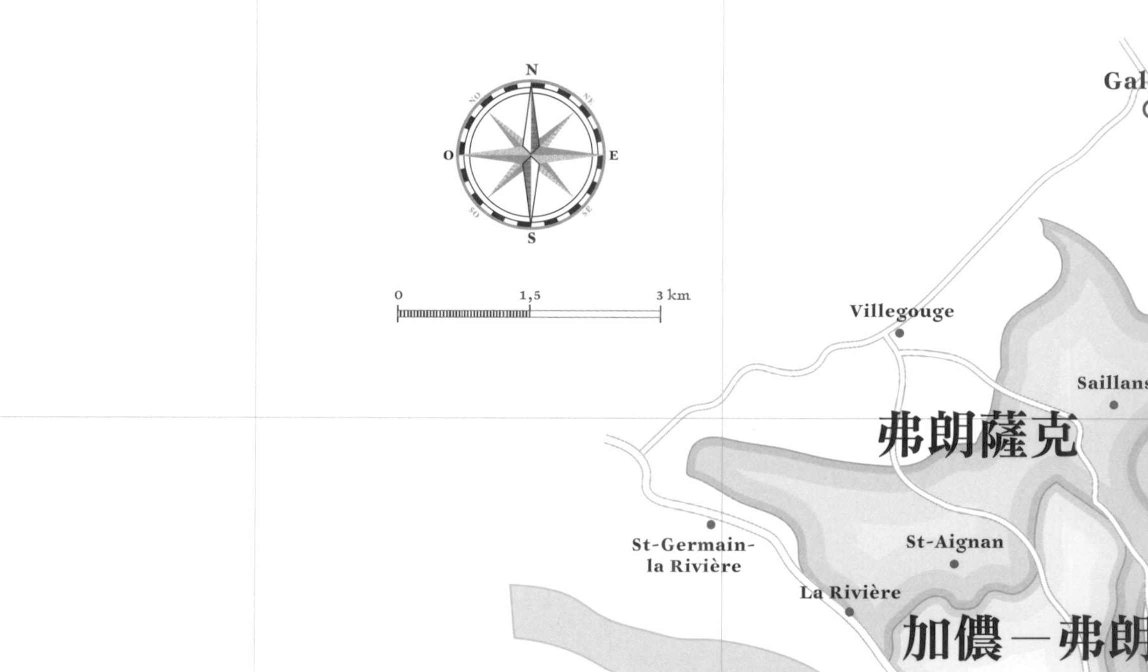

玻美侯 Pomerol

在玻美侯這塊尊貴的黏土質圓丘上共有 140 家酒莊，這是右岸最尊榮的法定產區，其中的 Petrus 酒莊釀出全世界最昂貴的紅酒。不過在 1855 年的分級制度裡，玻美侯甚至被晾在一旁。玻美侯紅酒非常細緻，風味集中，既性感又強勁，酒齡年輕時即已美味，但也有相當好的儲存潛力。

800 公頃

弗朗薩克與加儂－弗朗薩克 Fronsac & Canon-Fronsac

這裡是波爾多最山巒起伏的產區，葡萄園綿延在石灰岩山坡上，可以俯瞰多爾多涅河谷以及伊斯爾河谷。這裡的山勢有「波爾多的托斯卡尼」之感。這兩個法定產區是右岸的好學生：目前已經有 30% 的種植面積以有機耕作（部分獲得認證，部分申請中）。

弗朗波爾多丘 Francs Côtes de Bordeaux

此為波爾多最小的法定產區，也是唯一同時釀造紅酒、白酒及甜白酒的法定產區。其紅酒架構宏大厚實，其實會讓人先聯想到西南部的葡萄酒。

聖愛美濃的衛星產區 Les satellites de Saint-Émilion

蒙塔涅－聖愛美濃、聖喬治－聖愛美濃、律沙克－聖愛美濃以及普瑟甘－聖愛美濃，如衛星一般環繞在中世紀聖愛美濃古城的北邊，中間只隔一條巴班河為界。它們的風土與聖愛美濃產區相當近似，所產酒款非常物超所值。

卡斯提雍波爾多丘 Castillon Côtes de Bordeaux

本產區靠近多爾多涅河岸的地塊有較多的礫石，山腳下有較多黏土，中坡屬黏土質石灰岩，臺地上則是純粹的石灰岩土壤。本法定產區比較偏向大陸性氣候，冬季顯得較為嚴寒。

利布恩區
le Libournais

聖愛美濃法定產區周圍有衛星產區大軍環繞，共同護衛本區葡萄酒美名。利布恩區可說是梅洛的天堂。

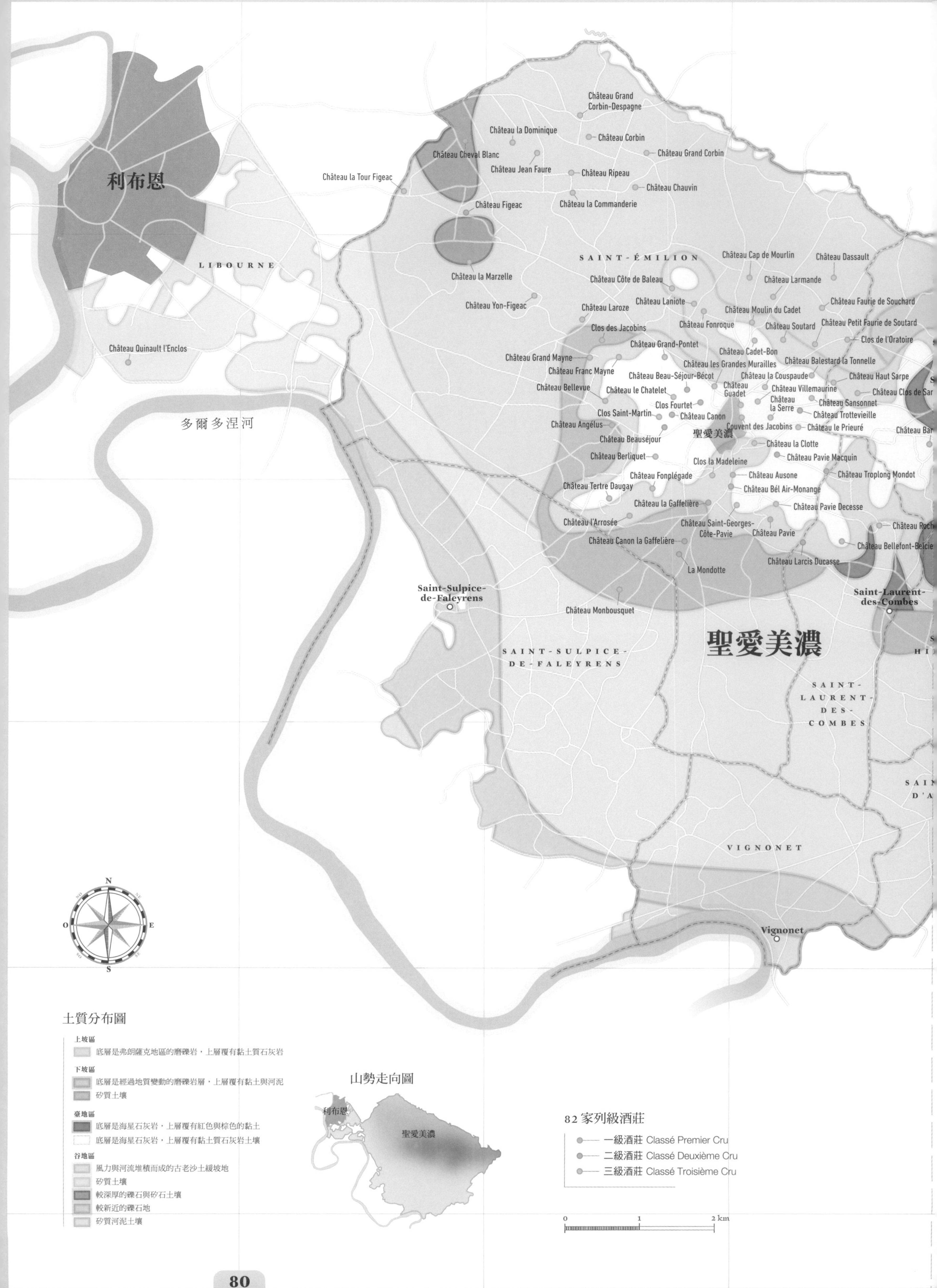

利布恩
LIBOURNE
多爾多涅河
Château la Tour Figeac
Château Quinault l'Enclos
Château Grand Corbin-Despagne
Château la Dominique
Château Corbin
Château Grand Corbin
Château Cheval Blanc
Château Jean Faure
Château Ripeau
Château Chauvin
Château Figeac
Château la Commanderie
Château la Marzelle
SAINT-ÉMILION
Château Cap de Mourlin
Château Dassault
Château Côte de Baleau
Château Larmande
Château Yon-Figeac
Château Laniote
Château Faurie de Souchard
Château Laroze
Château Moulin du Cadet
Château Fonroque
Château Soutard
Château Petit Faurie de Soutard
Clos des Jacobins
Clos de l'Oratoire
Château Grand-Pontet
Château Cadet-Bon
Château Grand Mayne
Château les Grandes Murailles
Château Balestard la Tonnelle
Château Franc Mayne
Château Beau-Séjour-Bécot
Château la Couspaude
Château Haut Sarpe
Château Bellevue
Château le Chatelet
Château Guadet
Château Villemaurine
Château Clos de Sar
Clos Fourtet
Château la Serre
Château Sansonnet
Clos Saint-Martin
Château Canon
Château Trottevieille
Château Angélus
Couvent des Jacobins
Château le Prieuré
聖愛美濃
Château Beauséjour
Château Bar
Château la Clotte
Château Berliquet
Château Pavie Macquin
Clos la Madeleine
Château Fonplégade
Château Ausone
Château Troplong Mondot
Château Tertre Daugay
Château Bél Air-Monange
Château la Gaffelière
Château Pavie Decesse
Château l'Arrosée
Château Saint-Georges-Côte-Pavie
Château Roch
Château Pavie
Château Canon la Gaffelière
Château Bellefont-Belcie
Château Larcis Ducasse
La Mondotte
Saint-Sulpice-de-Faleyrens
Saint-Laurent-des-Combes
Château Monbousquet
聖愛美濃
SAINT-SULPICE-DE-FALEYRENS
SAINT-LAURENT-DES-COMBES
VIGNONET
Vignonet
N
E
S
O
土質分布圖
上坡區
底層是弗朗薩克地區的磨礫岩，上層覆有黏土質石灰岩
下坡區
底層是經過地質變動的磨礫岩層，上層覆有黏土與河泥
矽質土壤
臺地區
底層是海星石灰岩，上層覆有紅色與棕色的黏土
底層是海星石灰岩，上層覆有黏土質石灰岩土壤
谷地區
風力與河流堆積而成的古老沙土緩坡地
矽質土壤
較深厚的礫石與矽石土壤
較新近的礫石地
矽質河泥土壤
山勢走向圖
利布恩
聖愛美濃
82 家列級酒莊
一級酒莊 Classé Premier Cru
二級酒莊 Classé Deuxième Cru
三級酒莊 Classé Troisième Cru
0
1
2 km

1884 年在聖愛美濃誕生了法國第一個葡萄農公會，欲以集體之力維護產區形象與特色，同時集思廣益地對抗葡萄根瘤蚜蟲。

巴班河

AINT-CHRISTOPHE-DES-BARDES
aint-Christophe-des-Bardes
Château Fombrauge
e-Haut
Château Laroque
Château de Ferrand
Château Destieux
ebelle
Saint-Hippolyte
Château Fleur Cardinale
Château Valandraud
Château de Pressac
Château Peby Faugères
Château Faugères
Saint-Étienne-de-Lisse
SAINT-ÉTIENNE-DE-LISSE
AINT-PPOLYTE
Saint-Pey-d'Armens
NT-PEY-RMENS
La Fleur Morange Mathilde

聖愛美濃
Saint-Émilion

中世紀古城聖愛美濃的歷史，與波爾多葡萄酒史互相映照。在聖愛美濃的山坡頂端，一望無際的葡萄酒海中的王者，就是梅洛葡萄。

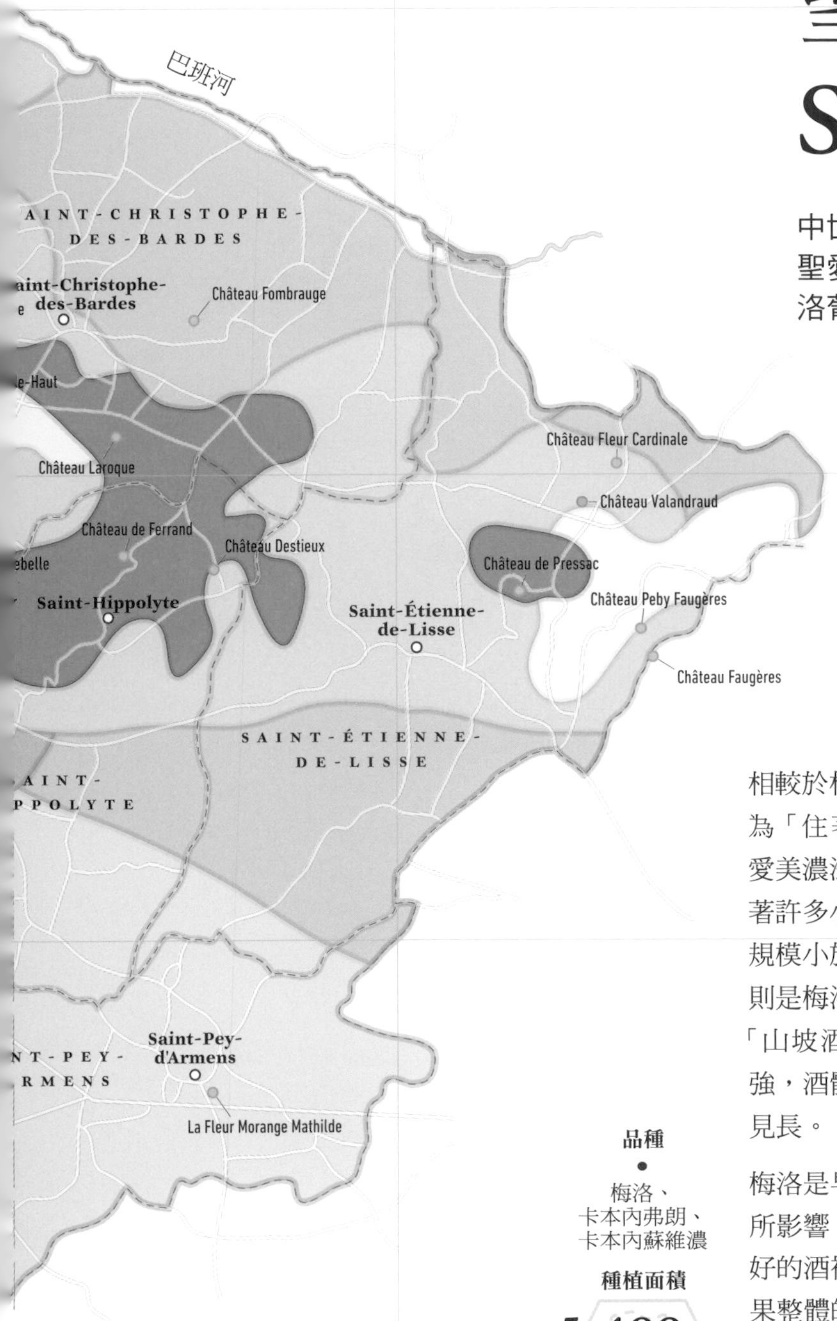

品種
梅洛、卡本內弗朗、卡本內蘇維濃

種植面積
5,400 公頃

釀造酒種
100%

土壤
石灰岩、黏土質石灰岩、沙土、礫石土壤

相較於相當平坦的波爾多左岸，被稱為「住著一千家酒莊的丘陵」的聖愛美濃法定產區，則是位在一個散布著許多小山谷的臺地上。這裡的酒莊規模小於梅多克，最主要種植的品種則是梅洛。在聖愛美濃，人們會區分「山坡酒」與「平原酒」；前者架構強，酒體渾厚；後者則以細緻與柔美見長。

梅洛是早熟品種，容易受到溫室效應所影響。若在 8 月遭遇一波熱浪，釀好的酒裡就會產生果醬般的氣息。如果整體的均衡感有維持住，聖愛美濃能以梅洛與卡本內弗朗雙品種，展現出圓潤飽滿的酒體與細緻的單寧。本區酒款值得先陳放個 5-10 年，以品嘗出最佳潛能。

本產區獨特的分級制度於 1955 年建立，每隔十年會經過法定產區管理局（INAO）*的品鑑小組重新評鑑分級。聖愛美濃是經常性地重新審視特級酒莊分級制度的唯一特例。就好似得到金球獎或是奧斯卡獎，只要列級，便可維持往後十年的成功與榮耀。在體育界或電影界，呼風喚雨的是經紀人；在聖愛美濃，掌握權力的則是釀酒顧問（œnologues consultants）：這些專家顧問會一路陪伴該區數家酒莊，從採收直到混調、裝瓶，都會適時地提出建議。

聖愛美濃的王者就是梅洛

布根地人有伯恩丘，阿爾薩斯人有柯爾瑪市，波爾多人則有聖愛美濃鎮。本鎮名列聯合國教科文組織世界遺產，漫步其中，行走於古老石頭路上所感知的思古幽情，可引領你更深一層地欣賞波爾多葡萄酒。

* 注：法國農業部轄下的法國官方機構。

「波爾多抨擊」的現象從何而來？

長期享受葡萄酒尊榮地位的波爾多，在過去十五年來卻成為人人喊打的對象。這現象錯在誰？錯在哪？以下我們以五點來詮釋「波爾多抨擊」（Bordeaux Bashing）的現象。

#1 價格

過去四十年來，波爾多的知名列級酒莊成為投機的同義詞。每年的酒價可以因為年份以及需求而大幅變動。波爾多也是法國唯一受此現象這般嚴重影響的產區。雖然酒價飆升的只是少部分酒莊，但全體波爾多酒莊卻都成了受指責的受災戶。不過，其實列級酒莊只占全波爾多的 3%，所以建議大家可以試試其他 97% 後再下結論。

#2 標準化

1990 年代時，知名酒評家帕克的高評分往往會讓酒價一夜飆升。當時有些酒莊被批評，為釀出能得到帕克評為高分的酒而改變釀酒方式。剛好帕克喜愛新橡木桶味很重的酒，也使得大家競相模仿釀造，而讓波爾多葡萄酒被抨擊為過度標準化。2000 年開始，飲酒人已經不再那麼相信帕克的分數，也尋求風味比較清新，更具「可飲性」（buvabilité）的酒款。帕克在 2019 年退休，此時，追求超重單寧酒款的風潮已經一去不復返。

#3 新世界

過去幾十年來，波爾多人將酒賣到全球各處：如美國、中國、澳洲、巴西……然而近年來愛酒人發現，人生之中實在不必獨戀聖愛美濃一枝花，還有隆格多克、利奧哈、南非，以及自家母國的優秀葡萄酒可以品嘗。由於這個時代的消費者希望能飲用本土的葡萄酒，因此，大酒商已經無法像過去維持大量的出口業績。

#4 誰還會將酒陳放 10 年之久？

絕大部分波爾多葡萄酒都屬於適合久儲的葡萄酒，也就是說，最好先陳年幾年後，才開瓶享用。問題是，新一代的飲酒人已經無暇，也沒空間可讓買來的酒先陳個 5-10 年，25-35 歲這階段的年輕世代，都會在 24 小時內將買來的酒開瓶享用。

#5 溫室效應

自 2003 年法國的酷暑之後，波爾多又經歷了好幾個又熱又旱的年份。此現象使得酒莊必須提早採收，葡萄酒的酒精濃度也隨之上升。占據波爾多 50% 種植面積的梅洛，在採收期之前需要相對涼爽的夜晚。因此，波爾多應該開始測試比較晚熟（更能適應溫室效應）的品種，如希哈、慕維得爾，或甚至是葡萄牙的品種。不過，還是要看法國法定產區管理局是否願意放鬆產區法規，以因應溫室效應的影響。

三個必須揚棄的成見

波多爾多缺少多元性

#1 波爾多有 60 個法定產區、6 種品種、3 類土壤，在一個省份內就有 6,000 家酒莊，不但釀造紅酒、干白酒、粉紅酒，也釀造氣泡酒以及甜白酒。

波爾多酒太貴了

#2 的確，波爾多的酒價高於法國的平均值，不過仍有許多酒款的價格介於 10-15 歐元。要買到這些酒，建議另闢名莊之外的蹊徑，去較不知名的法定產區裡挖寶。

波爾多實在不有機

#3 繼改採有機農業的 30% 成長率後，波爾多仍持續朝有機農業方向邁進。波爾多不是法國有機農業的前段班學生，但還不至於是最後一名。

薄酒來

BEAUJOLAIS

獨尊加美，無他

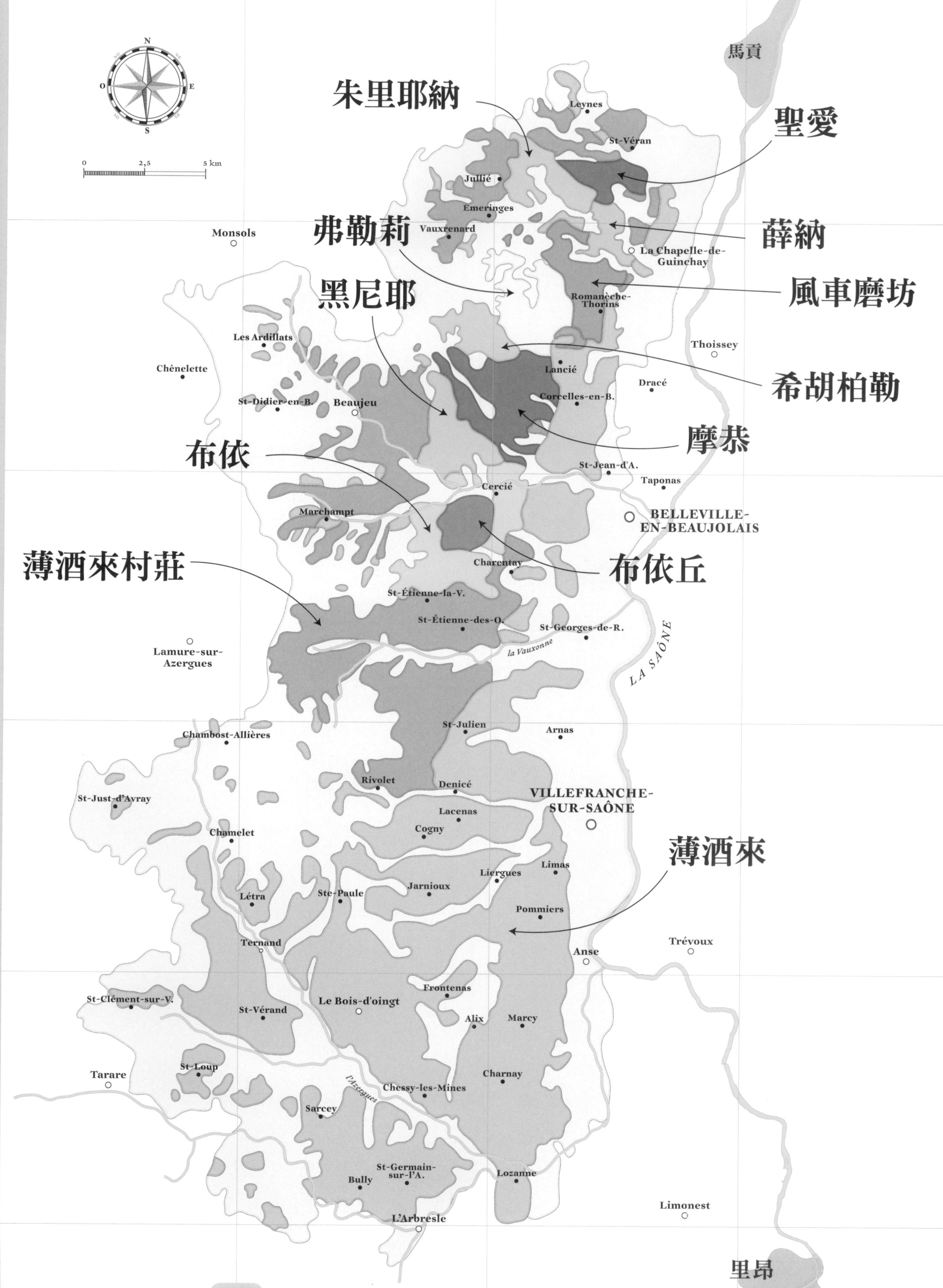
馬貢
朱里耶納
聖愛
弗勒莉
薛納
黑尼耶
風車磨坊
希胡柏勒
摩恭
布依
布依丘
薄酒來村莊
薄酒來
里昂
N
S
O
E
0
2,5
5 km
Leynes
St-Véran
Jullié
Emeringes
Vauxrenard
La Chapelle-de-Guinchay
Romanèche-Thorins
Monsols
Les Ardillats
Thoissey
Chênelette
Lancié
Dracé
Corcelles-en-B.
St-Didier-en-B.
Beaujeu
St-Jean-d'A.
Taponas
Cercié
Marchampt
BELLEVILLE-EN-BEAUJOLAIS
Charentay
St-Étienne-la-V.
St-Étienne-des-O.
St-Georges-de-R.
Lamure-sur-Azergues
la Vauxonne
LA SAÔNE
St-Julien
Arnas
Chambost-Allières
Rivolet
Denicé
VILLEFRANCHE-SUR-SAÔNE
St-Just-d'Avray
Lacenas
Cogny
Chamelet
Limas
Liergues
Jarnioux
Létra
Ste-Paule
Pommiers
Ternand
Trévoux
Anse
Frontenas
St-Clément-sur-V.
Le Bois-d'oingt
St-Vérand
Alix
Marcy
St-Loup
Tarare
Charnay
l'Azergues
Chessy-les-Mines
Sarcey
St-Germain-sur-l'A.
Bully
Lozanne
Limonest
L'Arbresle

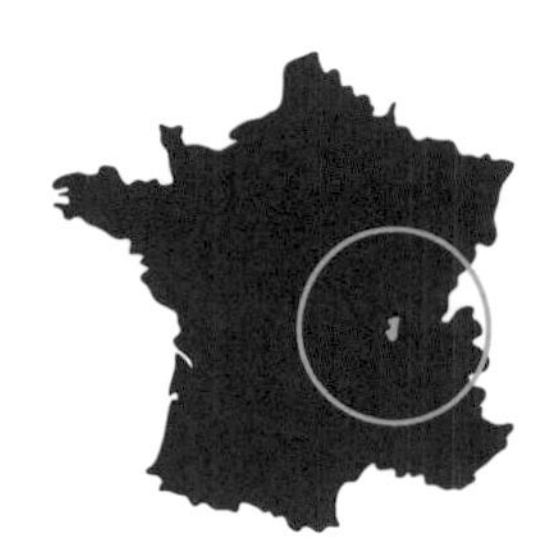

薄酒來 Beaujolais

薄酒來產區被布根地、隆河谷地以及羅亞爾河谷地產區所環繞，就位於三者的中心處。薄酒來基本上只獨尊一個品種：加美。

品種

加美

夏多內

種植面積

18,000 公頃

釀造酒種

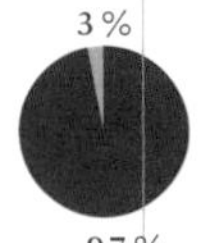

3%

97%

土壤

花崗岩、片岩以及火山岩質土壤

氣候

介於溫帶與大陸性氣候之間

薄酒來產區在索恩河西岸，自北到南綿延四十多公里，葡萄樹從平原處一直種植至山坡上。加美葡萄自原產地的布根地遭驅逐出境，最後在薄酒來的花崗岩土壤上找到最佳歸屬。加美葡萄在本產區稱霸：種植占比超過 95%。加美葡萄以鮮濃的紅色水果滋味誘惑人心，所釀成的紅酒具有極為細緻的單寧質地。

如果有一種法國葡萄酒值得重新認識，必是薄酒來。當然所有人都認識薄酒來新酒：它是 1950 年代起用以慶祝新酒節慶的產物（本書在 92 頁會詳細介紹）。然而這個傳統節慶也讓外人對本產區產生莫大的誤解。新酒的過量釀產與大量使用化學手法釀酒，都讓此新酒節慶蒙上陰影。消費者仍舊將薄酒來與薄酒來新酒搞混。後果是當地產區地價大跌，但同時也讓許多新生代酒農得以在此安身立命且追求信念：尊重風土，並讓加美葡萄恢復榮光。以上告訴我們，既有一壞，也有一好：今日的薄酒來，已經成為法國施行生物動力法與釀造自然酒的大本營之一。不同於一般人的刻板印象：薄酒來的 10 個優質村莊法定產區其實可以釀成酒質扎實、風味複雜，且極具儲存潛力的美釀。

薄酒來也以這種半二氧化碳浸泡法（la macération semi-carbonique）釀造法聞名。實際做法是：整串未經破皮的葡萄置入釀造槽，在槽的最底端處，由於底層葡萄被重壓出汁，於是開始酒精發酵，釋出二氧化碳。此時，釀造槽上端的葡萄仍舊維持整串形狀，卻已開始「果皮內發酵」。十幾天後，所有葡萄榨汁完畢，接著像一般紅酒完成經典發酵程序。此種半二氧化碳浸泡法，可以釀出酒質細緻且果香豐盈的紅酒。

如果有一種法國葡萄酒值得被重新認識它必是薄酒來

2011 年，一個全新的法定產區誕生了：AOC Coteaux Bourguignons（布根地丘）。在布根地丘的命名下，除了可以用黑皮諾或加美釀造紅酒或粉紅酒，也可以用夏多內釀成白酒，且產地在布根地或是薄酒來皆可；這是法國的兩個特例之一。另一是塞樹（Seyssel）法定產區，此產區命名其實橫跨了薩瓦（Savoie）與布杰（Bugey）兩個產區。

北區的優質村莊
Les Crus du nord
從聖愛到希胡柏勒

朱里耶納 Juliénas

朱里耶納是薄酒來優質村莊中最北的一個，位在馬貢市西南 15 公里處。其葡萄園位於貝塞山（Mont Bessay，海拔 478 公尺）南側山坡上，土質變化屬薄酒來之最，以片岩與花崗岩為主。朱里耶納能產出架構優良的加美紅酒。

580 公頃

100%

薛納 Chénas

薛納是薄酒來優質村莊中面積最小的一個，零星分布在黑蒙山（Rémont，510 公尺）東側以及旁鄰的次要山坡上。花崗岩土壤，黏土不多，能釀出飽滿扎實、帶些牡丹花香氣的紅酒。位於本產區東側多礫石與砂土的地塊上，酒質顯得柔軟一些。為不讓當地人發覺你是貨真價實的遊客，請不要將 Chénas 尾音的 s 發出聲。

240 公頃

100%

聖愛 Saint-Amour

聖愛是法國法定產區中最美的稱號。不過聖愛並非對於浪漫主義的頌歌，而是紀念古羅馬軍團中一位叫做 Amor 的士兵曾經駐紮此地。聖愛的葡萄樹植於貝塞山的山坡以及教堂旁的丘陵上，土壤帶有許多砂質，而得以釀出相當具結構的紅酒。相對地，在山腳下的矽質黏土上，酒質就顯得較為輕盈。

300 公頃

100%

風車磨坊 Moulin-à-Vent

風車磨坊是薄酒來優質村莊中歷史最悠久者，法定產區名就來自建於 1550 年的風車磨坊，它仍舊矗立在侯馬內許－托漢（Romanèche-Thorins）村的丘陵上。該區土壤中含有顏色很深的錳，也是風車磨坊紅酒風味特殊的來源。在薄酒來 10 個優質村中，本產區紅酒風格也最接近布根地。常帶有鳶尾花、紫羅蘭、草莓、覆盆子以及櫻桃氣息。陳年後酒質優雅複雜，還會釋出松露味。

650 公頃

100%

弗勒莉 Fleurie

860 公頃

100%

弗勒莉優質村莊的法定產區完全位於同名酒村內，屬於風化的粉紅色花崗岩土壤。弗勒莉為各優質村莊中最柔美者，與村名相呼應（有花朵盛開之意）：所產紅酒帶有花香情調，以及一絲蜜桃或是黑醋栗氣韻。陳年幾年後所發展出的天鵝絨質地非常引人。

希胡柏勒 Chiroubles

350 公頃

100%

希胡柏勒是薄酒來優質村莊中海拔最高的一個，平均海拔 400 公尺，園區位於本村周遭的花崗岩環型梯田坡地上。葡萄樹主要種在朝東及東南向的陡坡上。土壤為砂土與花崗岩土，能釀出可口柔軟且優雅的酒質，常帶有牡丹、鈴蘭、鳶尾花與紫羅蘭芬芳。希胡柏勒可說是薄酒來的經典紅酒風格。

a Croix de Rampos

mpere

聖愛
朱里耶納
薛納
弗勒莉
風車磨坊
PRUZILLY
JULIÉNAS
ST-AMOUR-DE-BELLEVUE
LA CHAPELLE-DE-GUINCHAY
CHÉNAS
FLEURIE
ROMANÈCHE-THORINS
CHIROUBLES
les Renges
Soubleton
les Perats
le Tour
Mont-Rouge
la Fagerette
les Ravinets
les Deburnays
la Croix-Blanche
le Rochat
le Bief
le Blondet
le Vignard
le Plat
Cotoyon
la Combe Vineuse
le Clos
En Broussaud
Fetraud et Cherette
la Pierre
la Garenne
Escuissin
Haute Combe
Vaux
Fougerette
les Fouillouses
Bessay
la Grande Croix
Vayolette
le Trève
la Ville
les Chers
les Vignes
les Blondels
les Bois de Chat
Place des Vignes
Château de Juliénas
la Croix-Rouge
Ruet
les Quatre Cerisers
la Prat
Beauvernay
Bois de la Salle
le Bourg
Paquelet
les Poupets
Chanorier
les Belins
Janroux
les Gonnards
Clos du Fief Chanorier
Berthet
Bucherat
les Tournets
En Rizière
la Bottière
les Capitans
les Crots
les Mouilles
Clos de Besset
En Chaterey
les Chamonards
les Darrèzes
la Gagère
la Croix Carron
Aux Servettes
la Creuse Périlleuse
En Routey
les Sates
la Poulette
la Pirolette
les Ravinets
les Champs Grillés
En Coutelon
Dargnent
Carjot
Vers l'Eglise
Terres des Rey
le Clos de la Brosse
la Ville
les Guillons
En Paradis
la Chevrolle
les Fouilloux
Au Breuil
Hameau des Buissonas
la Bretaude
le Mas des Tines
En Cornillons
la Bruyère
Aux Grandes Vignes
les Bretaux
Aux Pierres
les Belouses
En Pressins
les Canardes
Clos du Chapître
le Chatelet
le Clos
l'Étournet
Tête de Bonnet
la Grande Charrière
Au Fôret
À la Folie
Aux Bouteilles
la Billette
Au Bonet
Aux Thepes
Platre Durand
Aux Arsenons
Pré Poulet
Aux Pochieux
Aux Places
la Vigonette
En Guinchay
Aux Terres de Guinchay
Aux Ples
En Callette
le Clos des Blemonts
En Belair
Aux Tournets
Aux Marmets
Aux Avenets
En Guinchay
Au Bois Retour
la Combe Daroux
les Brureaux
Aux Molards
les Champsbons
Aux Blemont
En Grand Guinchay
En Sensseveine
En Rochat
En Perelle
Chassignol
En Nervat
Aux Verchères
En Grande Terre
Aux Seignes
Au Rhône
Combe Remont
Deschanes
Aux Cruis
Aux Pierres
le Clos
Au Remont
Deschanes
Chassignol
En Papolet
Au Buchonet
les Desroches
le Bucher
En Grefard
les Deschamps
En Champagne
les Grands Gandelins
les Sous
Au Michelon
Rochenoire
les Pinchons
En Melardière
Rochenoire
Au Bief Normand
Champagne
les Viallières
le Vieux Bourg
le Dime
les Condemines
le Bief
la Tour du Bief
les Combes
les Labourons
Maison Neuve
les Bois Maréchaux
les Journets
Côte de Volluet
la Tonne
Remont
Au Mont
les Verillats
Bief Mornant
la Rochelle
les Bois Combes
les Gros Vosges
les Rouchaux
les Brusselions
Côte des Labourons
Adule
Roche Guillon
Poncie
Aux Caves
les Thorins
la Grande Charrière
la Merize
la Roche
Vierre Manin
les Moussières
Fonfotin
Prion
les Moriers
les Saignes
Carquelin
les Grimarais
Champ de Cour
Plantier de Favre
Charbonnière
Montgenas
les Dégollets
la Delatte
les Greneriers
Maison Neuve
la Joie du Palais
Pied d'Aroux
les Garants
les Roches
la Roilette
En Morier
les Rochaux
En Mortperay
les Près Ouverts
le Fond de Morier
les Perelles
les Amandiliers
les Combes
Rontets
Seignerонces
la Presle
la Madone
la Dime
la Treille Ouest
les Grands Fers
les Fonds
les Burdelines
la Rivière
la Treille Est
En Filibons
la Grange
Fontenelle
les Quatre Vents
les Côtes
la Teppe
les Raclets
le Petit Brennay
les Charmilles
Brie
Romanèche
les Genêts
les Chaffaugeons
Cercillon
Bon Cru
la Bruyère
le Vivier
la Drullière
Vers le Mont
la Chapelle des Bois
En Brennay
le Moulin à Lure
la Pierre
Vert
le Pont
Souzon
Grille-Midi Nord
les Jonchées
Reponge
les Martins
les Déduits
En Reclaine
la Bresse
Grille Midi
le Verdy
Combes
Grille-Midi Sud
la Levrattière
Grand'Cour
Bois Pontdevaux
Propières
Pré-Nesme
Grands Vière
le Verdy Sud
Bel Air
les Petits Bois
Pouillet
le Bourg
Champagne
le Moulin
les Farges
les Grandes Terres
Grand Pré
les Marrans
Bel-Air
les Bonnes
Fredière
les Près
Côte Rotie
Crozet
les Rochaux
Douby
N
S
O
E
NO
NE
SO
SE
0
0,5
1 km

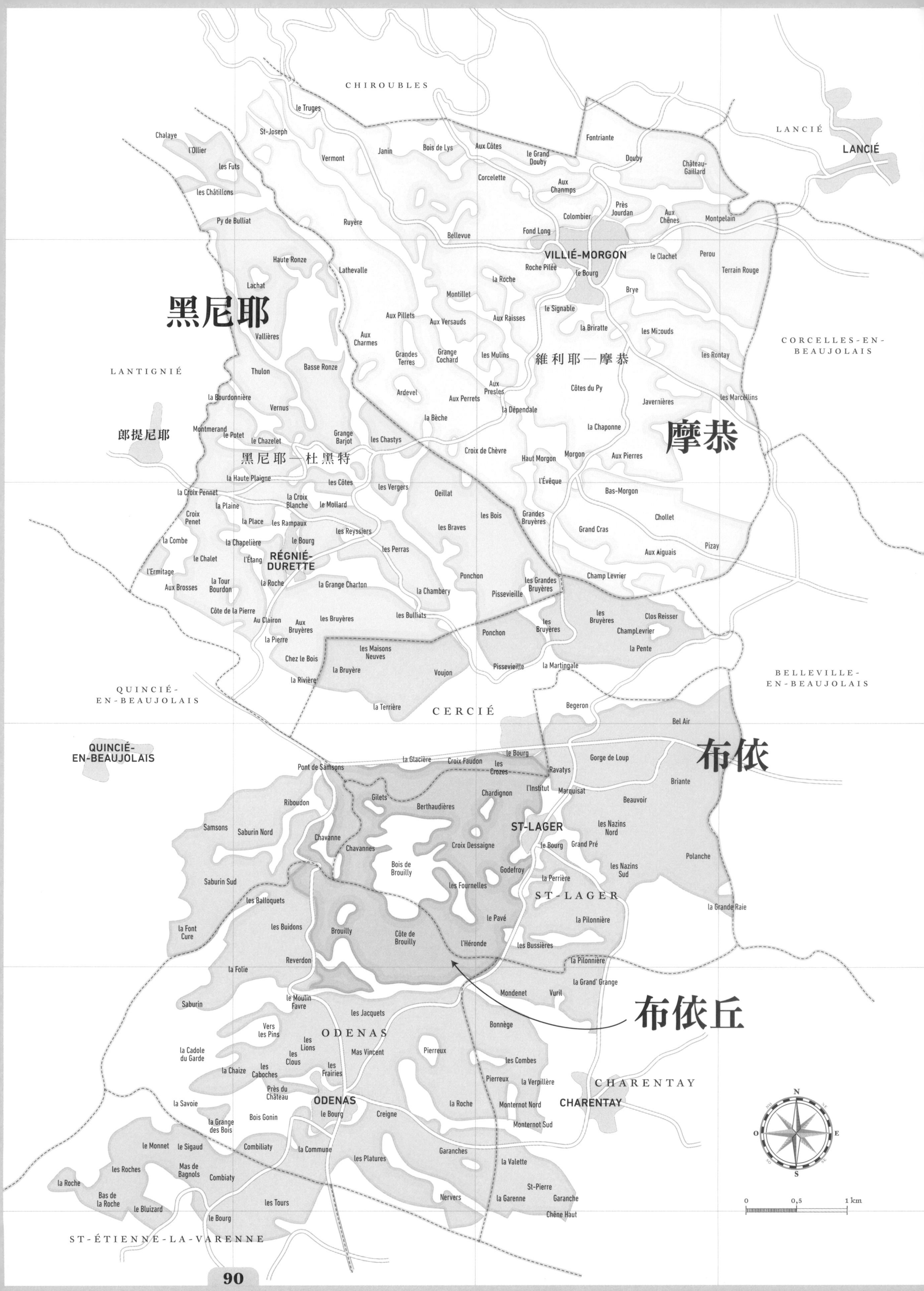
黑尼耶
郎提尼耶
黑尼耶—杜黑特
維利耶—摩恭
摩恭
布依
布依丘
CHIROUBLES
LANCIÉ
CORCELLES-EN-BEAUJOLAIS
LANTIGNIÉ
QUINCIÉ-EN-BEAUJOLAIS
CERCIÉ
BELLEVILLE-EN-BEAUJOLAIS
ST-LAGER
ODENAS
CHARENTAY
ST-ÉTIENNE-LA-VARENNE
VILLIÉ-MORGON
RÉGNIÉ-DURETTE
0
0,5
1 km

南區的優質村莊

Les Crus du sud

從摩恭到布依

摩恭 Morgon

摩恭的葡萄園位於維利耶－摩恭（Villié-Morgon）村內，釀酒葡萄的種植歷史已有千年之久。整個薄酒來就屬產自摩恭優質村莊的紅酒儲存潛力最強，尤其若是源自片岩地塊。最佳年份的摩恭甚至必須窖藏個 10-15 年才達適飲期。其酒質豐潤、強勁且具大架構，酒香以覆盆子、櫻桃與桃子為主要特色。

1,100 公頃

100%

布依 Brouilly

布依是薄酒來優質村莊中占地最大者，達 1,250 公頃。葡萄園整體位於薄酒來的中心地帶，綿延六個酒村。它也是 10 個優質村莊中位置最偏南者，就位於里昂以北 40 公里處。整個法定產區圍繞著布依山（Mont Brouilly）種植，不過布依山的山坡地則屬於布依丘法定產區。這裡的花崗岩土壤讓布依酒質較為早熟，通常採收後隔年的春季即可品嘗。布依是優質村莊中酒質較為溫柔者。

1,250 公頃

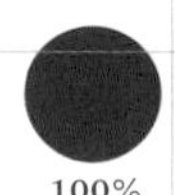

100%

黑尼耶 Régnié

黑尼耶優質村莊法定產區的葡萄園範圍，位於黑尼耶－杜黑特（Régnié-Durette）與郎提尼耶（Lantignié）兩村內，面積共 400 公頃的園區海拔介於 250-450 公尺，主要是花崗岩土壤。黑尼耶酒質柔美，以酸櫻桃、黑莓、黑醋栗以及覆盆子果味為主調。黑尼耶在 1988 年認定為薄酒來優質村莊，也是 10 個優質村莊之中最晚認定者。

400 公頃

100%

布依丘 Côte de Brouilly

布依丘優質村莊的葡萄園就位於同名山丘上，除花崗岩質土壤之外，園內也含有一種特殊的火山岩，當地稱為藍石頭（Pierre bleue）。釀自花崗岩土質的紅酒風格較為柔軟，以火山岩為主的地塊則呈現較為硬實的風格，也以鮮明的礦物質風味為特色。如果來訪此區，不妨到布依丘山頂一遊，可飽覽薄酒來地區的美麗丘陵景色。

320 公頃

100%

薄酒來新酒 Le Beaujolais Nouveau

一如酒名所示，薄酒來新酒就是年輕、剛釀好的葡萄酒，法文也稱這類酒為「鮮酒」（Vin primeur）。薄酒來新酒即以當年採收的葡萄釀造，且兩個月後便可品嘗。薄酒來新酒的官方上市日期為每年 11 月的第三個星期四。一般而言，在法國可以正式銷售當年份葡萄酒的日期是 12 月 15 日，不過薄酒來酒農於 1951 年獲取在此前即可販售酒款的權利。該策略很簡單：就是薄利多銷，且也獲得了極大的商業成功！

有誰沒聽過每年的薄酒來新酒節慶？

每年 11 月全球各地的人們都會大肆慶祝新酒來臨，使得薄酒來成為全球最知名的產區之一。

雖說這是行銷上的巨大成功以及保證短期獲利的方程式（薄酒來新酒占全區產量的 30%），然而凡事有利就有弊。結果是整個薄酒來產區帶給世人的印象就成為販售廉價年輕葡萄酒的地方，該產區其他酒款也因此被「拙劣葡萄酒」的印象所連累。該區較為優質的酒款因此難以找到市場利基點，也無法以應有的酒價售出，因為在多數消費者心中認為：薄酒來就是適合年底新酒節時喝喝就好，其他時刻不願「屈就」薄酒來。

1990 年代末直到 21 世紀的開端，薄酒來產區遇到前所未見的危機：薄酒來村莊（Beaujolais Village）法定產區的葡萄園地價下跌八成，而整個薄酒來產區也拔除了超過 7,000 公頃的葡萄樹。

今日，隨著新一代具有創新做法的年輕酒農進駐，他們謹循老祖宗的農法重新擦亮 10 個薄酒來優質村莊的形象，整個產區的景況正在好轉中。有趣的是，新一代的飲酒人反而對薄酒來持有開放心胸，更易接受本產區紅酒。

不過，初階的地區性法定產區薄酒來（Beaujolais）仍有一段長路需要迎頭趕上。

現有不少釀造者，選擇完全不在酒標上標示薄酒來字樣，只突顯摩恭、弗勒莉與黑尼耶等優質村莊……

即便飲用薄酒來新酒的場合總是非常輕鬆歡樂（其實有些新酒仍是釀得相當好的），但是讀者仍不要將薄酒來新酒與該產區的其他酒款搞混了。

薄酒來的葡萄品種

加　美

薄酒來非常罕見地效忠於單一葡萄品種。如果你喝的是薄酒來產區的酒，幾乎無例外地可以確定釀酒品種是加美（除了極為罕見的當地白酒）。

薄酒來的 97% 面積種的都是加美，此迷人品種的歷史其實源自布根地。一般認為加美源自布根地伯恩丘區聖歐班（Saint-Aubin）的加美村落（Hameau de Gamay）。1999 年，在一項由蒙佩里耶國家高等農業學院（ENSAM）、法國國家農業研究院以及加州大學戴維斯分校的共同研究中指出，加美一如其他皮諾家族的表親，同樣都是黑皮諾與白固維的雜交種。

中世紀時的伯恩城（Beaune）附近種植了為數眾多的加美，數量多到開始威脅到黑皮諾的存在。當時的亞帝公爵（Duc Philippe le Hardi）認為加美是「卑微且不正當」的品種，便下令拔除南至馬貢市的所有加美葡萄。

加美被驅逐出原生地，卻在馬貢到里昂之間的花崗岩土壤上找到歸屬，且完美地適應薄酒來的風土，成為本產區酒農珍惜的瑰寶。

一般而言，加美紅酒的風格非常清鮮美味，帶有櫻桃、草莓及藍莓風味。有些酒款也帶一絲胡椒氣韻，但單寧都不算太豐富。

部分薄酒來適合早飲，另一些則具有良好的儲存潛力，也絕對能在重要的宴飲場合據有一席之地。加美變化多端，每人都能找到適合自身的口味！

香檳
CHAMPAGNE

金色氣泡葡萄酒

香檳產區內產量最大的酒種自然是香檳，但其實區內也生產數量極少的靜態葡萄酒。除了希塞粉紅酒（Rosé des Riceys）之外，香檳丘法定產區（Coteaux Champenois；產區範圍同香檳）也以夏多內與黑皮諾葡萄釀產紅酒、粉紅酒與白酒。

香檳 Champagne

香檳是法國最知名的氣泡酒，所有重要歡慶場合都少不了它。
據估計，全世界每一分鐘就有 578 瓶香檳開瓶。

品種
黑皮諾、皮諾莫尼耶
夏多內

種植面積
34,500 公頃

釀造酒種
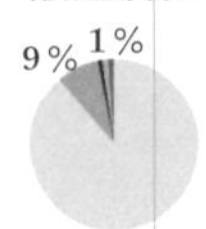

土壤
白堊土、黏土、沙土、泥灰岩

氣候
大陸性氣候與海洋性氣候

香檳區雖然離海岸相當遠，但北邊的高原也無法擋住海洋性氣候帶來的雲雨影響。香檳區的底層是白堊土，可以帶來兩種好處：能吸收過多的水分，也具有保溫的特性。香檳區冷涼的秋季可以讓葡萄緩慢地成熟。香檳區集合了所有的天然條件，可保住釀造優質氣泡酒所需的酸度。

香檳可區分為兩種風格：香檳大廠的產品，以及所謂的酒農香檳。前者的重點是在酒中保留酒廠風格，後者是自己採收葡萄的小酒莊所釀，一般而言，比較能夠呈現風土滋味。香檳的特點在於混調，酒莊可以混調不同年份的酒液以釀成一款香檳。當所使用的葡萄都來自同一年份，所釀成的就是年份香檳。

香檳區共計有 319 個酒村，每個村莊都可以算是「優級村莊」(Cru)，有些風土比較優良者，則被列為「一級酒村」(Premier Cru）以及「特級酒村」(Grand Cru)。由於大廠會爭相購買這些品質較好的葡萄，價格也水漲船高。「香檳」一詞在過去被世界各角落的產區所使用，曾經屬於氣泡酒的通稱。今日的氣泡酒釀造者，如果不是以香檳區的葡萄所釀造，則必須註明「香檳法釀造」(Méthode champenoise）加以區分。

香檳的最大特點在於混調

通常習慣以笛型杯（或鬱金香杯）喝香檳，不過一般傳統酒杯其實更能彰顯酒香。香檳常常被限縮於開胃酒的角色，但其實也可以絕佳地扮演好搭餐的重任：比如魚鮮、烤雞或某些種類的起司，都非常適宜！

白花、洋梨、蘋果、桃子

酒齡不到5年的香檳

布里歐許麵包、無花果、甘草、蜂蜜

酒齡5-9年的香檳

烤麵包、林下灌木叢、蜂蜜香料麵包、可可

酒齡9年以上的香檳

如果你正在喝的香檳顯得氣味封閉，建議可以入醒酒瓶醒一下！這做法可能會嚇到某些人，不過確實有效。將香檳倒入醒酒器時，手法要輕柔，之後加蓋，將它放置在冷涼的地方或冰桶裡。你會發覺氣泡與鼻息都顯得更加柔美。

香檳的葡萄品種

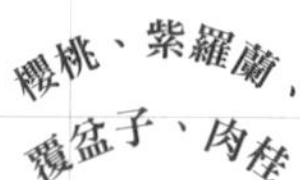

黑皮諾

黑皮諾這個傳奇品種通常會與布根地聯想在一起，事實上香檳區種植最多的品種就是黑皮諾。它非常適合本地涼爽的石灰岩土壤，種植最多的區塊是漢斯山與巴爾丘。它的皮薄，單寧不重，也易於榨汁，可以在混調中帶來酒體與勁道。與一般想像不同，絕大多數的香檳其實是以黑皮葡萄釀成的。不過由於酒汁未與葡萄皮一起釀造（皮是酒色的來源），所以酒色一如白酒。

香檳裡的氣泡來自何處？

在經過經典的釀造程序後，酒液會在酒瓶中進行第二次發酵：當酵母將糖分轉化為酒精後（此即發酵程序），同時會在瓶中產生二氧化碳，並溶解於酒液中。據估計，如果讓二氧化碳自由流動，一瓶香檳裡的氣泡可以充滿六只瓶子。香檳一旦開瓶，原本限縮在瓶中的二氧化碳會自酒液表面釋放，並恢復其原有的體積。

過去在使用加強化的香檳酒瓶之前，其實「爆瓶」的現象不算罕見。必須提醒的是，一瓶香檳中的氣壓比輪胎的胎壓大三倍。

其他

夏多內CHARDONNAY

30%

31%

OT MEUNIER

1%

其他品種

雖然極其罕見，用以釀造香檳的品種還包括白皮諾、阿爾班（Arbane）、灰皮諾以及小魅里耶（Petit meslier）。

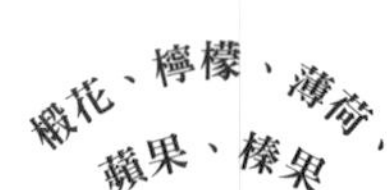

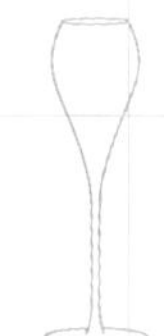

夏多內

沒錯，夏多內與黑皮諾還真是難捨難分。在布根地它們各自分家，然而在香檳區，兩者卻結合在一起以釀出世界上最名貴的氣泡酒。夏多內的酸度較高，可使酒質演化較慢，也因而讓香檳具有更佳的儲存潛力。香檳區內的各區塊都見種植，但栽種最多的還是在白丘。

蘋果、野草莓、
桃子、杏桃

皮諾莫尼耶

本品種的枝葉長勢頗強，相當適合種植在黏土較多的風土，如瑪恩谷地。由於它發芽的時間較其他品種晚，比較不怕天氣又突然再度變冷後的春霜侵襲，葡萄農因此愛將皮諾莫尼耶種在春霜風險較大的區塊。它的弱點是：相較於永遠的親緣對手黑皮諾，皮諾莫尼耶的久儲能力較弱。在混調裡，它可替酒帶來柔軟感與果香，也讓酒顯得較為圓潤。

漢斯

Vrigny 1er
Ormes
Vrigny
Coulommes-la-Montagne 1er
Coulommes-la-Montagne
Pargny-lès-Reims 1er
les Mesneux 1er
Pargny-lès-Reims
les Mesneux
Jouy-lès-Reims
Reims
St-Euphraise-et-Clairizet
St-Euphraise-et-Clairizet
Jouy-lès-Reims 1er
Ville-Dommange 1er
Bezannes 1er
Trois-Puits
Ville-Dommange
Sacy 1er
Champfleury
Sacy
Villers-aux-Nœuds
Écueil 1er
Écueil
Villers-aux-Nœuds 1er
Villers-Allerand 1er
Chamery 1er
Chamery
Sermiers 1er
Villers-Allerand
Sermiers

皮諾莫尼耶 13%
夏多內 31%
黑皮諾 56%

漢斯山區
Montagne de Reims

漢斯山園區位於漢斯城南方不遠處，葡萄樹植於此森林臺地的斜坡處，整個香檳區最佳的幾塊風土就位在漢斯山裡。

品種
黑皮諾、皮諾莫尼耶
夏多內

種植面積
4,200 公頃

釀造酒種

100%

土壤
黏土質石灰岩以及白堊土

本區位於香檳區首邑漢斯市南方，漢斯山最高海拔 286 公尺。漢斯山葡萄園區的特點在於向陽：絕大多數種植葡萄樹的山坡幾乎都面向北方。此地特殊的微氣候有助於葡萄完美成熟。晚間的冷空氣會滾落到平原處，而在日間於漢斯山上方形成的熱空氣則會降臨在葡萄樹身上。覆蓋周遭區域的森林也起著調節氣溫的功效。

漢斯山上種植最多的是黑皮諾：占 60% 的面積。它能替香檳帶來勁道、酒體與醇厚感，而且在本地的石灰岩土壤上適應得極好。酒農偏愛將夏多內（比較早發芽，對春霜也更為敏感）種植在東坡處，可以避去西邊冷風的影響（尤其是 Trépail 與 Villers-Marmery 這兩個一級酒村）。

漢斯山是整個香檳區內擁有最多特級酒村的區域，17 個特級酒村之中就有 10 個位於此處，它們是 Ambonnay、Beaumont-sur-Vesle、Bouzy、Louvois、Mailly-Champagne、Puisieulx、Sillery、Verzenay、Verzy 以及 Tours-sur-Marne。

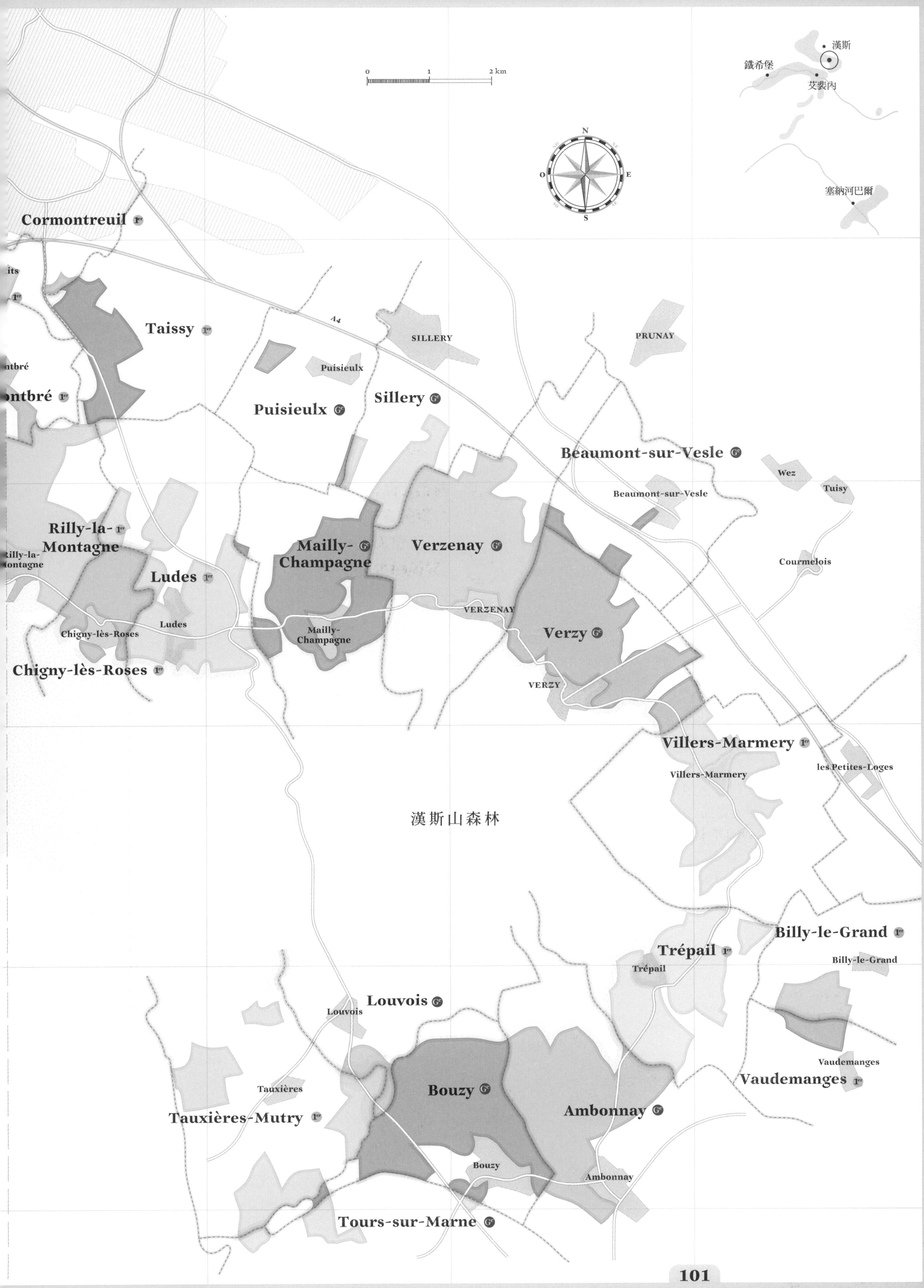

漢斯
鐵希堡
艾裴內
塞納河巴爾
0
1
2 km
N
O
E
S
Cormontreuil
its
ntbré
ontbré
Taissy
A4
SILLERY
PRUNAY
Puisieulx
Puisieulx
Sillery
Beaumont-sur-Vesle
Wez
Tuisy
Beaumont-sur-Vesle
Rilly-la-Montagne
Rilly-la-Montagne
Mailly-Champagne
Verzenay
Courmelois
Ludes
Ludes
Chigny-lès-Roses
Mailly-Champagne
VERZENAY
Verzy
Chigny-lès-Roses
VERZY
Villers-Marmery
Villers-Marmery
les Petites-Loges
漢斯山森林
Billy-le-Grand
Trépail
Trépail
Billy-le-Grand
Louvois
Louvois
Vaudemanges
Vaudemanges
Bouzy
Tauxières
Ambonnay
Tauxières-Mutry
Bouzy
Ambonnay
Tours-sur-Marne

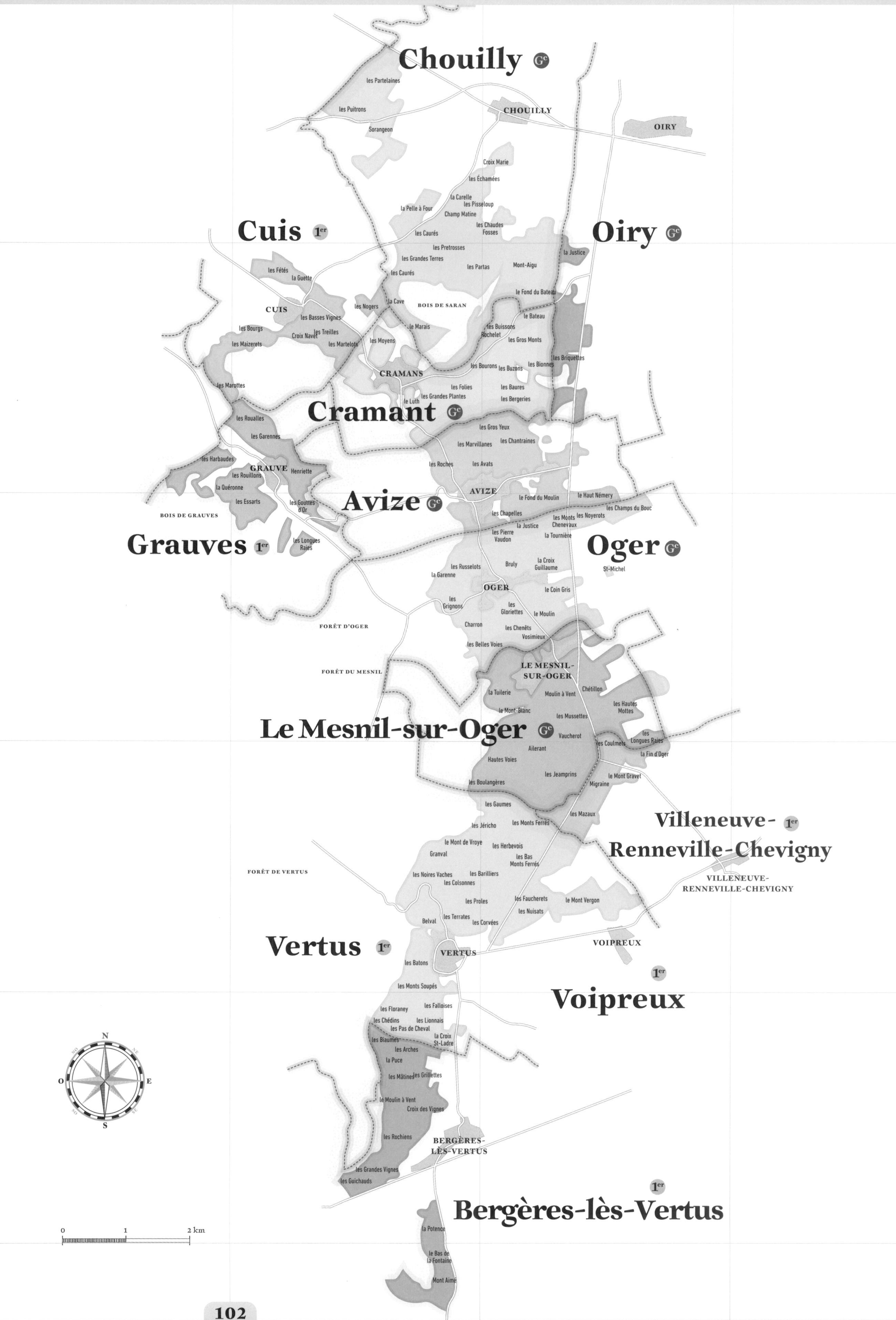
Chouilly
CHOUILLY
OIRY
Cuis
Oiry
CUIS
BOIS DE SARAN
CRAMANS
Cramant
GRAUVE
AVIZE
Avize
BOIS DE GRAUVES
Grauves
Oger
OGER
FORÊT D'OGER
FORÊT DU MESNIL
LE MESNIL-SUR-OGER
Le Mesnil-sur-Oger
Villeneuve-Renneville-Chevigny
VILLENEUVE-RENNEVILLE-CHEVIGNY
FORÊT DE VERTUS
Vertus
VERTUS
VOIPREUX
Voipreux
BERGÈRES-LÈS-VERTUS
Bergères-lès-Vertus
0
1
2 km

白丘區
Côte des Blancs

Cramant、Avize、Oger 這些特級酒村讓白丘聲名遠播，並同聲一氣地推舉夏多內為王。

品種
黑皮諾
夏多內

種植面積

400 公頃

釀造酒種

100%

土壤
黏土質石灰岩、黏土質矽質土以及白堊土

瑪恩谷地的葡萄園在香檳區另一首邑艾裴內終止，而白丘的葡萄園卻也自此展開：由北邊的 Chouilly G[C] 特級村莊一直綿延至南邊的 Bergères-lès-Vertus 一級村莊為止。白丘與漢斯山是整個香檳區最著名與最優質的兩大區葡萄園，白丘之內有 6 個特級村莊與 6 個一級村莊。

白丘就是白葡萄的天下：夏多內在此地稱王，占據 97% 的種植面積。許多葡萄用來釀造「白中白」(Blanc de blancs) 香檳，此類香檳只能以 100% 的白葡萄釀造：通常均以夏多內釀成。白丘的夏多內也用來混調漢斯山或瑪恩谷地的黑皮諾，以釀成「傳統類型」的香檳。在 Vertus 一級村莊裡，黑皮諾的種植面積些微地超過夏多內。

白丘的代名詞是精巧、清鮮、細緻與優雅。大型香檳廠也會採購這些特質的夏多內葡萄用以混調。夏多內很能反應所源自地塊的風土：比較北邊的克拉蒙村（Cramant）的酒質較為強勁，南邊歐傑村（Oger）的酒風就比較精準冷冽，位於兩者之間的阿維茲村（Avize）則以細膩的酒質見長。

夏多內在此稱王

當白丘的特級村莊夏多內單獨釀造單一裝瓶時，其酒質絕佳。本區葡萄園的坡度愈是陡峭，石灰岩塊就愈是接近葡萄樹，酒中所呈現的礦物質風味也就愈加鮮明。

白丘的夏多內，會替香檳帶來榛果（有時像烤榛果）、新鮮奶油、柑橘、檸檬、榅桲、黃香李(Mirabelle)與一絲礦物鹽風味。

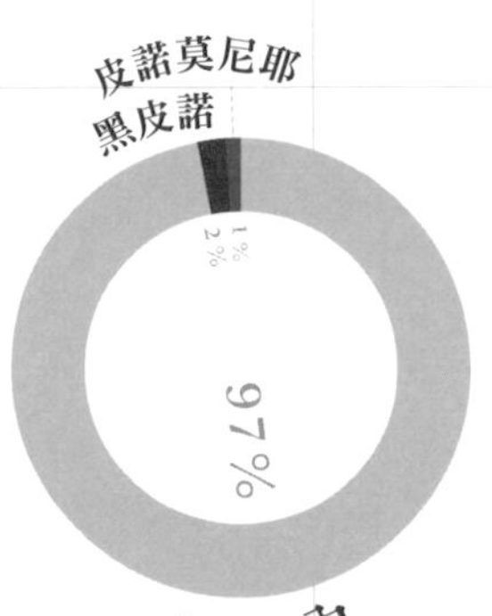

除了「白中白」(Blanc de Blancs) 香檳，其實還存在「黑中白」(Blanc de Noirs) 香檳：只以紅葡萄混調釀成的香檳（黑皮諾與皮諾莫尼耶可以單獨釀造或是混調）。

漢斯
艾裴內
塞納河巴爾

瑪恩谷地
Vallée de la Marne

品種
● 皮諾莫尼耶、黑皮諾
● 夏多內

種植面積
8,000公頃

釀造酒種

100%

土壤
泥灰岩、黏土、沙土

瑪恩谷地距巴黎僅約100公里，景觀丘陵起伏，葡萄園也在兩河岸的山坡上。據說唐佩里儂（Dom Pérignon）神父當時就是在艾裴內市北邊不遠的歐維列（Hautvillers）發現釀造香檳的方法。瑪恩谷地的酒香細緻，酒體卻相當飽滿扎實，雖不若漢斯山的酒風一般清鮮，卻在混調時帶入更豐富的酒體。

瑪恩谷地也是香檳區唯一以皮諾莫尼耶為主要品種的產區。皮諾莫尼耶常被認為是三個香檳品種裡品質最次者，因為它顯得比較粗獷。不過近年來愈來愈多酒農對本品種感興趣，讓它擔任要角，甚至釀造單一品種香檳，更有甚者，還推出皮諾莫尼耶的單一園的釀品。

不過，皮諾莫尼耶的確可以完美地適應瑪恩谷地的風土，成熟期也較晚。如果能給本品種一點耐心，它可以回饋給你的是鮮明果香、柔軟酒體，同時具有不錯的架構與圓潤感。

除了漢斯山與白丘之外，瑪恩谷地是香檳區裡第三個在區內同時擁有特級村莊與一級村莊的產區。總計有一個特級村莊：Aÿ-en-Champagne，以及八個一級村莊：Avenay Val-d'Or、Bisseuil、Champillon、Cumières、Dizy、Hautvilliers、Mareuil-sur-Aÿ和Mutigny。這些優秀的酒村都集中在艾裴內周遭。

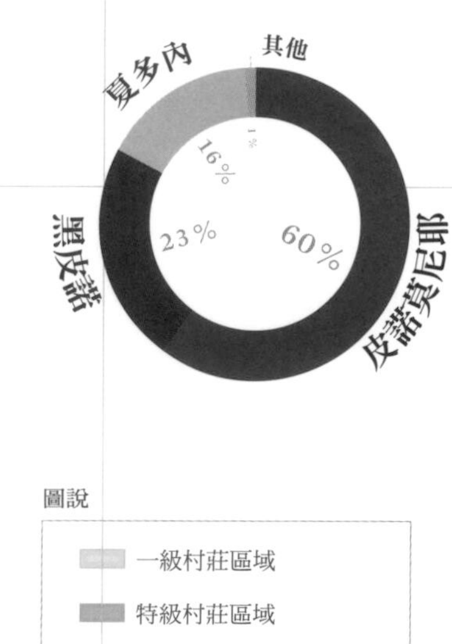

圖說
一級村莊區域
特級村莊區域

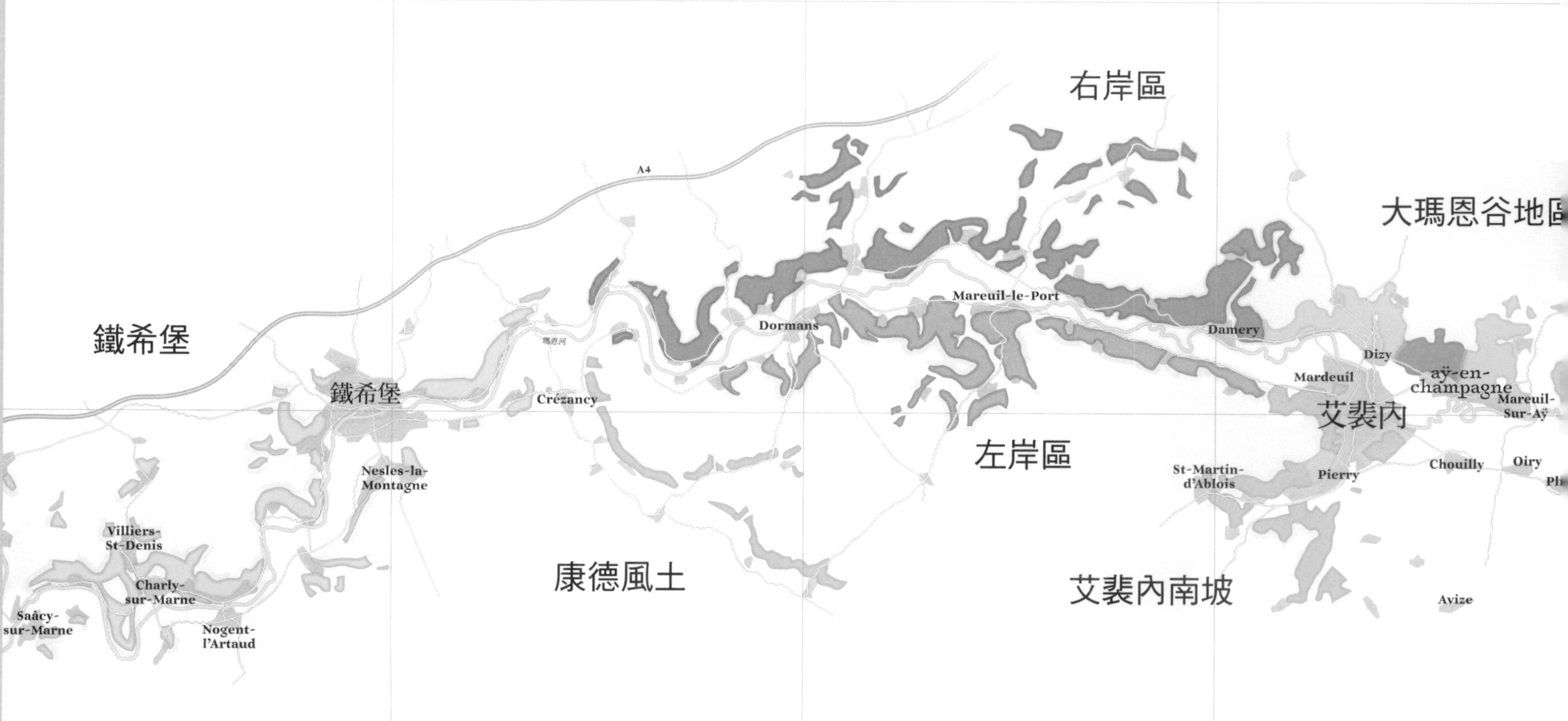

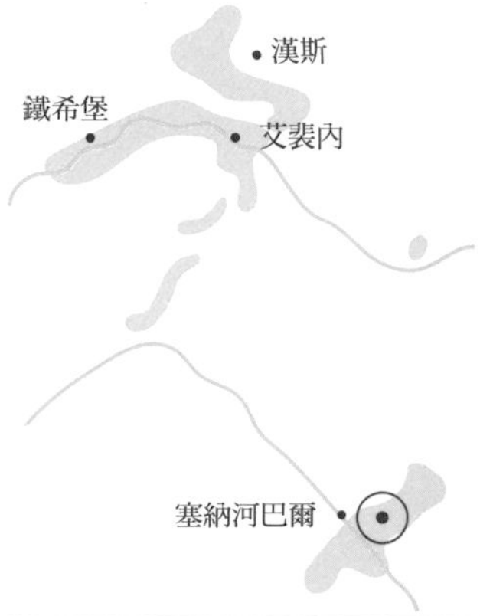

巴爾丘
Côte des Bars

品種
黑皮諾、皮諾莫尼耶
夏多內

種植面積
8,000 公頃

釀造酒種
2%
98%

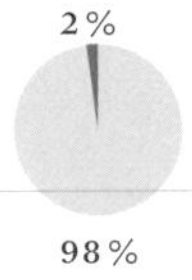

土壤
泥灰岩、石灰岩、黏土

巴爾丘的法定產區名稱，源自塞爾特語中的 Bar，意指「頂尖或頂峰」。本區位於整個香檳區的最南端，葡萄樹都種植在侏羅紀時期形成的啟莫里階石灰岩（kimméridgien）山坡上。流經巴爾丘內的多個河道，在此切割出許多蔥綠河谷與相當陡峭的小丘陵，也形成多變的日照方位。這裡的地理景觀頗有變化，由森林、山坡與農作物組成。巴爾丘以釀造酒體輕盈的黑皮諾為主，北邊的香檳大廠也會購買此地的黑皮諾以加強風味顯得較為清淡的香檳之酒體。在南端的希塞（Riceys）還產製香檳區少見的靜態葡萄酒希塞粉紅酒（Rosé des Riceys）：以黑皮諾釀成，產區面積為 800 公頃。

漢斯
鐵希堡
艾裴內
塞納河巴爾

歐柏河巴爾

塞寬內巴爾

希塞粉紅酒

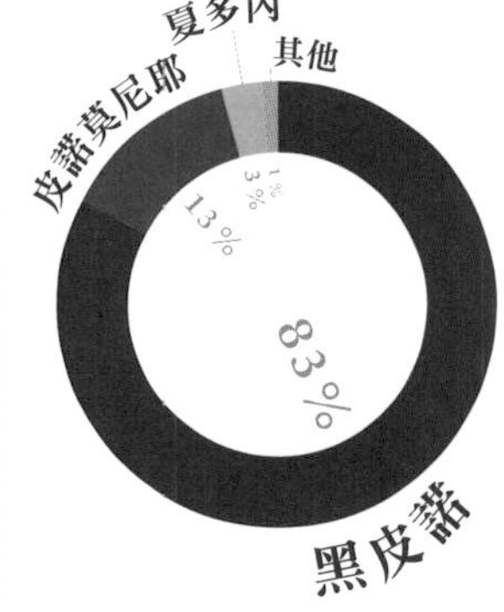

0 2,5 5 km

普羅旺斯

PROVENCE

玫瑰人生

Grignan
Nyons
Barcelonnette
義大利
Vaison-la-Romaine
Allos
Auron
上普羅旺斯阿爾卑斯省
橘城
MERCANTOUR
Digne-les-Bains
Carpentras
沃克呂茲省
Forcalquier
杜倫斯河
海洋阿爾卑斯省
亞維儂
Gordes
綠石丘
普羅旺斯雷伯
Apt
Moustiers-Ste-Marie
Castellane
貝雷
St-Rémy-de-Provence
艾克斯－普羅旺斯丘
Menton
摩納哥
阿爾
普羅旺斯沙隆
瓦華－普羅旺斯丘
普羅旺斯丘
尼斯
隆河口省
瓦爾省
隆河
艾克斯—普羅旺斯
德拉津農
ANTIBES
坎城
Sainte-Victoire
巴雷特
Fréjus
Fréjus
Brignoles
Notre-Dame-des-Anges
St-Raphaël
Aubagne
馬賽
Pierrefeu
St-Tropez
la Ciotat
La Londe
土隆
Hyères
卡西斯
邦斗爾
Île du Levant
Îles d'Hyères
N
E
S
O
地中海

普羅旺斯 PROVENCE

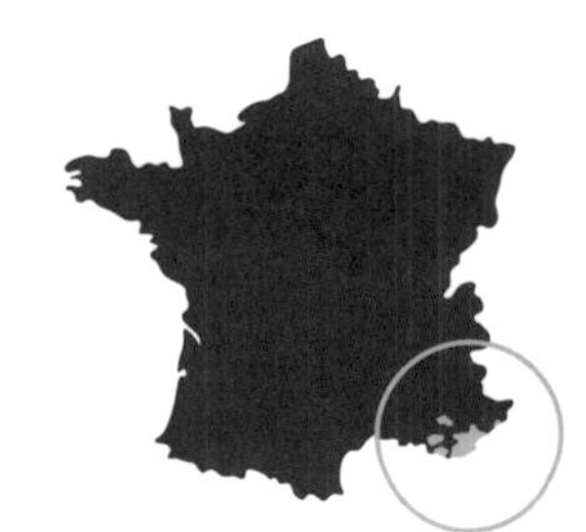

在陽光普照的普羅旺斯乾燥大地上，酒農極盡全力地藉由風格獨特的酒款，來揭露本產區的各種風情。的確，普羅旺斯「非常地粉紅酒」，然而不僅如此……

品種

● 格那希、希哈、仙梭……

● 侯爾、馬姍、白格那希……

種植面積

30,000 公頃

釀造酒種

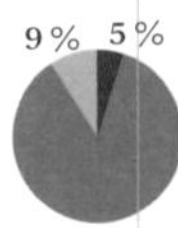

土壤

石灰岩、片岩、花崗岩、千枚岩（phyllades）、砂岩、泥灰岩與沖積沙土

氣候

地中海型氣候

普羅旺斯葡萄園的歷史相當悠長，已有2,600年之久，它可是法國歷史最悠久的產區：早在馬賽人建城的同時，就種下了第一批葡萄樹。葡萄樹後來順著隆河往北種在法國的各個角落，但葡萄園一直是美麗普羅旺斯柔美丘陵上的地景，未曾稍移。1880年代，普羅旺斯受葡萄根瘤蚜蟲病嚴重侵襲，之後藉由葡萄農長期的群策群力，終於在1970年代開花結果，漸漸獲得三個法定產區：普羅旺斯丘（Côtes de Provence）、艾克斯－普羅旺斯丘（Coteaux d'Aix-en-Provence）與瓦華－普羅旺斯丘（Coteaux Varois-en-Provence），占整個普羅旺斯95%的產量。至於普羅旺斯雷伯（Les Baux-de-Provence）則是在1995年自艾克斯－普羅旺斯丘獨立出來。此外，自1940年起，有四塊絕佳風土被列為普羅旺斯最高階的村莊級法定產區：卡西斯（Cassis）、邦斗爾（Bandol）、巴雷特（Palette）與貝雷（Bellet）。

普羅旺斯的葡萄園自阿爾展開，來到普羅旺斯沙隆、土隆與德拉津農之間的三角地帶時，可見大面積葡萄園，隨後往東延伸到尼斯後面積萎縮。在200公里長的範圍裡，地景與風土多變，尤其包含以下令人驚豔的自然景觀：Alpilles、Sainte-Baume與Maures三處高原以及威東河峽谷（Gorges du Verdon）；想到這些景點，我似乎聞到了松林與灌木林的氣息，還聽見蟬鳴。也因此，普羅旺斯的葡萄酒觀光業相當興盛。

一講到普羅旺斯葡萄酒，許多人就會聯想到粉紅酒，這不無道理：粉紅酒占普羅旺斯葡萄酒的86%，法國粉紅酒的36%，世界粉紅酒的8%。粉紅酒於普羅旺斯人來說是一種生活藝術，在此地乾熱的氣候非常適合飲用，也傳承了古老的混調傳統。

普羅旺斯傳承了古老的混調傳統

普羅旺斯擁有非常多樣的紅葡萄與白葡萄，混調後用於釀製紅酒、粉紅酒與白酒。以普羅旺斯丘的粉紅酒來說，允許使用的就有13種紅、白品種，主要品種是格那希、希哈與仙梭。普羅旺斯是真正的粉紅酒樂園。

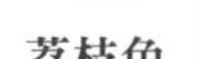

荔枝色　桃子色　粉鮭色　杏桃色　珊瑚粉　覆盆子　紅醋栗　櫻桃色

普羅旺斯粉紅酒的多變色澤

普羅旺斯粉紅酒的地位非常重要，在「普羅旺斯葡萄酒職業公會」（CIVP）帶領下，他們甚至成立了「粉紅酒世界觀察協會」（Observatoire mondial du Rosé），以分析世界粉紅酒的釀產與消費議題。

普羅旺斯的葡萄品種

格那希

此為法國南部各產區必種的品種，它能適應相當炎熱的天氣，這與它的西班牙血緣有關。它也不怕密斯特拉風的強勁風勢。不管酒齡或小或老，格那希都能替酒帶來更加飽滿的酒體。它也是普羅旺斯粉紅酒常用的品種。

希　哈

希哈的單寧非常豐富，能為紅酒帶來優良的儲存潛力以及相當深沉的酒色（幾近黑色）。普羅旺斯的粉紅酒中，幾乎總有希哈混調在內，它能增加果香且帶來近似覆盆子的漂亮酒色。

仙　梭

仙梭的酒質具有清鮮感與細緻度，所以許多酒農愛用它來釀造紅酒與粉紅酒。它常用以微調部分紅酒葡萄的強勁感。仙梭源自普羅旺斯，早期當作餐桌葡萄食用，果實美味極受歡迎。

卡本內蘇維濃

相對於仙梭，卡本內蘇維濃之所以種在普羅旺斯，主要是因它能增強架構與酒體。它也常與希哈混調，能共同延長葡萄酒的儲存潛力，兩者豐富的單寧也能隨著時間變得更為和諧。部分普羅旺斯粉紅酒也會用上卡本內蘇維濃。

卡利濃

相對於在普羅旺斯逐漸擴展面積的希哈，卡利濃顯得低調許多。卡利濃雖已不像兩百年前一度是種植最多的品種，但酒農很是欣賞它適應普羅旺斯貧瘠土壤的超強適應力。只要每公頃產量控制得宜，卡利濃在用於混調時，其實是釀造紅酒與粉紅酒的利器。

紫羅蘭、黑莓、胡椒、
松露、黑橄欖

慕維得爾

它屬於晚熟且比較難搞的品種，不過在邦斗爾的絕佳風土上適應得極好，也成為混調時的要角。它的最佳混調夥伴是格那希與希哈。慕維得爾與卡本內蘇維濃有些相似處：兩者都具優質單寧，可替紅酒帶來宏大的架構。

提布宏

此為貨真價實的普羅旺斯葡萄，也是釀造普羅旺斯丘粉紅酒與紅酒的必備品種。雖然混調時的占比不高，但的確能替粉紅酒攜來良好的細緻度。

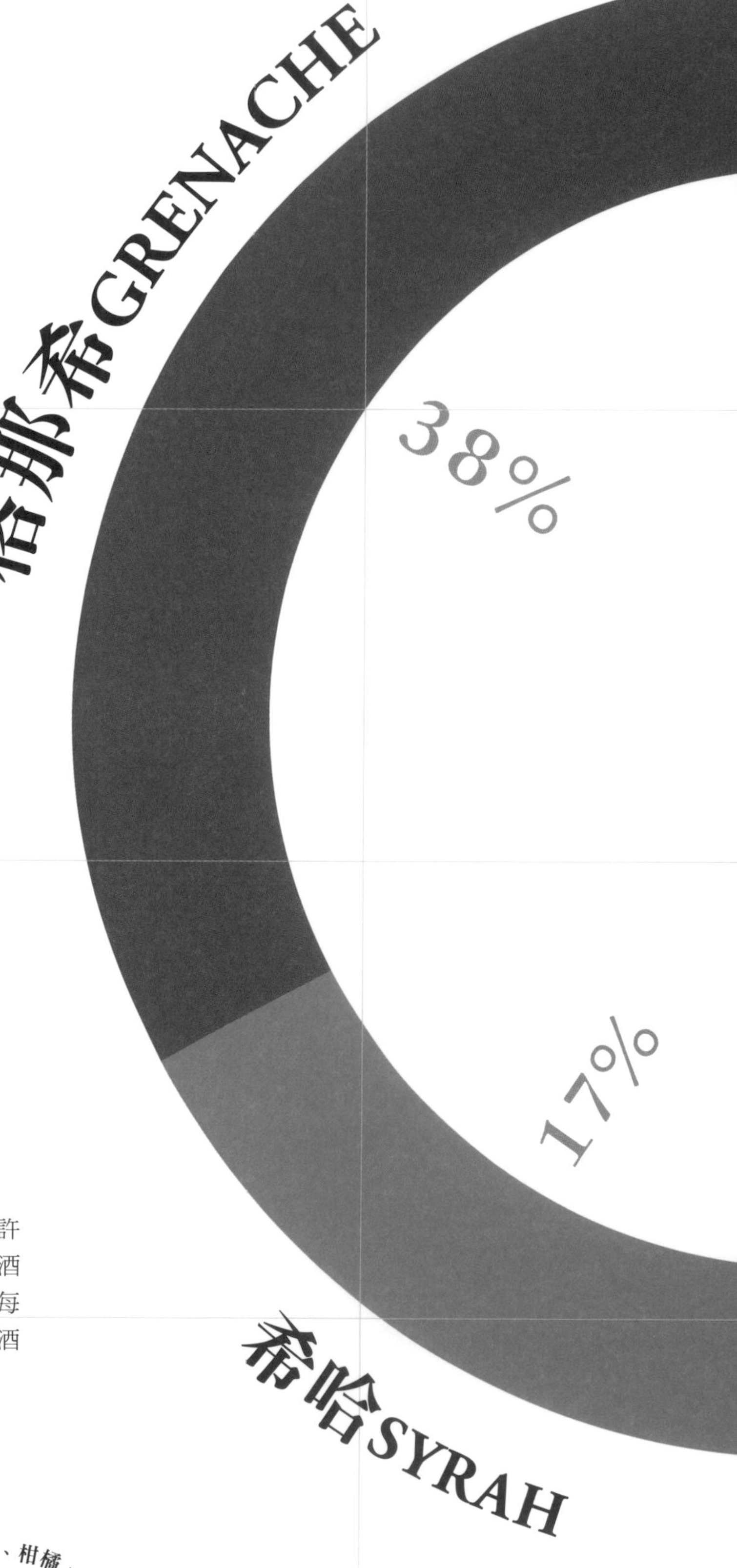

其他白葡萄品種
克雷耶特CLAIRETTE
白格那希GRENACHE BLANC
馬姍MARSANNE
白蘇維濃SAUVIGNON
UGNI BLANC 白于尼
侯爾ROLLE
其他紅葡萄品種
古諾日COUNOISE
提布宏TIBOUREN
慕維得爾MOURVÈDRE
卡利濃CARIGNAN
卡本內蘇維濃 CARBERNET SAUVIGNON
仙梭CINSAULT

1% 1% 1% 1% 1% 2% 3% 2% 2% 3% 5% 7% 7% 9%

其他白葡萄品種

榭密雍、布布蘭克……

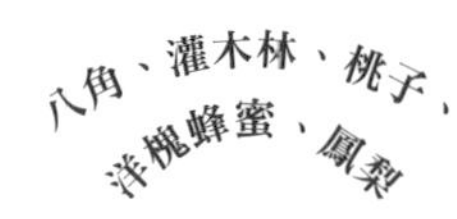

克雷耶特

在村莊級法定產區卡西斯裡，克雷耶特與馬姍成為不可或缺的優良混調夥伴。它能為酒帶來鮮明的清鮮感，也是粉紅酒裡常見的品種之一。

蜜桃、白花、香瓜、
八角氣息

白格那希

就跟它所源自的黑格那希一樣，白格那希可以完美地適應普羅旺斯的風土。它的果實多汁多果味，也可替酒帶來獨特的個性。

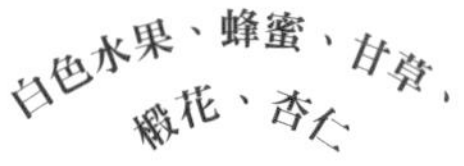

馬　姍

馬姍來自隆河谷地，不過它在普羅旺斯離棄了胡姍，未成為混調夥伴；但炎熱且多石的卡西斯產區很喜愛用馬姍釀酒，且常常與克雷耶特以及白于尼進行混調。

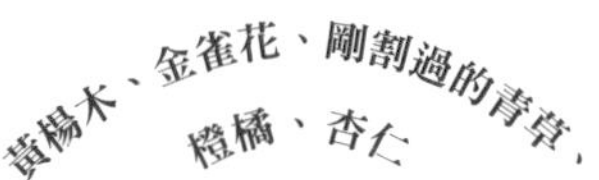

白蘇維濃

白蘇維濃喜愛生長在普羅旺斯的石灰岩土質上，它替酒帶來細緻感，尤其能在香氣複雜度的表現上助一臂之力。

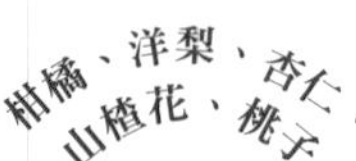

侯爾（即Vermentino）

源自義大利的侯爾，長久以來就受到普羅旺斯酒農的喜愛。它能釀成優質的單一品種白酒，也可為粉紅酒增加晶亮的色澤。村莊級法定產區貝雷種植地相當多，普羅旺斯每年都漸次擴大侯爾的種植面積。

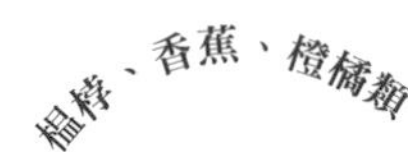

白于尼

產量相當大的品種，香氣不是很明顯，但可為酒增加酸爽度。普羅旺斯白酒通常以多品種混調而成，其中白于尼占有重要比例。

黃楊木、金雀花、剛割過的青草、
橙橘、杏仁

古諾日

古諾日（Counoise）源於西班牙，在粉紅酒裡，它可以在多品種混調裡帶來優質酸度、豐富果味以及柔軟的質地。

其他紅葡萄品種

黑芙爾（Folle Noire）、勃拉給（Braquet）、巴巴胡（Barbaroux）、蓋利多（Calitor）、卡拉多克（Caladoc）

艾克斯－普羅旺斯丘
Coteaux d'Aix-en-Provence

艾克斯－普羅旺斯丘種植的卡本內蘇維濃，面積比其他區域都大。此地的紅酒架構宏大，單寧也較多。酒農喜歡將發酵浸皮期間（Cuvaison）* 較長者（約一個月）與較短的批次混調，以提供更佳的品飲經驗：年輕時好喝，但也不缺陳年潛力。用以混調的白酒品種眾多，包括布布蘭克、侯爾、克雷耶特、白格那希、白于尼、白蘇維濃與榭密雍，因而風味複雜、氣韻豐富。本區仍以生產粉紅酒為大宗，且相當忠實地呈現普羅旺斯粉紅酒的形象：優雅且均衡。

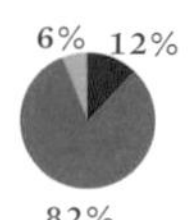

3,900 公頃

6% 12%

82%

* 注：為釀造紅酒的第一階段，此時葡萄汁與葡萄皮等固體物質一同於發酵槽內浸泡，有利萃取。

瓦華－普羅旺斯丘
Coteaux Varois-en-Provence

瓦華－普羅旺斯丘位在 Sainte-Baume 與 Brignoles 高原周遭，由於位處 400 公尺海拔，所以氣候較旁臨他區溫和一些。普羅旺斯的傳統品種種在本區的石灰岩土壤上。這裡的品種混調模式很接近村莊級法定產區邦斗爾：以慕維得爾為主，格那希和仙梭為輔。

2,630 公頃

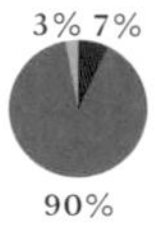

3% 7%

90%

Manosque
St-Rémy-de-Provence
盧貝宏山
杜倫斯河
阿爾皮高原
Sénas
艾克斯－普羅旺斯丘
Fontvieille
Mailemort
La Roque-d'Anthéron
沃克呂茲省
Eyguières
Pertuis
阿爾
Le Puy-Ste-Réparade
Lambesc
St-Martin-de-Crau
普羅旺斯沙隆
Peyrolles-en-Provence
St-Cannat
Lançon-Provence
隆河口省
Miramas
PLAINE DE LA CRAU
Éguilles
La Farre-Oliviers
隆河
Ventabren
艾克斯－普羅旺斯
Velaux
Istres
Pourrières
Meyreuil
卡瑪格濕地區
Étang de Berre
Gardanne
Fuveau
Trets
St-Maximin
Vitrolles
Cabriès
Martigues
普羅旺斯丘－聖維多爾
Marignane
Port-St-Louis-du-Rhône
St-Zacharie
Auriol
Golfe de Fos
CHAÎNE DE L'ESTAQUE
Roquevaire
Allauch
馬賽
CHAÎNE DE LA STE-BAUME
Aubagne
Carnoux-en-Provence
Cugnes-les-Pins
Cassis
Le Beausset
La Ciotat
St-Cyr-sur-Mer
Bandol
Six-Fours-les-Plages
0 5 10 km

地區性法定產區
Les appellations régionales

綠石丘
Coteaux de Pierrevert

綠石丘介於隆河與普羅旺斯之間，法定產區範圍已經偏移普羅旺斯葡萄園的核心地帶，靠近上普羅旺斯阿爾卑斯省，介於 Manosque 與 Forcalquier 兩村之間的 400 公尺海拔山丘上。本地品種與普羅旺斯的主要大產區近似，不過卻以產製紅酒為主：單寧多、架構大，需要幾年熟成才達適飲期。

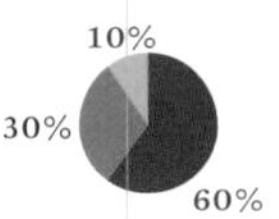

普羅旺斯丘
Côtes de Provence

此為普羅旺斯的重量級產區，產出整個普羅旺斯三分之二的葡萄酒產量，介於馬賽與菲居之間的 83 個村莊都可釀產普羅旺斯丘。在普羅旺斯丘的項下，還可標註五個地理區：拉隆德（La Londe）、聖維多爾（Sainte-Victoire）、火石（Pierrefeu）、菲居（Fréjus）與天使聖母（Notre-Dame-des-Anges）。以上地理區皆具有獨特的風土與微氣候。

本地主產粉紅酒，可使用 13 種紅、白品種混調，最主要為希哈、格那希、慕維得爾、仙梭與提布宏。粉紅酒的色澤多變且美麗可口，包括紅醋栗色、香瓜色與粉鮭色。

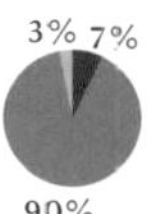

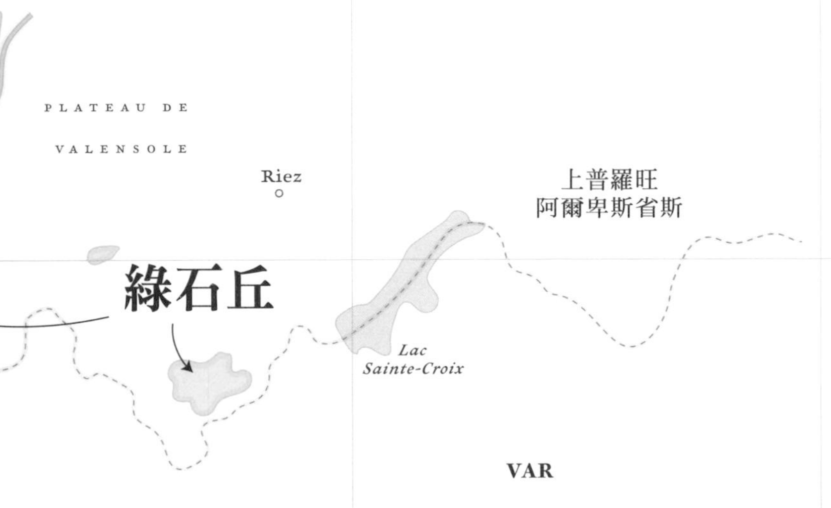

VAR

海洋阿爾卑斯省

普羅旺斯丘

普羅旺斯丘－菲居

普羅旺斯丘－天使聖母

普羅旺斯丘－火石

普羅旺斯丘－拉隆德

摩爾高原

地中海

伊耶群島

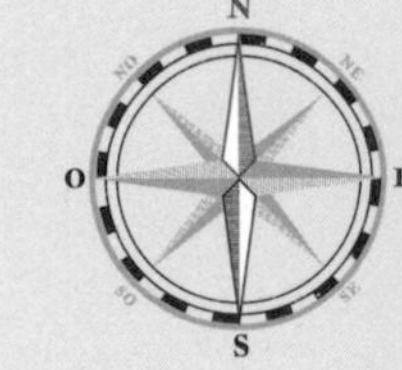

卡西斯 Cassis

身在普羅旺斯粉紅酒國度的卡西斯，其實也是釀造白酒的絕佳風土，不僅酒質優秀，它也是 1936 年時第一批受到法定產區管理局承認的法定產區之一，它的白酒混調品種也與眾不同：兩大主角是馬姍與克雷耶特，前者帶來細緻優雅以及餘韻長度，後者則給予圓潤脂滑。這兩大白酒品種也會與微量的白于尼、布布蘭克、白蘇維濃以及白帕斯卡爾（Pascale blanc）混調。卡西斯白酒呈現晶亮的黃綠色或麥稈黃。口感上除了餘韻極長，還帶有一絲微微的甜潤感。紅酒以及粉紅酒，則是以比較常見的格那希、仙梭與慕維得爾為混調核心。葡萄園壯觀地位在卡內爾角的山坡梯田上，位處 400 公尺海拔，面海而生，可說是少見且珍貴的葡萄園景觀。

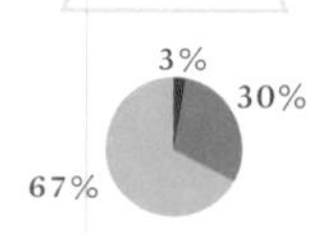

村莊級法定產區
Les Appellations Communales

邦斗爾 Bandol

邦斗爾是慕維得爾葡萄的應許之地，本品種晚熟且不好種，卻能在邦斗爾的地中海風土上適得其所，發揮長才。偶來的強勁風勢、地中海的微風、極為充足的光照以及石灰岩土壤，都形成可讓葡萄緩慢且完整成熟的良好條件。慕維得爾的單寧特性，在 18 個月於小橡木桶或是大型酒槽中培養後，使得邦斗爾紅酒具有至少 15 年的儲存潛力。依規定，邦斗爾紅酒需摻入至少 50% 的慕維得爾，粉紅酒則需至少 25%，其他混調品種則包括格那希與仙梭。邦斗爾白酒主要以布布蘭克、白于尼以及克雷耶特釀成，風格清鮮，非常芬芳。

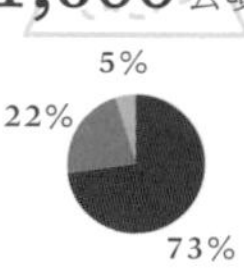

巴雷特 Palette

巴雷特自 1948 年起就獲得法定產區地位，範圍僅約 50 公頃，園區都圍繞在艾克斯－普羅旺斯周遭。葡萄樹在本區多石丘陵的凹面處恣意生長，此處微氣候正適合種植優質釀酒葡萄。紅酒以格那希為主要品種，儲存潛力優；粉紅酒具有鮮明花香；以克雷耶特為主的白酒風格非常細緻。

46 公頃

30%
15%
55%

普羅旺斯雷伯 Les Baux-de-Provence

本區的葡萄園位於阿爾皮山脈兩側，此山脈成為產區顯著地標，這裡的葡萄樹常需與橄欖樹搶奪種植面積，卻也提供了訪客如明信片般絕美的普羅旺斯景色。普羅旺斯雷伯只生產紅酒(通常渾厚強勁)與粉紅酒（果香非常奔放）。不論是紅酒或是粉紅酒，都適合等待個幾年後才開瓶飲用。

250 ha

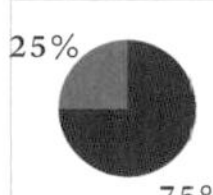

貝　雷 Bellet

這個低調且少見的法定產區位於普羅旺斯產區的末端，再過去就是義大利了。葡萄園位於尼斯後山，處於海拔 200 公尺的美麗梯田上，可遠眺天使灣（Baie des Anges）。粉紅酒可以採當地品種勃拉給釀成單一品種酒，或者與格那希與仙梭混調。紅酒的混調品種與普羅旺斯多數產區雷同，但特色是會加入黑芙爾。白酒混調以侯爾為主，再加上微量的夏多內與克雷耶特。所有的貝雷酒款都適合陳放一陣子再喝，即便是白酒與粉紅酒，都適合於上市後繼續瓶陳一年後再開瓶。

50 公頃

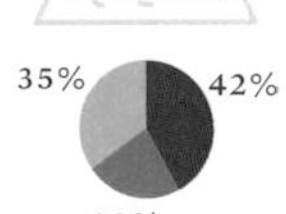

洛林
LORRAINE

小拇指般的微型產區

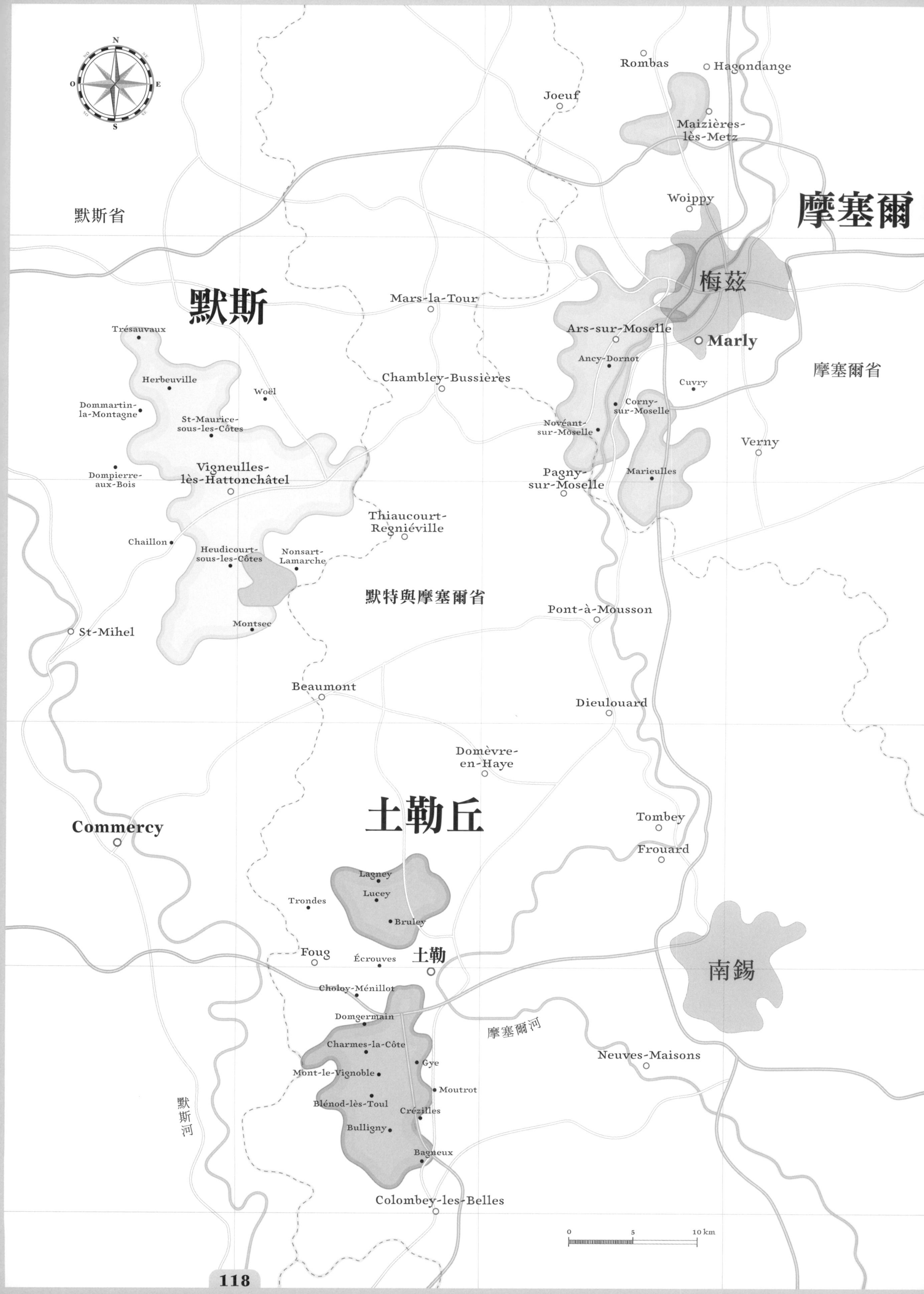
N
E
S
O
Rombas
Hagondange
Joeuf
Maizières-lès-Metz
Woippy
摩塞爾
默斯省
梅茲
默斯
Mars-la-Tour
Ars-sur-Moselle
Marly
Trésauvaux
Ancy-Dornot
Chambley-Bussières
摩塞爾省
Herbeuville
Woël
Cuvry
Dommartin-la-Montagne
Corny-sur-Moselle
St-Maurice-sous-les-Côtes
Novéant-sur-Moselle
Verny
Vigneulles-lès-Hattonchâtel
Pagny-sur-Moselle
Marieulles
Dompierre-aux-Bois
Thiaucourt-Regniéville
Chaillon
Heudicourt-sous-les-Côtes
Nonsart-Lamarche
默特與摩塞爾省
Pont-à-Mousson
Montsec
St-Mihel
Beaumont
Dieulouard
Domèvre-en-Haye
土勒丘
Tombey
Commercy
Frouard
Lagney
Lucey
Trondes
Bruley
Foug
Écrouves
土勒
南錫
Choloy-Ménillot
Domgermain
摩塞爾河
Charmes-la-Côte
Neuves-Maisons
Gye
Mont-le-Vignoble
Moutrot
默斯河
Blénod-lès-Toul
Crézilles
Bulligny
Bagneux
Colombey-les-Belles
0
5
10 km

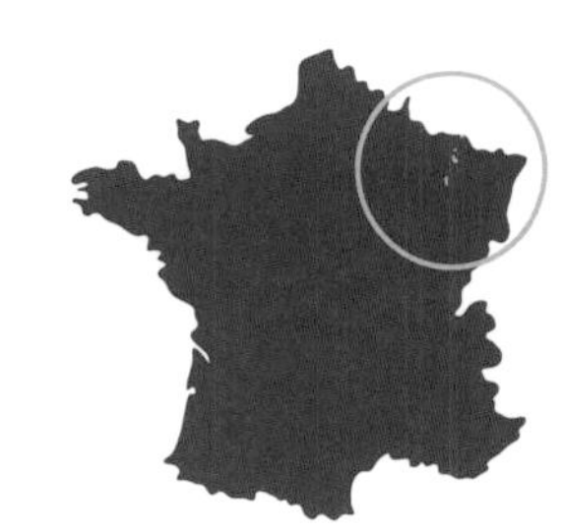

洛 林
Lorraine

即便面積非常小，葡萄酒也不出名，但洛林的葡萄園仍然以其產區特色吸引愛酒人目光。

品種

●
黑皮諾、皮諾莫尼耶、加美

●
夏多內、白皮諾、阿里哥蝶、歐歇瓦、歐班、米勒－土高

種植面積

280 公頃

釀造酒種

10%　20%　15%　55%

土壤

黏土質石灰岩

氣候

受海洋性氣候影響的溫帶氣候與半大陸性氣候

毫無疑問，洛林是法國面積最小的葡萄酒產區，園區分布在三個省份：孚日省（Vosges）、摩塞爾省（Moselle）以及默特與摩塞爾省（Meurthe-et-Moselle）。洛林長期處在鄰居阿爾薩斯產區的陰影下而名氣不彰，其葡萄園最早是在 3 世紀時由羅馬人所開發。一如法國其他產區，洛林也因葡萄根瘤芽蟲病致使葡萄園面積發展停滯，除此之外，20 世紀的兩次大戰也造成莫大的影響。

自上世紀的 1980 年代起，洛林開始尋回一股正面的活力，主要的象徵是土勒丘（Côtes-de-Toul）在 1998 年被認定為法定產區，隨後又有摩塞爾（Moselle）在 2010 年也正式進入法定產區之列。

洛林產區的最大特色還在於淡粉紅酒（Vin gris）的釀造：釀自黑皮諾與加美葡萄，由於浸皮時間僅短短幾小時，因此顏色非常淺淡。

土勒丘 Côtes-de-Toul

土勒丘位於土勒村西邊，是洛林最主要的法定產區，其興盛期起自洛林公爵與土勒主教的時代。以黑皮諾和加美葡萄釀造的淡粉紅酒呈現淡淡的鮭魚肉色澤，嚐來干性不甜，酒體輕盈。土勒丘白酒以 100% 的當地品種歐歇瓦釀造，口感相當飽滿，鼻息具柑橘調。紅酒則以 100% 黑皮諾釀造，酒質細緻柔美。

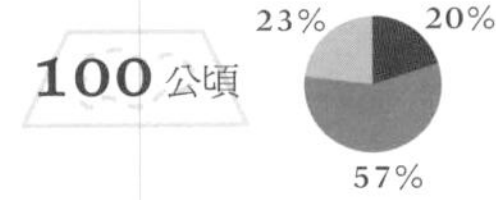

摩塞爾 Moselle

摩塞爾法定產區位在三個區塊：主要園區位於梅茲西邊周遭處。另兩處葡萄園，一在法國與盧森堡的國境旁，其二位在南邊的摩塞爾省以及默特與摩塞爾省交接處。白酒的主要釀造品種是歐歇瓦、米勒－土高與灰皮諾，這些品種可能與格烏茲塔明那、白皮諾或是麗絲玲混調。單一品種白酒通常酒體偏輕，多品種混調白酒則風味顯得較為複雜。淡粉紅酒以黑皮諾與加美釀成，紅酒則以 100% 的黑皮諾裝瓶。

75 公頃

61%　32%　7%

布根地
BOURGOGNE

單一品種的藝術

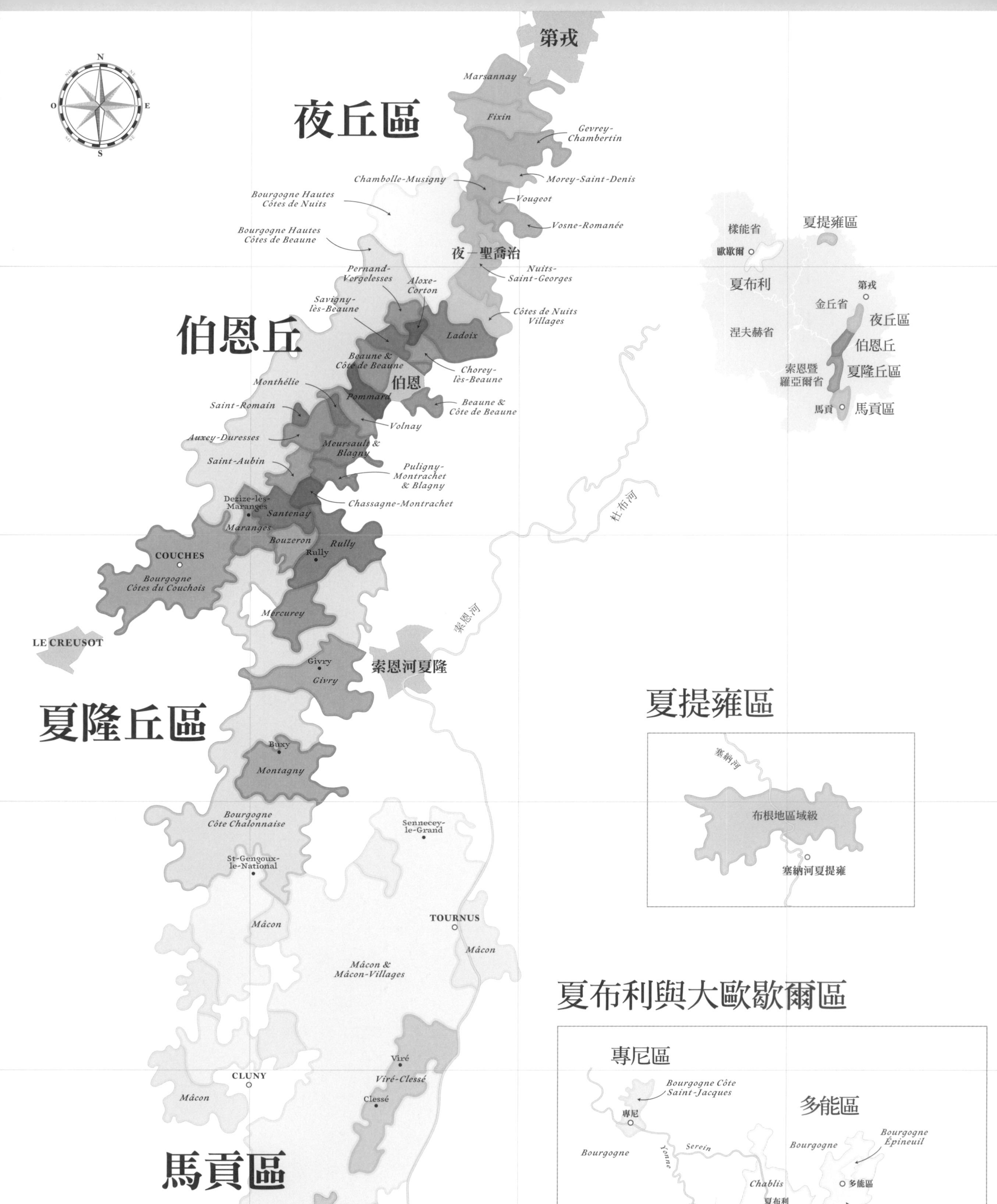

第戎
Marsannay
夜丘區
Fixin
Gevrey-Chambertin
Chambolle-Musigny
Morey-Saint-Denis
Vougeot
Bourgogne Hautes Côtes de Nuits
Vosne-Romanée
Bourgogne Hautes Côtes de Beaune
夜-聖喬治
Nuits-Saint-Georges
Pernand-Vergelesses
Aloxe-Corton
Savigny-lès-Beaune
Côtes de Nuits Villages
伯恩丘
Ladoix
Beaune & Côte de Beaune
Chorey-lès-Beaune
伯恩
Monthélie
Pommard
Beaune & Côte de Beaune
Saint-Romain
Volnay
Auxey-Duresses
Meursault & Blagny
Saint-Aubin
Puligny-Montrachet & Blagny
Dezize-lès-Maranges
Chassagne-Montrachet
Santenay
Maranges
Bouzeron
Rully
COUCHES
Rully
Bourgogne Côtes du Couchois
Mercurey
LE CREUSOT
Givry
Givry
索恩河夏隆
索恩河
杜布河
夏隆丘區
Buxy
Montagny
Bourgogne Côte Chalonnaise
Sennecey-le-Grand
St-Gengoux-le-National
Mâcon
TOURNUS
Mâcon
Mâcon & Mâcon-Villages
Viré
Viré-Clessé
CLUNY
Mâcon
Clessé
馬貢區
Saint-Véran
馬貢
Pouilly-Fuissé
Pouilly-Loché
Pouilly-Vinzelles
Saint-Véran
榛能省
夏提雍區
歐歇爾
夏布利
第戎
金丘省
夜丘區
涅夫赫省
伯恩丘
索恩暨羅亞爾省
夏隆丘區
馬貢
馬貢區
夏提雍區
塞納河
布根地區域級
塞納河夏提雍
夏布利與大歐歇爾區
專尼區
Bourgogne Côte Saint-Jacques
專尼
多能區
Bourgogne Épineuil
Serein
Bourgogne
Yonne
Bourgogne
Chablis
多能區
夏布利
Bourgogne
歐歇爾
Bourgogne Tonnerre
Bourgogne Côtes d'Auxerre
夏布利
St-Bris
歐歇爾區
維日雷區
Bourgogne Chitry
Irancy
Bourgogne Coulanges-la-Vineuse
Bourgogne
Vézelay

布根地
BOURGOGNE

在法國各地區中，布根地是擁有數量最多的法定產區（Appellations）以及特定葡萄園（Lieux-dits）的產區。各法定產區的產量都偏低且風格多樣，使布根地葡萄酒成為世人最覬覦的目標之一。

品種

● 黑皮諾、加美

● 夏多內、阿里哥蝶

種植面積

30,052 公頃

釀造酒種

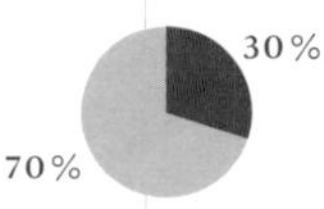

土壤

黑皮諾理想土壤：排水良好的石灰岩土壤

夏多內理想土壤：黏土較多的泥灰岩質石灰岩土壤

氣候

溫和的半大陸性氣候

一級園數量

562 公頃

特級園數量

33 公頃

布根地葡萄酒的歷史與修道院關聯緊密。中世紀時，熙篤會修士以克羅園（Clos）形塑了本產區的地景，今日仍為愛酒人讚嘆。1874年，法國的葡萄園受到根瘤芽蟲侵害，四分之三的葡萄園摧毀殆盡。布根地雖未能倖免於難，卻從災難中成長茁壯：酒農決定僅在最佳地塊重植，並集中精力釀造單一品種葡萄酒，逐步使本區成為全球頂尖的產區。

布根地人在最佳風土上劃出許多小區塊葡萄園，葡萄樹的種植也順著地理斷層而為，這斷層也是土壤豐富多樣的來源。布根地酒農很快地明瞭對葡萄園做出地理界定、命名與分級的重要性，一級園與特級園隨之誕生。更進一步地，他們又在一級園與特級園裡規劃出更精準的小單位風土區塊，稱為克立瑪（Climats）；布根地全區共有1,463塊克立瑪。釀自該塊克立瑪，自然得以在酒標上標示出該克立瑪名稱。

所有的布根地酒都屬於單一品種酒：白酒以夏多內釀成，紅酒則釀自黑皮諾。此兩品種在世界各地都見種植，但布根地仍是最優雅的出處。加美與阿里哥蝶在這裡的種植面積不到10%。布根地酒讓許多愛酒人驚嘆，但負擔得起其高酒價的人畢竟是少數。布根地園區介於第戎與伯恩之間，鑑於過去十五年來的投機行為，使得布根地成為世界上最昂貴的葡萄酒之一。然而不必過於擔心，依舊有不少酒農竭力維持合理酒價，只待你發覺。

> **布根地人在最佳風土上劃出許多小區塊園區**

布根地小辭典

酒村劃界（FINAGE）：中世紀時，Finage代表教區的劃界，今日則指各酒村的劃界。如玻瑪酒村村界（le Finage de Pommard）。

克羅園（CLOS）：以石築的矮牆界定並保護一塊特定的葡萄園。如極為知名的Clos Vougeot或是Clos de Tart。

克立瑪（CLIMATS）：經精細研究該風土後劃定的一塊葡萄園區。布根地共有1,463塊克立瑪被聯合國教科文組織所承認並登錄。

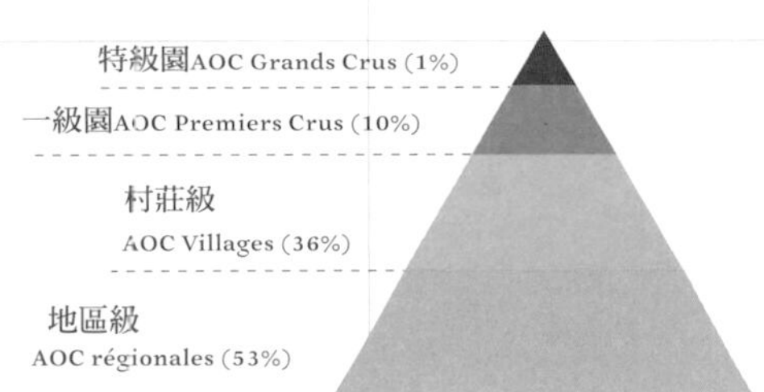

布根地各等級法定產區的產量概觀

布根地的葡萄品種

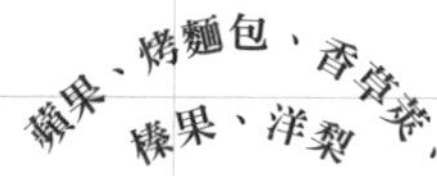

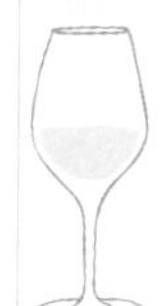

夏多內

夏多內是黑皮諾與另一古老品種白固維兩者的後代。夏多內雖然源自布根地，但與黑皮諾不同的是，它更能適應多樣的風土，因此全球各地都可見著夏多內的足跡。它屬早熟品種，發芽也早，因此更容易受到春季霜凍的影響。它在布根地的石灰岩質與泥灰岩質土壤上，可以展現最佳的一面。夏多內是反應風土的高手，於布根地各角落都能表達出多元繁複的滋味。夏多內在以下四處布根地法定產區各自展現了獨特的風味：Montrachet、Meursault、Chablis與 Pouilly-Fuissé。

洋槐花、檸檬、
榛果、白桃

阿里哥蝶

阿里哥蝶在布根地大受表親夏多內的排擠，然而它仍是布根地第二重要的白酒品種。雖多少受到當地酒農的輕視，但目前的釀造者自承，應將阿里哥蝶視為須加以保存的布根地文化遺產。其實只要加以限制每公頃產量，阿里哥蝶仍能釀出優秀酒質，這也是為何在根瘤芽蟲病發生之前，高登－查理曼（Corton-Charlemagne）與蒙哈榭都種植了本品種。有意思的是，目前在莫瑞－聖丹尼（Morey-Saint-Denis）酒村的一級園裡，某酒莊釀有 100% 的阿里哥蝶。

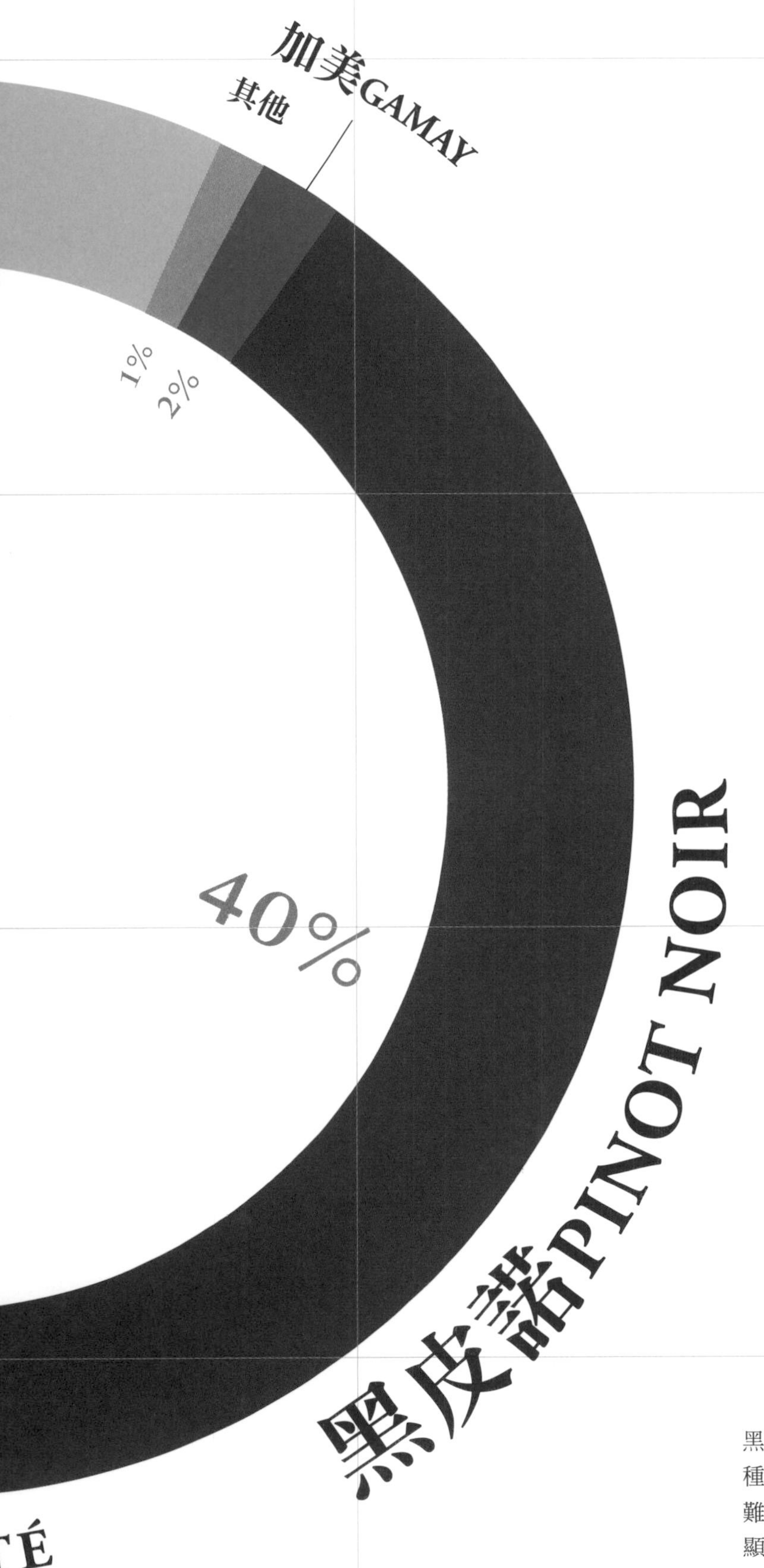

其他品種

在歐歐爾區，你可以找到凱薩（César）品種，它是依宏希（Irancy）法定產區的傳統品種；聖布里（Saint-Bris）產區的特色品種則是白蘇維濃與灰蘇維濃。布根地偶然可以見到的品種還包括 Pinot beurot（即灰皮諾）、薩希（Sacy，即 Tressalier）與布根地香瓜。

加　美

加美曾經被認為是「玷污」布根地美名的品種，布根地公爵甚至在 14 世紀時下令禁止種植。今日的布根地，加美主要種植在馬貢區，它能在花崗岩與矽砂土壤上展現最佳的酒質：酒齡年輕時顯得強勁而肉感，隨著酒齡漸增，質地轉成柔軟絲滑的美酒。

黑皮諾

黑皮諾是布根地地位最尊榮、也是最受覬覦的品種，幾乎所有酒農都想釀造黑皮諾。不過它也是最難以掌握的品種之一：只有少數的風土可以真正彰顯它的美妙。世界上最貴的 50 款葡萄酒中，就有 24 款是黑皮諾——且來自布根地。最頂尖的產地就在夜丘區。黑皮諾需要涼爽與低產，才能得出高酒質。它年輕時以豐富果香引人，但也經得起光陰的考驗：最偉大的酒款，你甚至需將它忘在酒窖裡 20 年後，才適合開瓶品嘗。

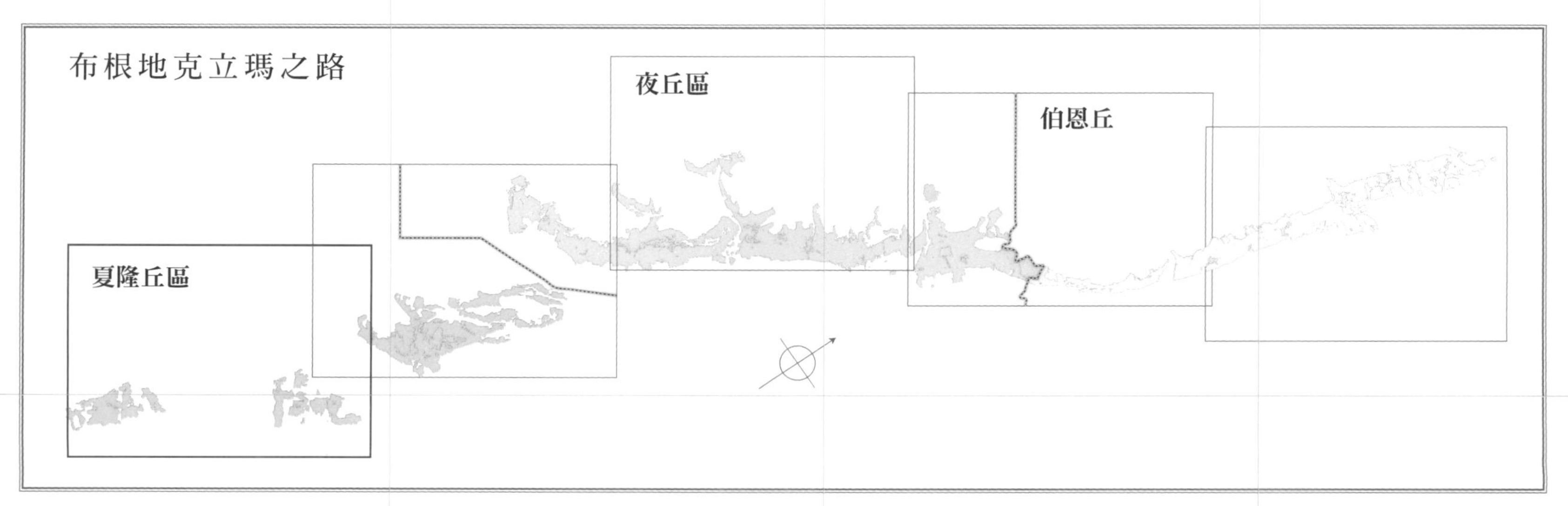

夏隆丘區 Côte Chalonnaise

品種
黑皮諾
夏多內、阿里哥蝶

種植面積
2,100 公頃

釀造酒種

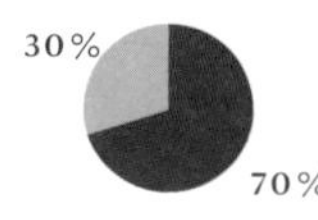

列為一級園的克立瑪
142

夏隆丘可說是北布根地與南布根地的「連字符號」，其地貌多變，葡萄酒面貌更是多元。

愈是往南走，地貌與風景愈是與布根地北方不同：葡萄園不再順著整塊山坡綿延生長，而是廣布在數個小丘陵之上，而丘陵之間又常常點綴著農田與森林。吉弗里（Givry）與梅克雷（Mercurey）是黑皮諾之鄉，乎利（Rully）和蒙塔尼（Montagny）則以夏多內為主。本區不若夜丘區與伯恩丘來得知名，因而酒價合理許多，這不僅有利於消費者，對有意以種植與釀造為職志的年輕酒農而言，更便宜的地價意味著更佳的機會。

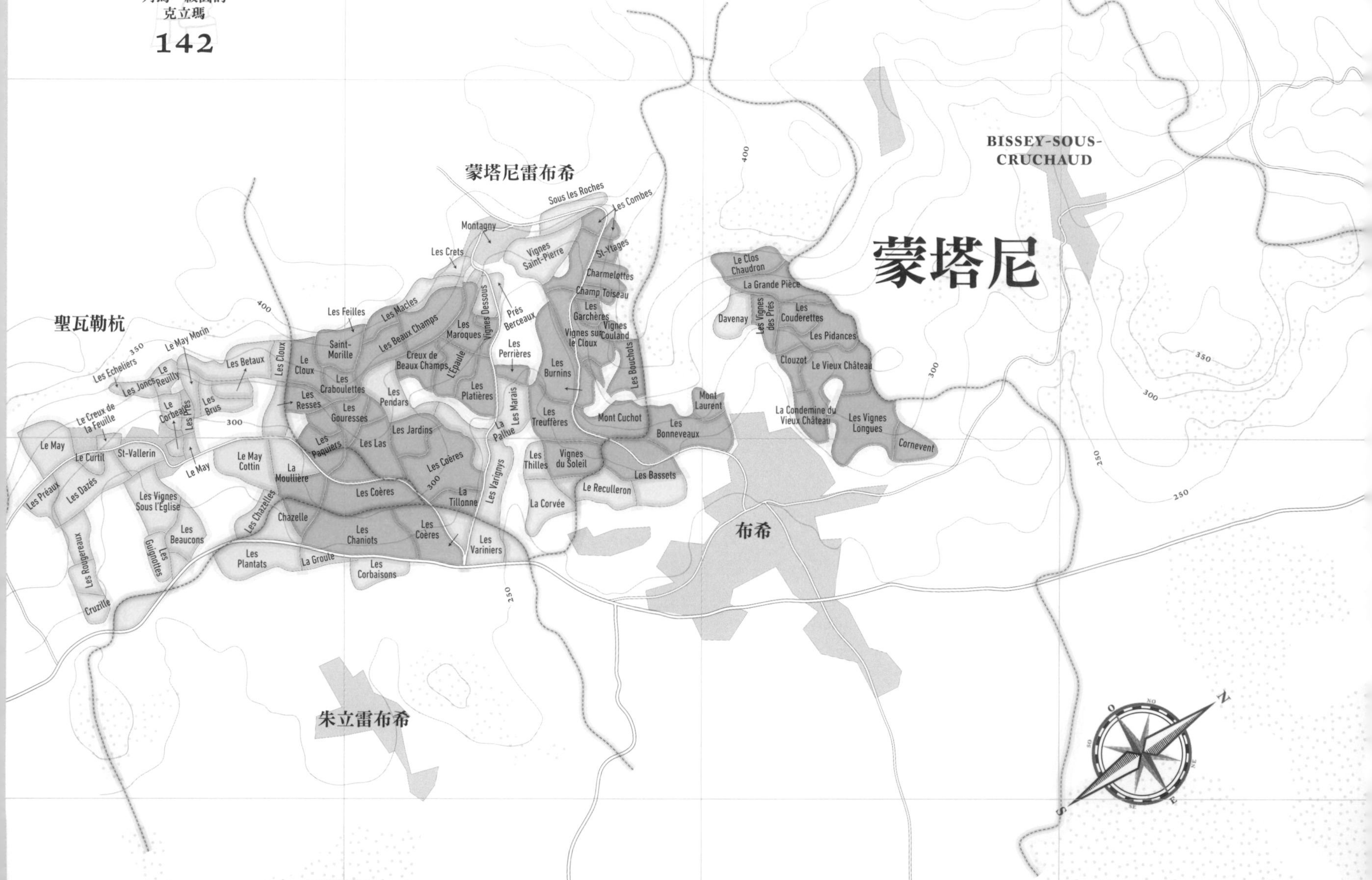

蒙塔尼雷布希
BISSEY-SOUS-CRUCHAUD
蒙塔尼
聖瓦勒杭
布希
朱立雷布希

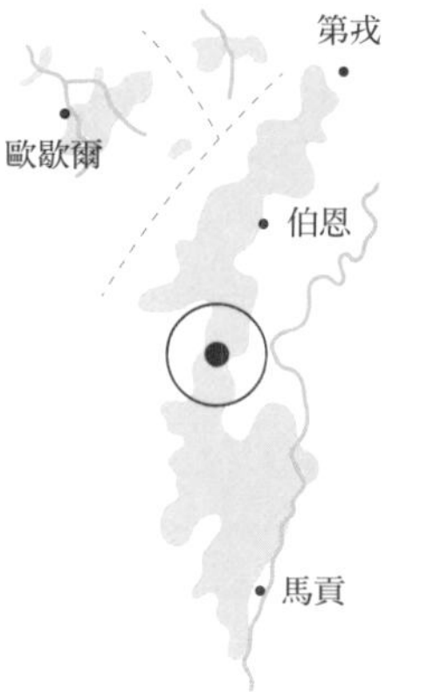

蒙塔尼 Montagny

一級園數量 49

本產區握有夏隆丘最南邊的幾個一級園。這裡的泥灰岩土壤，呈現出夏多內張力極佳、礦物質風味鮮明的一面：讓人聯想起隔鄰的法定產區普依－富塞（Pouilly-fuissé）。

308 公頃

100%

吉弗里 Givry

一級園數量 38

釀自本產區朝南地塊的葡萄酒富有陽光滋味，單寧質地優良，個性鮮明。吉弗里是布根地最南方的紅酒葡萄園，因此其黑皮諾也常常是第一批採收者。Les Grognots 這塊園區位於海拔 410 公尺，是布根地地理位置最高的幾個葡萄園之一。

300 公頃

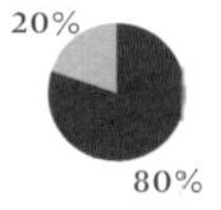

20%

80%

夏隆丘的克立瑪圖說

- 蒙塔尼一級園
- 蒙塔尼
- 吉弗里一級園
- 吉弗里
- 梅克雷一級園
- 梅克雷
- 乎利一級園
- 乎利
- 布哲宏

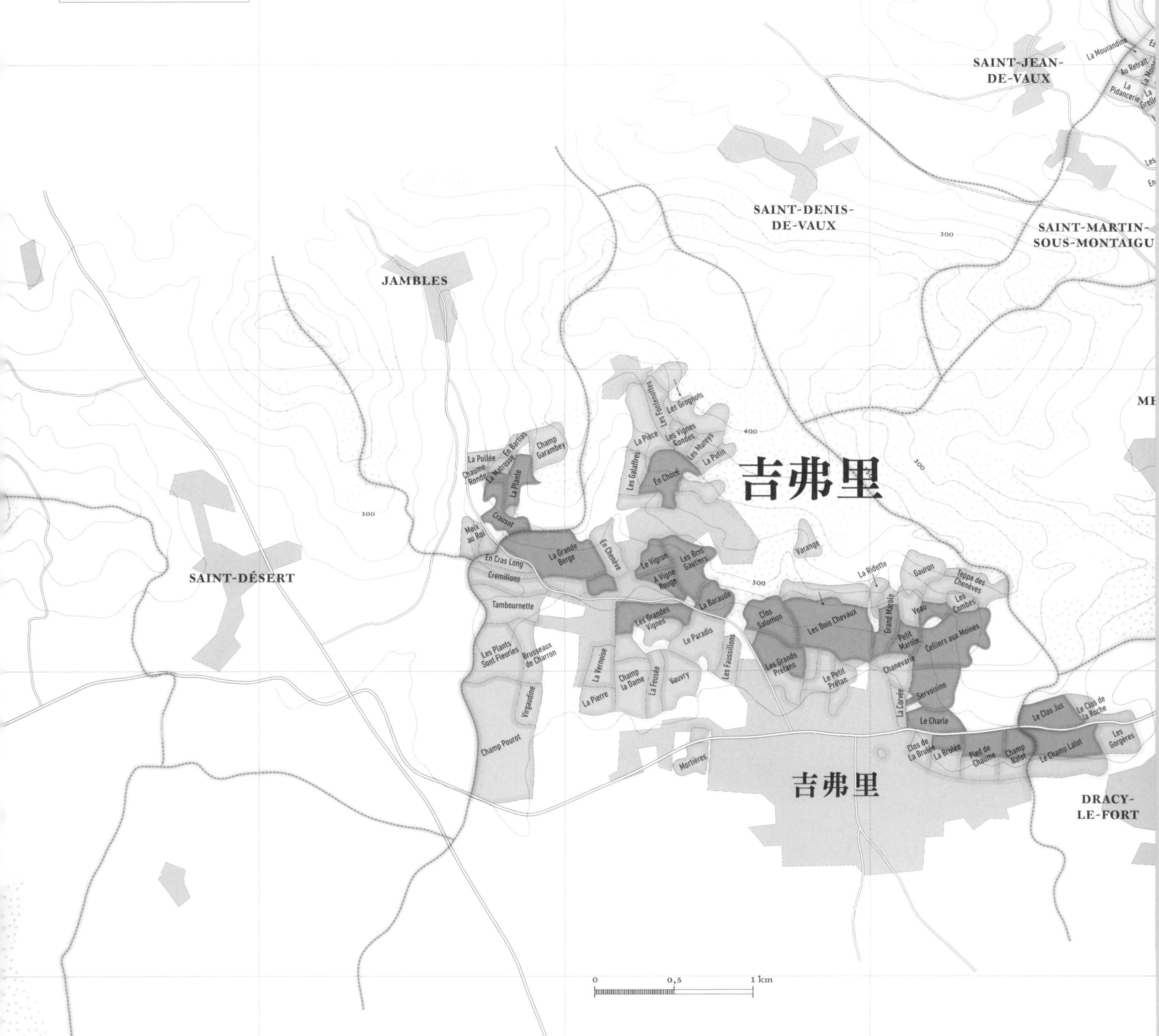

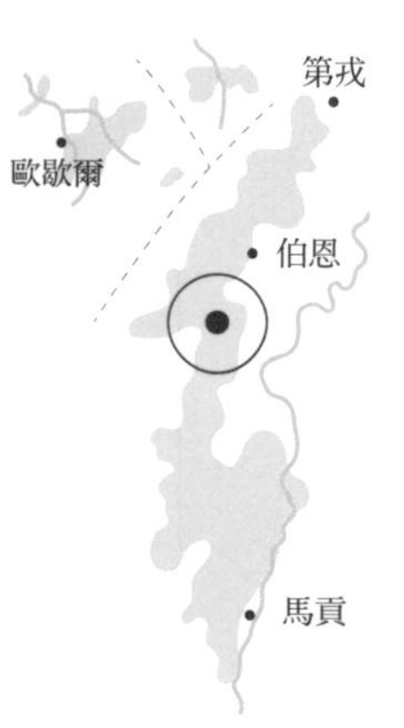

梅克雷 Mercurey

梅克雷擁有 32 個一級園，它也是夏隆丘最知名的法定產區。產區範圍位在兩個酒村內：梅克雷村與蒙太古聖馬丁村（St-Martin-sous-Montaigu）。梅克雷長期被認為酒質過於粗獷，現在則以優雅與優良的儲存潛力，開始向愛酒人進行絕地大反攻。

690 公頃

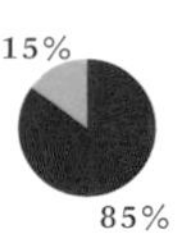

乎利 Rully

乎利與梅索（Meursault）的共通點是石灰岩質土壤，這也解釋了為何這裡以釀造白酒為主。產區內各區塊的差異則取決於黏土的比例：缺少黏土質者，酒質張力明顯；黏土較多者，酒中的脂潤感更鮮明。乎利的葡萄常拿來釀造布根地氣泡酒（Crémant de Bourgogne）。

347 公頃

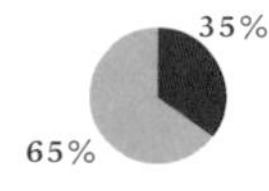

松特內 Santenay

松特內位於伯恩丘最南端，再下去就是夏隆丘了。由松特內舊名 Santenay-les-Bains 可知，這裡過去是水療勝地（Bains：水療），它以種植與釀造黑皮諾著稱。許多資深飲者認為：「松特內具有玻瑪的酒體，渥爾內的靈魂。」雖主要以黏土質石灰岩為主，但此地斷層複雜，使得各區塊土壤組成非常不一樣，葡萄酒風格差異也較為明顯。

337 公頃

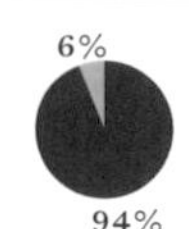

布哲宏 Bouzeron

布哲宏酒村仍頑強抵抗（未來仍會）夏多內的入侵。這裡的品種王者是阿里哥蝶。阿里哥蝶是古老品種，但長期以來被視為次要品種，喜愛礦物味的消費者應會有愛。

56 公頃

100%

伯恩丘區
Côte de Beaune

品種

黑皮諾

夏多內

種植面積

5,900 公頃

釀造酒種

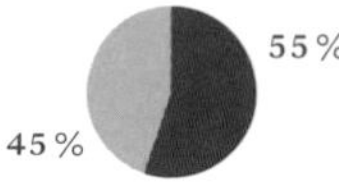

被列為一級園的克立瑪

325

被列為特級園的克立瑪

38

自夜丘區再往南延伸，即是伯恩丘，它介於拉杜瓦塞里尼村（Ladoix-Serrigny）以及馬宏吉丘之間，綿延20公里，其中共有幾百個小區塊的克立瑪。伯恩丘的面積是夜丘區的兩倍，前者得利於相對溫和的氣候，通常採收季會早後者幾天。伯恩丘的紅、白酒皆名聞遐邇。伯恩城可說是布根地的葡萄酒首都，周邊的一連串知名酒村的名號都令愛酒人深深著迷，如：阿羅斯－高登（Aloxe-corton）、玻瑪（Pommard）、梅索與普里尼－蒙哈榭（Puligny-montrachet）……

夏山－蒙哈榭
Chassagne-Montrachet

308 公頃

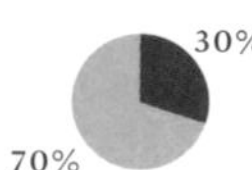

蒙哈榭丘就位在夏山－蒙哈榭與普里尼－蒙哈榭兩個法定產區之間。由於這裡的土壤組成相當複雜，夏多內常與黑皮諾並肩種植。夏山－蒙哈榭的海拔在220-325公尺，依據克立瑪之別，有些區塊有許多石灰岩岩塊，有些泥灰岩土偏多，另一些沙土比例較高。

聖侯曼

聖歐班

奧塞－都黑斯

夏山－蒙哈榭

梅索

普里尼－蒙哈榭

1 Au Village
2 Le Meix sous le Château
Au Moulin Judas
3

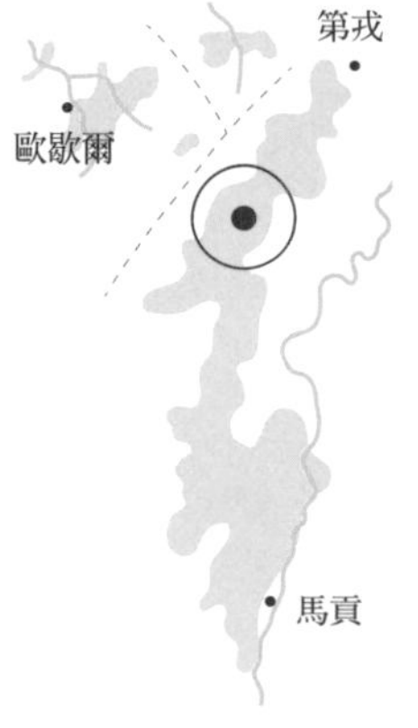

普里尼－蒙哈榭 Puligny-Montrachet

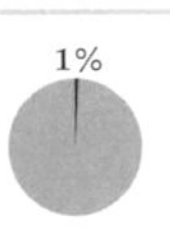

普里尼－蒙哈榭 95% 的克立瑪都列為一級園，這裡沒有微不足道的酒……夏山－蒙哈榭與普里尼－蒙哈榭公認是最能完美表達夏多內風味的兩產區，後者普里尼的園區海拔在 230-321 公尺。極為罕見的紅酒，表現也很傑出。

一級園數量 19

梅索 Meursault

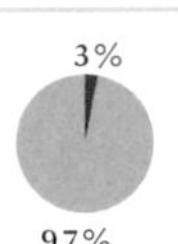

從梅索開始一直往南的布根地產區都以釀造白酒為主。伯恩丘裡最受歡迎的夏多內就產自梅索。1098 年，熙篤會的修士就已開始在梅索耕作與釀酒。這裡的一級園位於山坡低處，土壤主要是夏山石灰岩與侏羅紀中期的泥灰岩，部分地塊也散布著一些礫石塊。梅索能產出儲存潛力絕佳的偉大白酒。

一級園數量 28

玻瑪 Pommard

340 公頃

100%

只消一聽到「玻瑪」，愛酒人馬上就感受到「酒渴」。過往的玻瑪葡萄園屬於布根地公爵以及熙篤會的修士，它位於伯恩與渥爾內兩產區之間，這裡的山坡走向略有轉變。玻瑪的葡萄園非常受人覬覦，此由 340 公頃園區共由超過 340 名酒農持有可以得知。玻瑪酒質豐盛扎實，最好讓它瓶中陳年幾年後再飲，才能嘗到它的真正風華。

渥爾內 Volnay

渥爾內依著薛諾（Chaignot）小山而建，村民只有 230 人。在馬爾他騎士團、本篤會的 Abbayes de St-Andoche d'Autun 修院以及熙篤會的 Abbaye Maizières 修會時期，就已在渥爾內種植與並釀出優秀酒款。葡萄園區的海拔在 230-280 公尺。主要是石灰岩土壤或是泥灰岩土壤，有少量片岩。渥爾內紅酒以細膩著稱。

佩南－維哲雷斯
Pernand-Vergelesses

佩南－維哲雷斯（酒村）法定產區位在阿羅斯－高登（Aloxe-corton）與高登－查理曼法定產區西邊，葡萄園海拔介於250-300公尺，位於高處的區塊屬於泥灰岩，全種植夏多內；中坡區段有許多石灰岩塊，主要種植黑皮諾。

140 公頃

45%

55%

高登
Corton

特級園數量 25

高登－查理曼
Corton-Charlemagne

高登山其實位於三村村界內：阿羅斯－高登、佩南－維哲雷斯與拉杜瓦塞里尼（Ladoix-Sérigny）。高登法定產區以釀造紅酒為主，高登－查理曼則只能釀造白酒。高登是查理曼大帝最愛的葡萄酒，也是金丘區唯一在特級園之下又分成許多副克立瑪（sous-climats）的特例。

92 + 57 公頃

4%

96%　100%

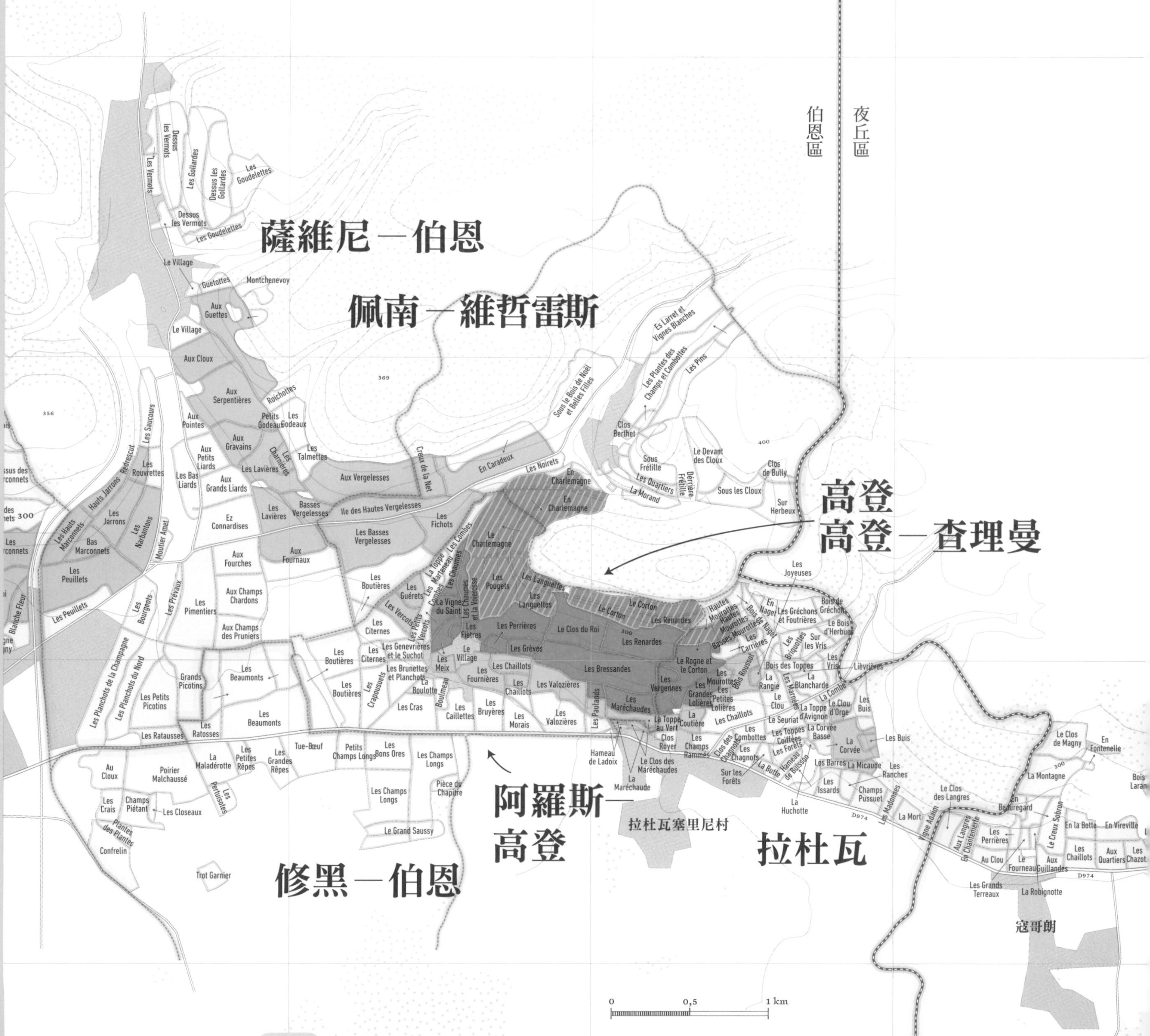

伯恩區　夜丘區

薩維尼－伯恩

佩南－維哲雷斯

高登
高登－查理曼

阿羅斯－高登

拉杜瓦塞里尼村

拉杜瓦

修黑－伯恩

寇哥朗

0　0,5　1 km

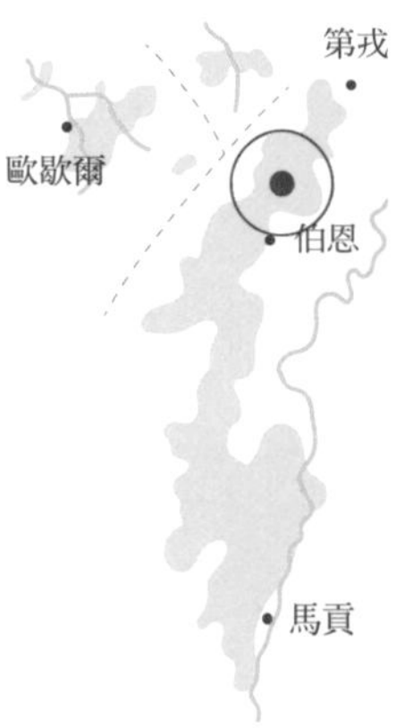

第戎
歐歇爾
伯恩
馬貢

夜丘區 Côte de Nuits

夜丘區可說是黑皮諾的天堂，可產出偉大的紅酒。這些量少質精的紅酒被當成藝術品看待，受全世界愛酒人覬覦。

品種

黑皮諾

夏多內

種植面積

3,100 公頃

釀造酒種

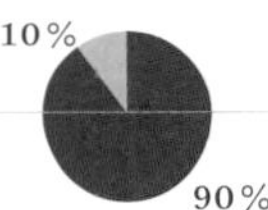

列為一級園的克立瑪

135

列為特級園的克立瑪

24

夜丘區的葡萄園自第戎城南即開始見到蹤跡，不過要到更南一點的馬沙內（Marsannay）才能見到夜丘的緩坡開始出現。其朝東的緩坡有利於葡萄樹吸收早晨的第一道陽光。夜丘也稱為「布根地的香榭大道」，葡萄園呈帶狀，由北至南綿延 20 公里。整體園區相當窄，最寬處不過 300 公尺。這裡的風土特點是背斜谷（combes）：它是乾燥無河水的谷地，自東向西橫切過夜丘區。由於背斜谷的形成，也讓谷地出口處出現許多第三紀時期的小石塊沖積。這些谷地也造成不同的向陽與冷空氣的流通。

夜丘也被稱為布根地的香榭大道

夜－聖喬治 Nuits-saint-georges

一級園數量 **41**

夜－聖喬治村給了夜丘區命名的根源，夜丘卻沒給予此村任何的特級園。然而夜－聖喬治法定產區裡有多達 41 個一級園，也無需汗顏。本酒村將葡萄園截成兩部分：北邊區塊的山坡朝東北向，南邊則是全然向東。夜－聖喬治的紅酒相當飽滿，整體均衡，可說是介於哲維瑞－香貝丹的力道與香波－蜜思妮的細膩之間。夜－聖喬治的白酒非常罕見，但在 Clos Arlot 與 Les Perrières 一級園可以釀出精采酒質。

310 公頃

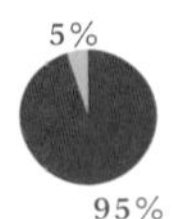

夜丘區

紅酒特級園
紅酒一級園
村莊級紅酒

夜－聖喬治

夜丘村莊

貢布隆香

培摩

夜－聖喬治

香波－蜜思妮 Chambolle-Musigny

常有人說香波－蜜思妮是夜丘最「女性化」的法定產區，但似乎這樣的簡化觀點已不再合時宜。本產區的紅酒的確非常細緻優雅，但相對於其鄰居產區，也並未顯得特出。主要是石灰岩土壤，也含有部分的泥灰岩、沙土與紅色河泥。一如布根地絕大多數的情形，其一級園與特級園都位在坡度較陡的坡地上，處於組成複雜的石灰岩土壤上。

100%

哲維瑞－香貝丹

莫瑞－聖丹尼

梧玖

埃雪索

馮內－侯瑪內

馮內－侯瑪內 Vosne-Romanée

Romanée-Conti、Richebourg 與 La Tâche 等特級園，可說是夜丘的珍珠！世界上最精彩的黑皮諾紅酒就產自於馮內－侯瑪內的克立瑪中。這些頂尖紅酒如果沒有先陳放個十年再開瓶，可能會引來嫉妒與不知珍惜的惡評。

100%

梧玖 Vougeot

以 Château du Clos de Vougeot 城堡聞名的梧玖，是夜丘最小的法定產區，村莊級法定產區之中包括 4 個一級園、1 個特級園。不要以為種植面積小就會讓「風土識讀」變得容易：這裡可說是石灰岩的千層派。

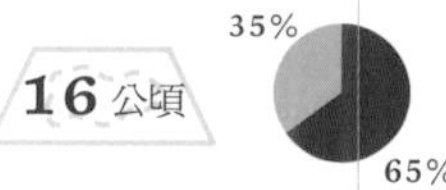

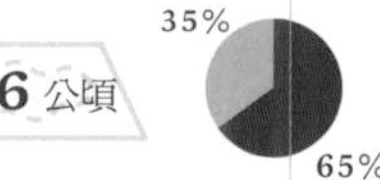

35%

65%

莫瑞－聖丹尼 Morey-Saint-Denis

莫瑞－聖丹尼在夜丘有點像「獨處深閨無人問」，它長期活在兩個知名鄰居（香波－蜜思妮與哲維瑞－香貝丹）的陰影下，少為外人理解。然而本產區其實囊括了 5 個特級園。產自上坡處的酒較圓潤飽滿，出自背斜谷延伸處（村子東邊）者就顯得較輕巧。Clos de Tart 特級園也是布根地最大的「獨占園」（Monopole）＊。

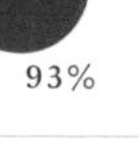

7%

93%

＊注：僅由一家酒莊耕作的單一克立瑪。

CÔTE DE NUITS

菲尚
伯湘
庫雪
馬沙內丘
馬沙內
雪諾夫
第戎 →
1 Les Petits Crais
2 Les Vignes aux Grands
3 Les Portes-Feuilles
4 La Sorgentière
5 La Vionne
6 Aux Vignois
7 Les Ormeaux
8 Pommier Rougeot
1 En Mormain
2 La Pucine
3 En Clémongeot
4 En Grand Bois
5 En la Croix St-Germain
6 Le Closeau
7 En Vigne Ribaude
8 Le Dixme
0 0,5 1 km

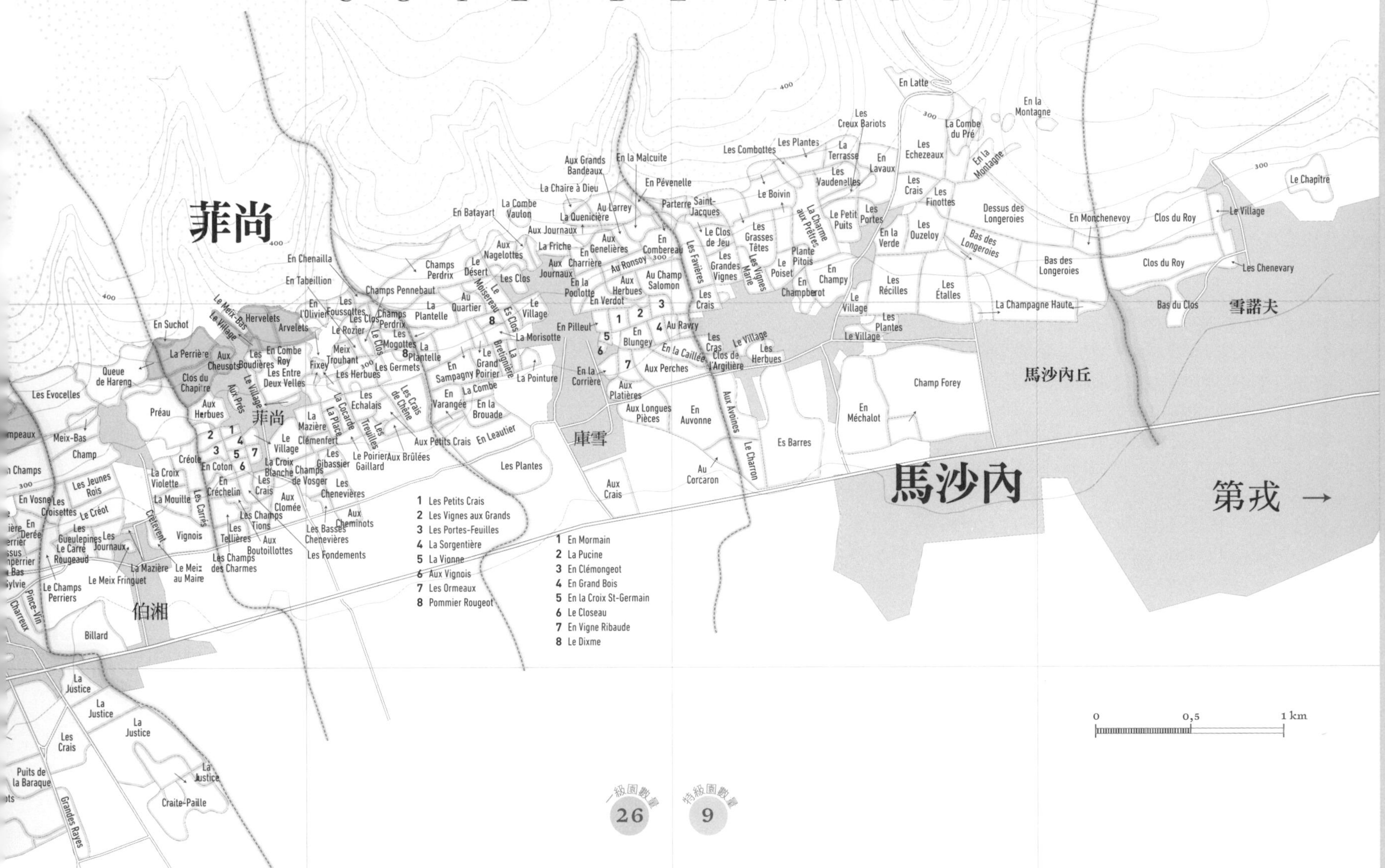

一級園數量 26　特級園數量 9

哲維瑞－香貝丹 Gevrey-Chambertin

632 公頃

100%

哲維瑞－香貝丹紅酒個性獨具，適合久儲。如果端詳地圖，你會發現一個特殊處：它是夜丘區唯一一個村莊級法定產區延伸至國道 N74 東邊的特例。此現象是由於拉沃背斜谷（Combe de Lavaux）的沖積土延伸至東邊。

馬沙內 Marsannay

242 公頃

7%
17%
76%

馬沙內法定產區不若鄰居出名，不過其實內藏絕佳風土。它的微氣候使得夏天相對溫暖，可以釀出頗具個性的紅酒。馬沙內也是夜丘唯一允許釀造紅酒、白酒以及粉紅酒的法定產區。另一個馬沙內特色：黑皮諾常摻有少量加美，夏多內側摻有少量白皮諾。

菲尚 Fixin

一級園數量 6

102 公頃

5%
95%

菲尚的一級園位於海拔 300 公尺的最高處。這裡的紅酒風味相當集中，可以在瓶中培養幾年，待單寧軟化後再開瓶。夜丘區最物超所值的葡萄酒無疑就在菲尚。Clos de la Perrière 是本產區最頂尖的克立瑪。

第戎
歐歇爾
伯恩
馬貢

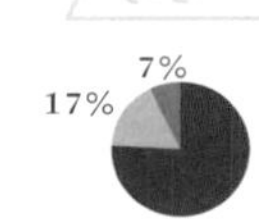

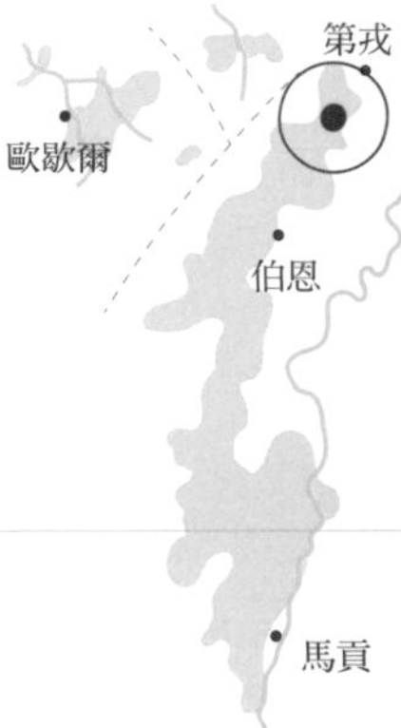

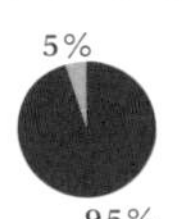

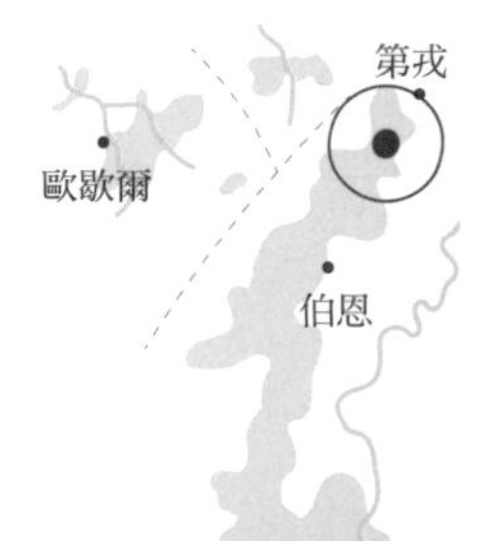

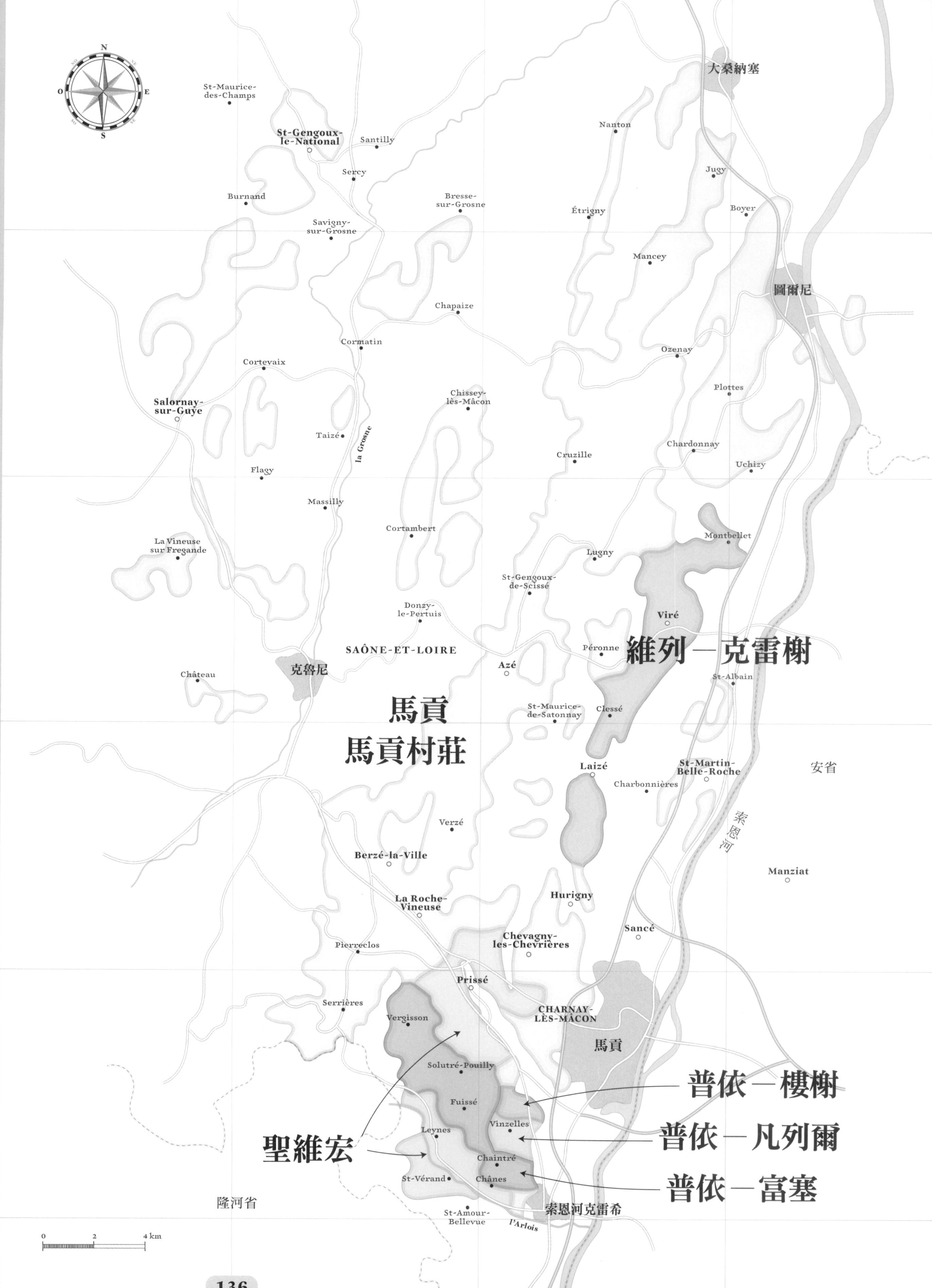
N
S
E
O
大桑納塞
St-Maurice-des-Champs
St-Gengoux-le-National
Santilly
Nanton
Sercy
Jugy
Burnand
Bresse-sur-Grosne
Étrigny
Boyer
Savigny-sur-Grosne
Mancey
圖爾尼
Chapaize
Cormatin
Ozenay
Cortevaix
Plottes
Chissey-lès-Mâcon
Salornay-sur-Guye
Taizé
la Grosne
Chardonnay
Cruzille
Uchizy
Flagy
Massilly
Cortambert
Montbellet
La Vineuse sur Fregande
Lugny
St-Gengoux-de-Scissé
Viré
Donzy-le-Pertuis
SAÔNE-ET-LOIRE
Péronne
維列－克雷樹
克魯尼
Château
Azé
St-Albain
馬貢
馬貢村莊
St-Maurice-de-Satonnay
Clessé
Laizé
St-Martin-Belle-Roche
安省
Charbonnières
索恩河
Verzé
Berzé-la-Ville
Manziat
Hurigny
La Roche-Vineuse
Sancé
Chevagny-les-Chevrières
Pierreclos
Prissé
Serrières
CHARNAY-LÈS-MÂCON
Vergisson
馬貢
Solutré-Pouilly
普依－樓樹
Fuissé
Vinzelles
普依－凡列爾
聖維宏
Leynes
Chaintré
St-Vérand
Chânes
普依－富塞
隆河省
索恩河克雷希
St-Amour-Bellevue
l'Arlois
0
2
4 km

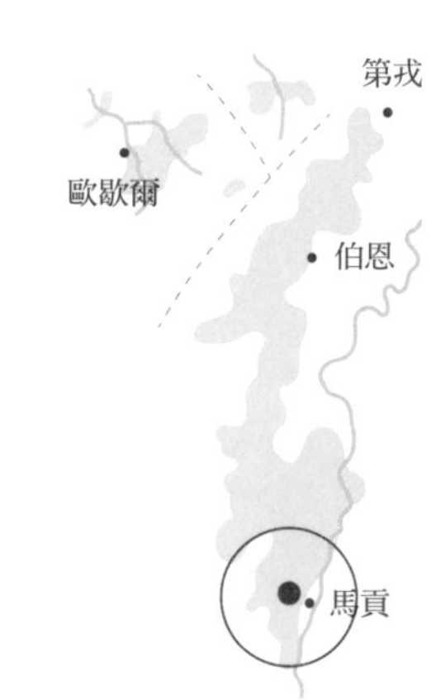

馬貢區
Mâconnais

是重新認識馬貢區真正價值的時候了。馬貢具有生產頂尖夏多內的偉大風土，其中22塊克立瑪已在2020年9月列為一級園。

品種

● 黑皮諾、加美

● 夏多內

種植面積

3,200 公頃

釀造酒種

14%

86%

馬貢不僅是布根地位置最南的葡萄園，也是種植面積綿延最廣者。本地釀酒葡萄的種植，與修道院系統的發展息息相關，尤以建於 909 年的修道院 Abbaye de Cluny 周遭為重心。修士闢建葡萄園，修院也逐漸財庫充裕，接連帶起熙篤修院（Abbaye de Cîteaux）的成立（位於伯恩與第戎之間，建於 1098 年）。

馬貢地方級法定產區並未擁有一級園，卻存在多層次的品質分別，愈後提到者品質愈高：馬貢（Mâcon，可釀白、紅與粉紅酒），馬貢村莊（Mâcon-Villages，只能釀白酒）以及馬貢後頭可以註明 27 個「特定原產地命名」（名單見右表；可釀白、紅與粉紅酒）。馬貢區的最佳法定產區都位於最南端，即 5 個村莊級法定產區，它們只能以夏多內釀造白酒：普依－凡列爾（Pouilly-Vinzelle：61 公頃）、普依－富塞（Pouilly-Fuissé：760 公頃）、普依－樓榭 (Pouilly-Loché：34 公頃)、聖維宏（Saint-Véran:743 公頃）與維列－克雷榭（Viré-Clessé：437 公頃）。

這五個村莊產區中最頂尖者是普依－富塞，它具有多樣的傑出風土：黏土質石灰岩、花崗岩，甚至是火山岩質土壤，可以產出風格多樣的白酒。一般而言，普依－富塞酒質細膩，酒色清亮，會泛出些許金色，甚至一絲淺綠光澤。它的礦物質風味明顯，帶有打火石、杏仁片、葡萄柚、檸檬、蜜桃、椴花與布里歐許麵包氣息。

普依－富塞使馬貢更顯尊榮

馬貢區的27個特定原產地命名

- ●●● *Azé*
- ●●● *Bray*
- ●●● *Burgy*
- ●●● *Bussières*
- ●●● *Chaintré*
- ●●● *Chardonnay*
- ●●● *Charnay-Lès-Mâcon*
- ●●● *Cruzille*
- ●●● *Davayé*
- ● *Fuissé*
- ●●● *Igé*
- ● *Loché*
- ●●● *Lugny*
- ●●● *Mancey*
- ●●● *Milly-Lamartine*
- ● *Montbellet*
- ●●● *Péronne*
- ●●● *Pierreclos*
- ●●● *Prissé*
- ●●● *La Roche-Vineuse*
- ●● *Serrières*
- ● *Solutré-Pouilly*
- ●●● *Saint-Gengoux-le-National*
- ● *Uchizy*
- ● *Vergisson*
- ●●● *Verzé*
- ● *Vinzelles*

檸檬、打火石、
洋槐、香草莢
葡萄柚、碘味、
打火石、香草莢
綠蘋果、碘味、
白堊土、橙花
杏桃、打火石、
杏仁片、蜂蜜
小夏布利
Petit Chablis
年輕時趁鮮喝
夏布利
Chablis
可陳放2-5年
夏布利一級園
Chablis Premier Cru
可以陳放5年以上
夏布利特級
Chablis Grand Cru
可以陳放10年以上
N
E
S
O
小夏布利
Les Vaupulans
Benter
Vallée des Vaux
Sous Boroy
Les Couvertes
La Ferme Couverte
右岸
Les Quatre Chemins
Berdiot
費
Côte de Vaubarousse
瑟安河
Preuses
普安席
Bougros
Vaudésir
Grenouilles
Valmur
夏布利特級園
Les Clos
Blanchot
Côte de Bréchain
Montée de Tonnerre
Pied d'Aloup
Le Château
Côte de Léchet
米麗
夏布利
Sous Pied d'Aloup
Les Chapelots
Mont de Milieu
Champlain
Les Lys
Les Grandes Chaumes
Chatains
Les Epinottes
Sur les Vaillons
Sécher
夏布利
一級園
Les Vaillons
左岸
Les Chatains
Roncières
Les Beugnons
Les Minos
Les Monts-Mains
Le Bout des Butteaux
Les Forêts
Vaux Miolot
Vaugerlains
Le Milieu des Butteaux
Les Ecueillis
圖 說
夏布利特級園
夏布利一級園
夏布利
小夏布利
夏布利
0
0,5
1 km

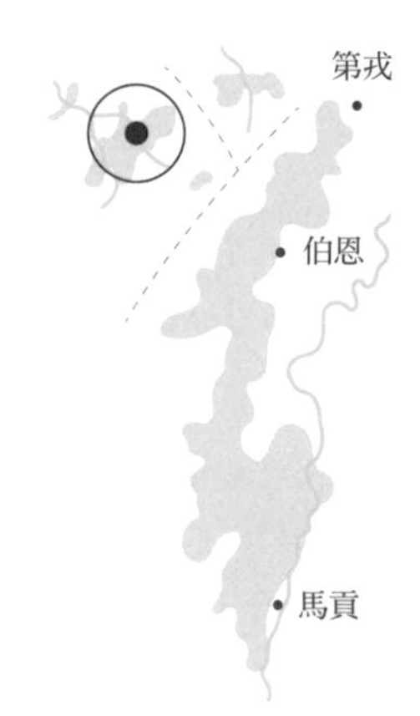

夏布利區 Chablis

英國葡萄酒作家羅絲瑪麗．喬治（Rosemary George）說得好：「所有的夏布利都以夏多內釀成，但並非所有的夏多內都可以是夏布利。」

品種

夏多內

種植面積

5,700 公頃

釀造酒種

100%

土壤

泥灰岩質石灰岩土壤，混有許多小生蠔化石

列為一級園的克立瑪

40

列為特級園的克立瑪

7

夏布利名聲通四海，令愛酒人傾心。它只以夏多內釀造，包含四個法定產區：小夏布利（Petit Chablis）、夏布利（Chablis）、夏布利一級園（Chablis Premier Cru）與夏布利特級園（Chablis Grand Cru）。夏布利酒質優異，以純淨感、清鮮度、細膩度以及礦物質風味誘惑人心。

這樣的均衡感產自布根地北邊的連綿山坡上，介於伯恩與巴黎之間，距香檳區頗近。離首都巴黎不遠也有助於夏布利的名聲。舊時的夏布利葡萄酒會在歐歇爾港裝船，順著橡能河抵達法蘭西島的各港口。

在夏布利的瑟安河左右兩岸，有不少樸真且迷人的小酒村。夏布利也是全布根地最冷涼的產區：此特點加上複雜的土壤結構，使夏多內個性獨具，但春霜的風險也更為巨大。夏布利的產區圖讓人聯想起聖誕樹：瑟安河就像主幹，切開山坡的谷地就像分枝，而各葡萄園地塊就像是樹葉。夏布利的葡萄園地景非常多變，證據之一是：光是一級園便擁有40個克立瑪*。而特級園主要集中在朝南的同一片山坡上，雖備受矚目，但僅占地100公頃。然而夏布利與小夏布利也不見得一定平庸，例如釀自老藤的夏布利常常比過於年輕就開瓶的一級園表現更佳。由於夏布利偏離核心區域，因此較少受到媒體的關注。這對愛酒人不見得是壞事，因為夏布利白酒不像伯恩丘白酒那般受到投機主義的影響。

夏布利是白酒高品質的象徵

* 注：布根地的克立瑪自2015年6月起被聯合國教科文組織列為文化遺產。它指因其地貌、地質以及氣候的特性，而單獨劃分出來的一片葡萄園。

夏布利產區的一個特點是，列為一級園的40個克立瑪中，有17個被視為是主要的「旗手法定產區」（Porte-drapeau）。那些產自「旗手區」旁的一級園，可以所源自地塊的克立瑪來命名，也可以旁臨、所歸屬的「旗手區」命名。

1% 夏布利特級園
14% 夏布利一級園
19% 小夏布利
66% 夏布利

夏布利各法定產區葡萄酒比例圖

紅色水果、甘草、花香調
橙橘、蜜桃、荔枝、一絲礦味
黑醋栗、甘草、森林野莓、玫瑰
檸檬皮、西洋梨、百香果、鳳梨
白花、橙橘、青蘋果
櫻桃、紅醋栗、林下植物、覆盆子
依宏希
Irancy
聖布里
Saint-Bris
歐歐爾丘
Côtes d'Auxerre
rouge
多能
Tonnerre
白中白布根地氣泡酒
Crémant de Bourgogne
blanc de blanc
巴斯混調紅酒
Passe-tout-grains
聖賈克丘
專尼
專尼區
檬能河
Champvallon
Volgré
Senan
Troyes
le Serein
Ligny-le-Châtel
Lignorelles
Villy
Maligny
La-Chapelle-V.
Fontenay-près-Chablis
Bleigny-le-Carreau
Collan
Poinchy
Fyé
Beines
Milly
夏布利
Fleys
Venoy
Béru
Viviers
歐歐爾
聖布里
Chichée
Courgis
Chemilly-sur-Serein
Quenne
Vaux
歐歐爾區
Poilly-sur-Serein
Chitry
Préhy
夏布利區
歐歐爾丘
Champs-sur-Yonne
St-Bris-le-Vineux
St-Cyr-lès-Colons
西提
Escolives
Jussy
Irancy
維內斯庫隆奇
Vincelottes
依宏希
維內斯庫隆奇
Noyers-sur-Serein
Cravant
Val-de-Mercy
Migé
Nitry
Vermenton
Charentenay
艾皮諾
阿蒙松河
Dannemoine
艾皮諾
Molosmes
多能
多能
多能區
N
E
S
O
塞納河
l'Ource
Belan-sur-Ource
Charrey-sur-Seine
Molesmes
Massingy
Laignes
塞納河夏提雍
夏提雍區
維日雷區
維日雷
Asquins
Tharoiseau
維日雷
St-Père
特級園法定產區
一級園（村莊）法定產區
村莊級法定產區
地區級法定產區
0
5
10 km

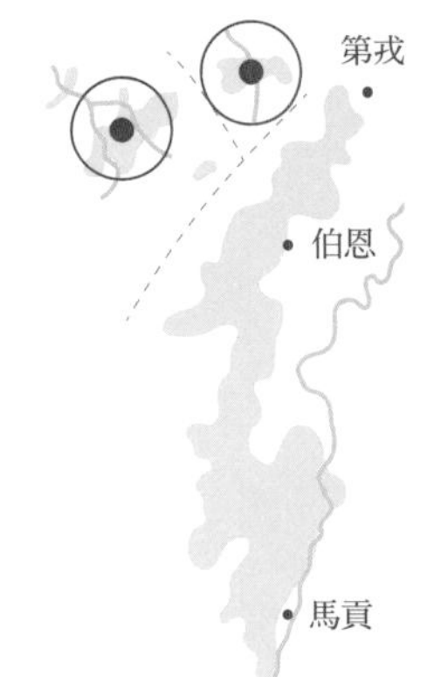

大歐歇爾區與夏提雍區
Grand Auxerrois & Châtillonnais

大歐歇爾區與夏提雍區就環繞在夏布利區周遭，珠鍊成串般的幾個小規模法定產區，都位在榛能省裡。這些產區雖然在今日並不著稱，但在葡萄根瘤蚜蟲病爆發前，這裡曾經存在4萬公頃的葡萄園。

品種

黑皮諾、加美

夏多內、阿里哥蝶、白蘇維濃

種植面積

1,963 公頃

釀造酒種

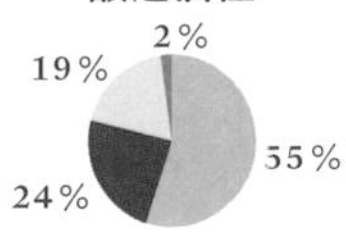

土壤

黏土質石灰岩土壤

依宏希 Irancy

180 公頃

依宏希主要以種植黑皮諾為主，有時會與凱薩混調，後者在酒齡年輕時會顯得有些艱澀，但也讓酒有著絕佳的儲存潛力。一如品種名所示，凱薩由羅馬人帶來，也僅在依宏希有種植。依宏希紅酒在扎實的同時，也顯得迷人。依宏希與聖布里，是大歐歇爾區僅有的兩個村莊級法定產區（如果不把夏布利計算在內）。

聖布里 Saint-Bris

160 公頃

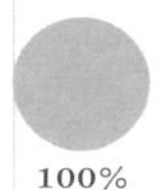

大歐歇爾區兩個村莊級法定產區之一的聖布里有個特殊處：它是布根地唯一推出蘇維濃白酒（品種包括白與灰蘇維濃）的法定產區。在夏多內大軍壓境的布根地，顯得很特出。是值得愛酒人一試的清鮮輕巧不甜白酒！

歐歇爾丘 Côtes d'Auxerre

240 公頃

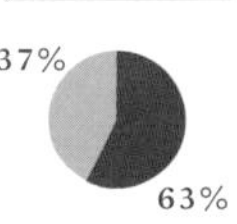

葡萄園位於歐歇爾市南邊，主要位於榛能河右岸。在鐵路出現之前，歐歇爾丘的葡萄酒因水道之便，成為供應首都巴黎餐酒的重要產地。這裡的葡萄園面積曾經有 1,800 公頃之大。本地紅酒以黑皮諾釀造，風味清鮮，以紅色水果風味為主。夏多內白酒則直爽，帶一絲碘味。

多能 Tonnerre

57 公頃

多能的葡萄樹生長在沿著榛能河的支流阿蒙松河（Armançon）岸的山坡上，這裡僅產夏多內白酒，適合的窖藏時間約 5 年。

夏提雍 Châtillonais

250 公頃

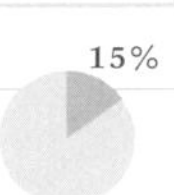

這裡是遠離布根地核心區域的一個小產區，在過去一點即達香檳區。因而這裡擅長生產布根地氣泡酒也是極為合理。布根地的傳統品種在夏提雍都可以找著：包括夏多內、黑皮諾、阿里哥蝶與加美。

巴斯混調紅酒 Passe-tout-grains

600 公頃

巴斯混調紅酒在全布根地都允許釀造，而以歐歇爾區的產量最大。它奇特的酒名，源自於一特殊的品種混調：加美混黑皮諾。巴斯混調紅酒目前愈來愈少人釀造，它是舊時本地非常重要的日常餐酒。它的單寧不多，口感圓潤多果味，非常可口。

西南部產區
SUD-OUEST

文化的十字路口

西南部產區 SUD-OUEST

西南部產區的強項在於其囊括的多元文化與風土。整個區域介於波爾多與隆格多克之間，氣候處於大西洋與地中海之間，又夾在庇里牛斯山與法國中央高原之間。

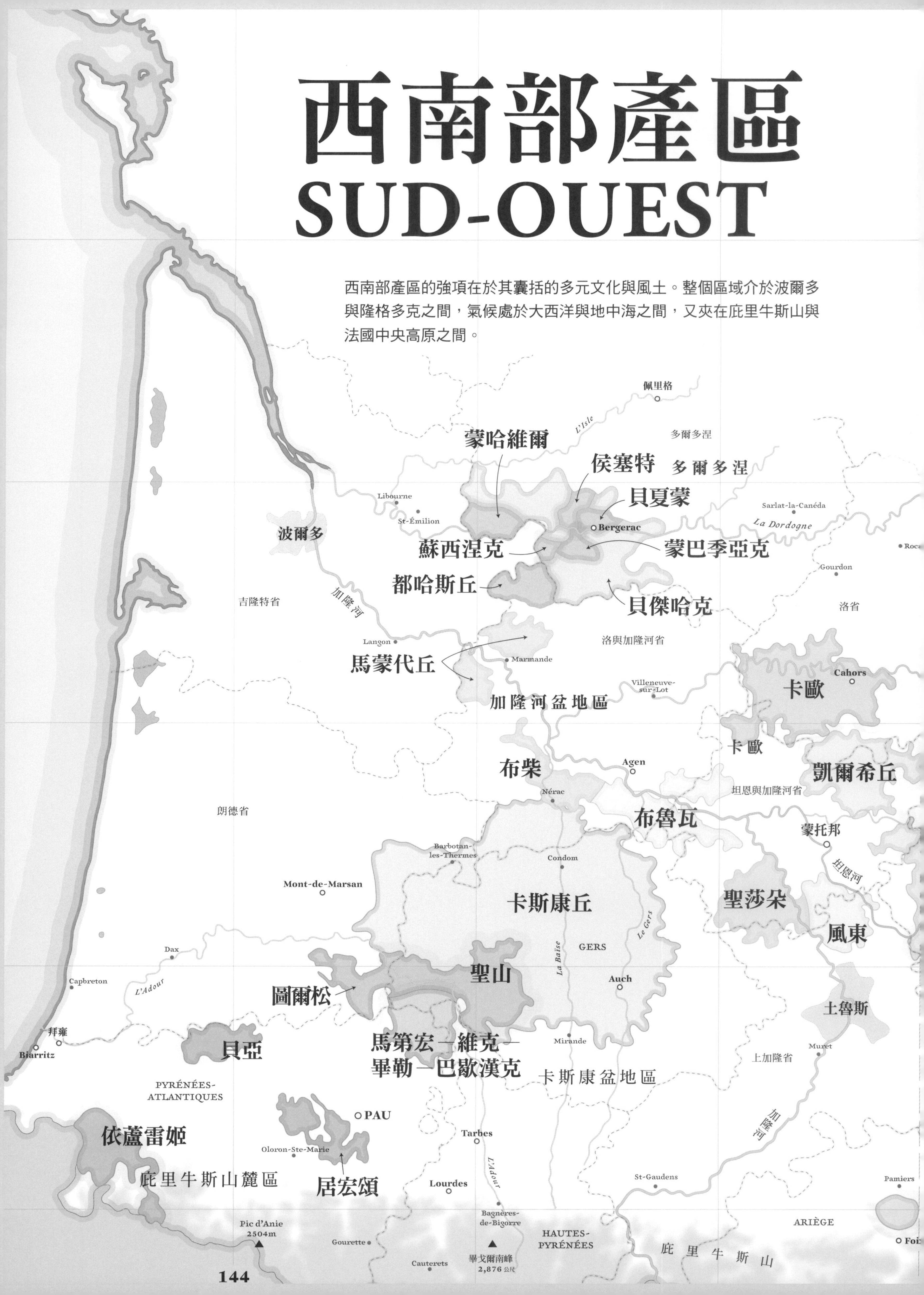

品種

●

卡本內弗朗、卡本內蘇維濃、馬爾貝克、塔那、菲榭瓦度

●

高倫巴、大蒙仙、白古比

種植面積

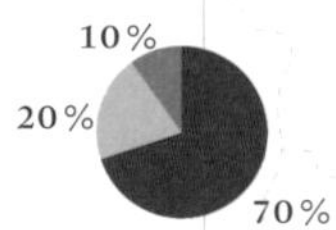

53,000 公頃

釀造酒種

10%

20%

70%

土壤

黏土質石灰岩、矽石黏土質石灰岩、石灰岩質砂岩、鵝卵石、黃褐色沙土

氣候

大陸性氣候、海洋性氣候、地中海型氣候

西南部產區的釀酒史起自羅馬－高盧時期，當時的羅馬人將蓋雅克（Gaillac）當成剛攻克的領土之前哨據點。在波爾多開始釀酒之前，西南產區早已先行：中世紀時，裝滿酒的橡木桶都以船運自波爾多港運抵英國，而這些酒絕大多數都來自被稱為「後山」的西南產區：貝傑哈克（Bergerac）、卡歐（Cahors）、阿將（Agen）或蓋雅克……

西南產區非常廣大，範圍自庇里牛斯山麓區一直到阿維宏區，總共橫跨 10 個省份。

雖然歷史因素讓許多法定產區歸為西南部產區範圍內，但要描述西南部產區於一統整概念中，不是一件容易的事。因為它包含了多樣的地景與文化：有屬於佩里格地區的，或巴斯克、貝亞、卡歐以及講歐克語地區的人文……

西南產區占地將近 53,000 公頃，由於風土多樣，園區內種植的品種也很多元。葡萄園一會兒受到大西洋影響，一會兒受到地中海型氣候影響；有時是加隆河，有時卻又是阿杜河（Adour）給予氣溫上的調節；這裡有庇里牛斯，那裡反而是中央高原屏障。土壤多樣，像是石灰岩土壤、黏土、沙土或腐植土。但也因為西南產區的遼闊，愛酒人有發覺不完、飲之不盡的多元風土葡萄酒！

基於同樣的原因，要選出一種足以代表整個西南產區的品種，風險其實很大。在貝傑哈克與加隆河附近，我們的確較常見到波爾多的傳統品種，但具有當地特色的原生品種也非常多：如紅酒葡萄的塔那與阿布麗由（Abouriou），釀造白酒的蒙仙與翁東克（Ondenc）等。

得益於以上的多樣性再加上自然景觀與文化特色，西南產區是發展葡萄酒觀光非常有潛力的區域。最後，由於地廣人稀，新一代年輕酒農來此創莊釀酒的門檻相對較低，他們既具創新精神又有活力。如同隆格多克，西南產區近十年來也呈現出改頭換面的新氣象。

西南產區近十年來呈現改頭換面的新氣象

Aurillac
adour
中央高原
安特格－勒－菲爾
AUBRAC
Figeac
Conques
LOZÈRE
洛河
馬西雅克
艾斯坦
Villefranche-de-Rouergue
Rodez
L'Aveyron
阿維宏區
aveyron
L'Aveyron
Millau
米由丘
Alès
嘉德省
Le Gard
蓋雅克
阿比
坦恩省
Castres
埃侯省
Sète
庇里牛斯－大西洋省
N
O
E
S
0 15 30 km

西南部產區的葡萄品種

卡本內蘇維濃

本品種之所以種在西南產區，是因本區酒農一度希望模仿波爾多紅酒，但這已成過去式。現在的酒農希望集中心力釀造較不知名的本地品種，以確認西南產區的葡萄酒認同。

馬爾貝克

源自卡歐產區，不過全世界的飲酒人主要是因阿根廷的馬爾貝克紅酒，而認識馬爾貝克，阿根廷的種植面積也是法國西南產區的十倍。屬於早熟品種，通常與其他品種混調。

塔　那

塔那就源自西南產區，個性好似一頭必須加以馴服的公牛：它並不好種，單寧也多，可釀出強勁扎實、酒色偏深的紅酒。它是馬第宏產區的王者。近幾年來的塔那風格已轉為以更多的果味、更少的艱澀感來吸引飲酒人。

梅　洛

梅洛為法國種植最多的品種，西南產區也不免俗。主要種在多爾多涅河、靠近波爾多的地帶，梅洛通常拿來和卡本內弗朗、卡本內蘇維濃混調。

卡本內弗朗

本品種源自庇里牛斯山附近，現已成為釀造羅亞爾河谷地紅酒的明星品種。一如在波爾多，卡本內弗朗可為混調帶來更多的果味與酸度。它在都哈斯丘的部分風土上有相當好的表現。

聶格列特

聶格列特源自法國西南部，是風東產區的明星品種。除了紅酒外，也能釀成不錯的粉紅酒。

草莓、林下灌木叢、
黑醋栗、櫻桃

菲樹瓦度

本品種的黑醋栗氣息，讓它帶有卡本內蘇維濃的影子。菲樹瓦度很少單獨釀造，在馬第宏與蓋雅克產區，它常成為混調的角色之一。

都哈斯

源自蓋雅克產區，都哈斯品種與都哈斯丘其實毫無關聯。它是坦恩河附近的古老品種，釀成的紅酒通常酒精度偏高，但單寧細緻。都哈斯通常與 Braucol（即菲樹瓦度）品種一起混調。

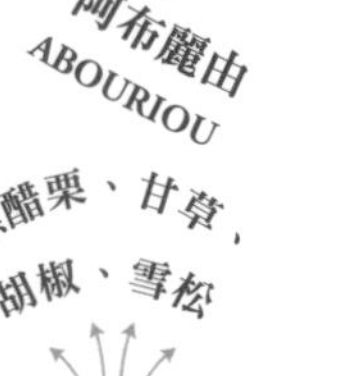

阿布麗由

本品種源自馬蒙代丘，不過在巴斯克地區也常用於釀酒。阿布麗由長年坐冷板凳，但目前已經成為依蘆雷姬產區的當紅品種。

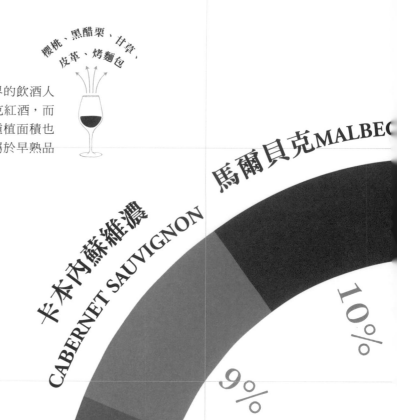

馬爾貝克 MALBEC
10%
卡本內蘇維濃 CABERNET SAUVIGNON
9%
塔那 TANNAT
8%
梅洛 MERLOT
5%
卡本內弗朗 CARBERNET FRANC
3%
菲樹瓦度 FER SERVADOU
3%
聶格列特 NÉGRETTE
3%
都哈斯 DURAS
2%
阿布麗由 ABOURIOU
1%
其他紅酒品
7%

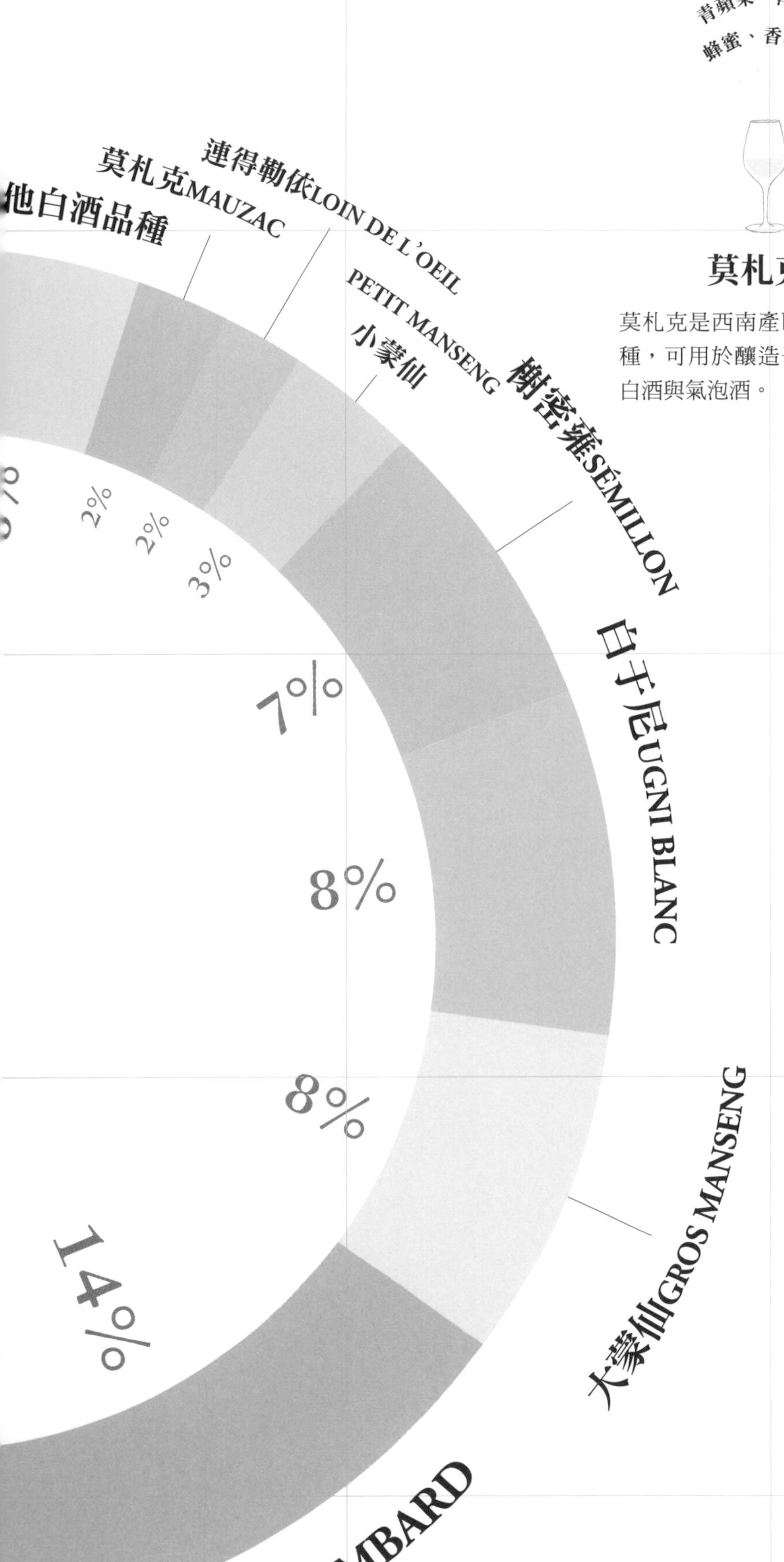

青蘋果、洋梨、
蜂蜜、香草莢

莫札克

莫札克是西南產區的原生品種，可用於釀造干白酒、甜白酒與氣泡酒。

青蘋果、洋梨、
洋槐花、茉莉花

連得勒依

西南產區的某些品種名稱非常生動：塔那（Tannat）的單寧很重（tannique），都哈斯（Duras）的枝幹非常硬（durs），而連得勒依（Loin de l'Oeil）的葡萄串長得離芽眼（l'Oeil）很遠。

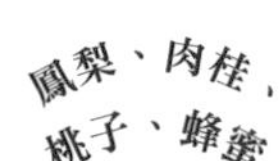

小蒙仙

產量偏低，多數葡萄農會等到11月才開始採收累積許多糖分的葡萄，在居宏頌產區用來混調其他品種，以釀成優質甜白酒。

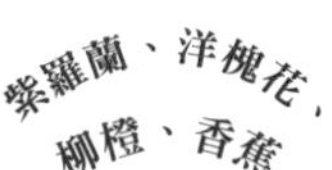

白于尼

從前只被視為釀造雅馬邑白蘭地的品種，然而過去十多年來，白于尼已成為西南部面積最大的卡斯康丘內，用以釀造干白酒的品種之一。

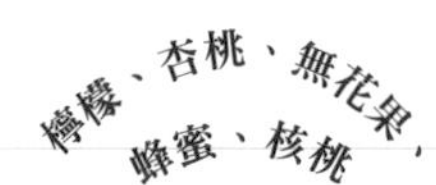

樹密雍

在波爾多，樹密雍是索甸的王者；在西南部，它則是蒙巴季亞克之王，能釀出多爾多涅河區最佳的甜白酒。

大蒙仙

大蒙仙是小蒙仙的哥哥，兩者都在混調後釀成甜白酒。今日，大蒙仙種植在多爾多涅河區至庇里牛斯山麓區之間地帶。

萊姆、葡萄柚、
芒果、鳳梨

高倫巴

高倫巴是白梢楠與白固維的雜交種，此非常芳香的品種通常用於釀造干邑。現已成為卡斯康丘用以釀造干白酒的招牌品種之一。

多爾多涅河區
Dordogne

蒙哈維爾 Montravel

170 公頃

15% 35% 50%

蒙哈維爾的名人首推作家暨哲學家蒙田（Michel de Montaigne），名物則是風格獨具的白酒。本地葡萄園位於多爾多涅河谷地的高處（海拔超過 100 公尺），土壤則與兩海之間產區相同。

蘇西涅克 Saussignac

50 公頃

100%

本產區只有十多位酒農，面積也僅約 50 公頃，釀造頗具特色的甜白酒。法文裡，Liquoreux 與 Moelleux 都指甜酒，但前者含糖量較高。蘇西涅克是相當年輕的法定產區，創立於 2013 年。

侯塞特 Rosette

125 公頃

100%

不要相信字面意義，本產區與粉紅酒*無關，所釀造的微甜白酒，其實比較適合搭配甲殼類海鮮，而不是一盤臘腸與火腿。侯塞特與貝夏蒙，是西南產區中唯二不以村莊名為產區命名的特例。這裡的甜白酒不若蒙巴季亞克那般甜美華麗。

* 編注：侯塞特（Rosette）與粉紅酒（Rosé）法文讀音接近。

都哈斯丘 Côtes de Duras

2,000 公頃

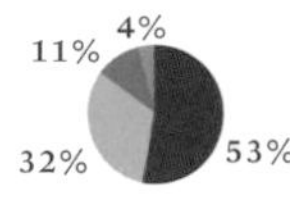

4% 11% 32% 53%

都哈斯丘活在大哥波爾多的陰影下，想要發聲表達意見都很難，且兩者所用的混調品種都相同：紅酒使用梅洛與卡本內蘇維濃，白酒採用白蘇維濃與榭密雍，不過都哈斯丘仍試圖建立自身的個性。好消息是：卡本內弗朗在本區部分風土表現良好，將來應可據此釀出與波爾多不一樣的風格，並顯現地方特色。

貝夏蒙 Pécharmant

400 公頃

100%

貝夏蒙可說是貝傑哈克人的聖愛美濃，是本地的傑出產區！葡萄園就在貝傑哈克鎮旁的山坡上展開，產區名 Pécharmant 在當地方言有「迷人山丘」的意思。植株種在獨特的土壤上：佩里格地區（Périgord）的沙土與礫石土質。貝夏蒙紅酒滋味凝縮，小橡木桶的培養讓它具有優秀的儲存潛力。

貝傑哈克 Bergerac

7,000 公頃

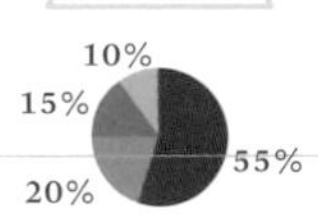

10% 15% 20% 55%

愈是受限，愈能激發創造力。貝傑哈克長期因波爾多的聲名遠播而難以喘息，且後者在舊時控制了多爾多涅河航道，也因而握有葡萄酒外銷的掌控權。為了突破以上限制，貝傑哈克的年輕一代酒農開始擘畫未來：雖然整體風格近似波爾多，但要能釀出地方個性才有機會。其實，目前的貝傑哈克紅酒具有不可忽視的優秀性價比。

蒙巴季亞克 Monbazillac

2,300 公頃

100%

以面積而言，蒙巴季亞克是全世界最大的甜白酒產區。一如索甸產區，本區酒農也會讓葡萄掛枝直到 10 月份，好讓尊貴的貴腐黴能夠感染到葡萄串。蒙巴季亞克甜白酒滋味豐富，年輕時帶有蜜香，10 年酒齡以上，則轉而帶有杏仁與榛果滋味。

Villefranche-de-Lonchat
St-Martin-de-Gurson
Montpeyroux
St-Vivien
聖愛美濃
蒙哈維爾
Castillon-la-Bataille
Vélines
Gensac
吉隆特省
Monségur

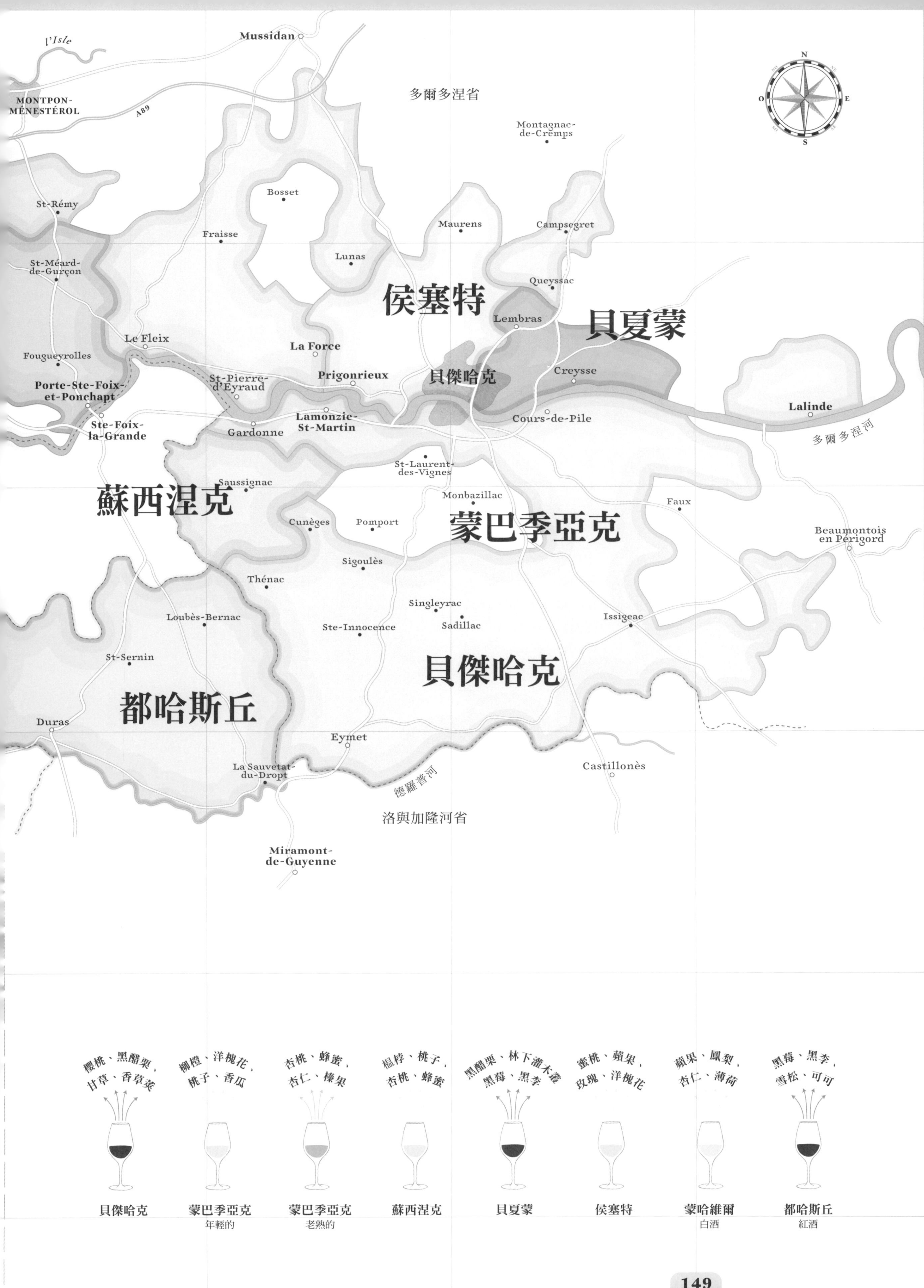
l'Isle
Mussidan
MONTPON-MÉNESTÉROL
A89
多爾多涅省
Montagnac-de-Cremps
Bosset
St-Rémy
Fraisse
Maurens
Campsegret
Lunas
St-Méard-de-Gurçon
Queyssac
侯塞特
Lembras
貝夏蒙
Le Fleix
La Force
Fougueyrolles
St-Pierre-d'Eyraud
Prigonrieux
貝傑哈克
Creysse
Porte-Ste-Foix-et-Ponchapt
Lalinde
Cours-de-Pile
Ste-Foix-la-Grande
Gardonne
Lamonzie-St-Martin
多爾多涅河
St-Laurent-des-Vignes
Saussignac
蘇西涅克
Monbazillac
Faux
Cunèges
Pomport
蒙巴季亞克
Beaumontois en Périgord
Sigoulès
Thénac
Singleyrac
Loubès-Bernac
Ste-Innocence
Sadillac
Issigeac
St-Sernin
貝傑哈克
都哈斯丘
Duras
Eymet
La Sauvetat-du-Dropt
Castillonès
德羅普河
洛與加隆河省
Miramont-de-Guyenne
櫻桃、黑醋栗、甘草、香草莢
貝傑哈克
柳橙、洋槐花、桃子、香瓜
蒙巴季亞克
年輕的
杏桃、蜂蜜、杏仁、榛果
蒙巴季亞克
老熟的
榲桲、桃子、杏桃、蜂蜜
蘇西涅克
黑醋栗、林下灌木叢、黑莓、黑李
貝夏蒙
蜜桃、蘋果、玫瑰、洋槐花
侯塞特
蘋果、鳳梨、杏仁、薄荷
蒙哈維爾
白酒
黑莓、黑李、雪松、可可
都哈斯丘
紅酒

馬蒙代丘 Côtes du Marmandais

1,400 公頃

6% 4% 90%

馬蒙代丘位於吉隆特省接壤處，園區位於加隆河的左右兩岸。本地使用品種與波爾多相同：卡本內弗朗、卡本內蘇維濃與梅洛。當地特色：阿布麗由為規定必用的當地原生輔助品種，能為酒帶來黑醋栗、紅醋栗、薄荷與香草莢的氣息。

布柴 Buzet

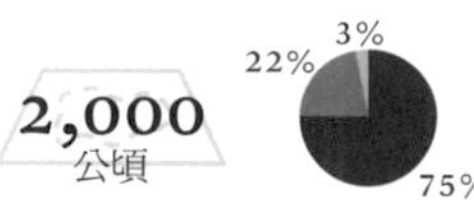

順著加隆河往下走，就來到了布柴產區：本產區一直到 1911 年都隸屬於大波爾多產區，今日為了和大哥波爾多做出區別，布柴開始採用自 2011 年法定產區管理區同意使用的當地品種，如阿布麗由以及大、小蒙仙。

布魯瓦 Brulhois

160 公頃

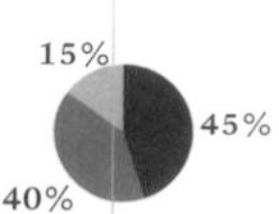

面積相當小的布魯瓦位於阿將南邊，釀造紅酒以及粉紅酒。由於本產區使用高比例的塔那，酒色相當深，故而布魯瓦的紅酒也被暱稱為「黑酒」（Vin noir）。

聖莎朵 Saint-Sardos

95 公頃

24% 76%

聖莎朵在 2011 年才獲法定產區地位，面積非常小。不過其釀酒史可上溯到 12 世紀：當時布依亞克村的西篤修院植樹釀酒，以提供住宿者飲用。本法定產區的特色是：法國唯一能喝到塔那混調希哈品種紅酒的產區。

風東 Fronton

風東就位在聖莎朵隔著加隆河的對岸，是加隆河沿岸的最後一處產區，再往下游走去，就到了土魯斯市與隆格多克的邊界。風東的地方特色：必須使用至少 50% 的聶格列特於混調中，該品種目前只剩風東有種植。風東紅酒帶有黑莓、覆盆子、紫羅蘭、胡椒與甘草滋味。

33% 67%

加隆河盆地區
Bassin garonnais

吉隆特省
Lévignac-de-Guyenne
Miramont-de-Guyenne
Escassefort
Ste-Bazeille
馬蒙
Virazeil
馬蒙代丘
Cocumont
Bouglon
Tonneins
洛河
洛與加隆河省
Casteljaloux
Puch-d'Agenais
Aiguillon
Port-Ste-Marie
St-Pierre-de-Buzet
加隆河
阿將
布魯瓦
Vianne
Ste-Colombe-en-Bruilhois
Bon-Encontre
Puymirol
Barbaste
Espiens
Nérac
Layrac
TARN-ET-GARONNE
布柴
Laplume
Valence
MOISSAC
坦恩河
A20
Astaffort
Sistels
Auvillar
St-Nicolas-de-la-Grave
A62
CASTELSARRASIN
蒙托邦
傑爾省
傑爾河
聖莎朵
Montech
風東
Beaumont-de-Lomagne
St-Sardos
Labastide-St-Pierre
Villemur-sur-Tarn
布依亞克
Verdun-sur-Garonne
Fronton
Villaudric
Grenade
Castelnau-d'Estrétefonds
0 5 10 km
上加隆省

阿維宏河
0 5 10 km
Penne
Bruniquel
Puygaillard-de-Quercy
Cordes-sur-Ciel
Loubers
Virac
CARMAUX
Milhavet
N88
寇代臺地區
Noailles
末爾河
Andillac
Puycelsi
Cahuzac-sur-Vère
Cestayrols
Cagnac-les-Mines
Castelnau-de-Montmiral
Ste-Croix
St-Grégoire
Montclar-de-Quercy
Bernac
Arthès
Senouillac
Castelnau-de-Lévis
St-Juéry
左岸區
Labastide-de-Lévis
阿比
Cunac
Cambon
Bellegarde-Marsal
蓋雅克
Marssac-sur-Tarn
Salvagnac
Puygouzon
庫納克諾由區
Brens
Lagrave
Carlus
Fréjairolles
Monzieys-Teulet
Aussac
Lisle-sur-Tarn
Cadalens
A68
Técou
蓋雅克
Rabastens
右岸區
Loupiac
Coufouleux
坦恩河
Parisot
Peyrole
St-Sulpice-de-la-Pointe
Giroussens
GRAULHET
Briatexte
阿古河
LAVAUR

晚摘甜酒（Vendanges tardives）這個詞，以前只能適用於阿爾薩斯與居宏頌兩個產區，但自2013年起，蓋雅克的酒農也能以Vendanges tardives一詞標示所釀的甜白酒。

蓋雅克 Gaillac

蓋雅克的釀酒史走來辛苦，但這具有千年歷史的園區已經重新振作，以曾經被人遺忘的葡萄品種混調出可口的葡萄酒。

品種

● 菲樹瓦度（即braucol）、都哈斯、普恩拉爾、希哈、加美

● 連得勒依、莫札克、翁東克、蜜思卡岱勒

種植面積

3,150 公頃

釀造酒種

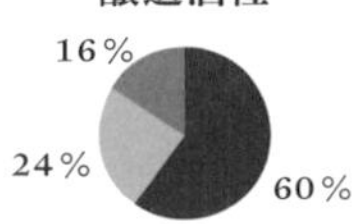

土壤

右岸：黏土質石灰岩。左岸：沙土、鵝卵石與礫石。寇代臺地區：石灰岩與小石塊。

蓋雅克的葡萄園分布在坦恩河兩側，介於阿基坦地區與隆格多克地區之間，本產區同時享有大西洋的濕氣與充足的陽光。菲樹瓦度、連得勒依、普恩拉爾……這些都不是法國最知名的品種，但卻體現了蓋雅克葡萄酒的靈魂。

古時侯的霜凍與根瘤蚜蟲病，將以上幾種品種幾乎摧毀殆盡。為了吸引飲酒人，有些酒農後來選擇種植比較知名的品種，如梅洛與希哈；但也有酒農選擇回到根源再出發，竭盡心力保存本土品種，新一代的年輕釀酒者也決心向這些一度幾乎消失的品種致敬。

有些酒農選擇回到根源竭盡心力保存本土品種

種植與釀造這些被遺忘的品種也有好處：從零開始沒有包袱，一如身在全然的新國度。

蓋雅克葡萄酒可以全然地呈現西南部給人的印象：直爽而飽滿，非常適合與一群好友同桌共享，如果同時能擺上一鍋阿比地區蔬菜燉肉鍋（Pot-au-feu albigeois），那就更加完美了！

卡斯康盆地區
Bassin gascon

聖山 Saint-Mont

聖山產區位於傑爾省之南，葡萄園順著阿杜河兩側延伸，河岸帶來的涼爽氣息，使得聖山在夏季時不若馬第宏那般炎熱。它是 2011 年才被承認的年輕法定產區，所釀紅酒強勁飽滿扎實，使用的品種與馬第宏相同。

1,200 公頃

20% 50% 30%

馬第宏 Madiran

1990 年代，馬第宏紅酒桶味重，架構扎實，目前新一代的酒農則微調成較為清鮮與圓潤的風格。塔那是本地原生品種，單寧非常豐富，好好地釀造的話可呈現優秀酒質，且可以長期陳年。塔那占據混調要角，酒農通常會將它和卡本內蘇維濃、菲榭瓦度和／或卡本內弗朗混調，以增加圓潤感。

1,400 公頃

100%

圖爾松 Tursan

450 公頃

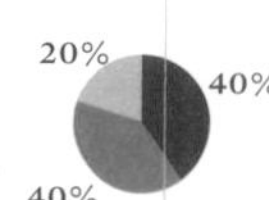

20% 40% 40%

朗德省不只有松樹林。面積不大的圖爾松已遠離沙灘，其葡萄園分布在本省罕見的丘陵上，園區介於 Dax 與 Mont-de-Marsan 兩個城鎮之間。圖爾松是西南產區少數有生產粉紅酒的產區之一。

維克－畢勒－巴歐漢克 Pacherenc-du-Vic-Bilh

本產區範圍與馬第宏相同，以紅酒葡萄釀造的就是馬第宏，以白酒葡萄釀成的，就稱為維克－畢勒－巴歐漢克。葡萄農以朝西的冷涼山坡葡萄釀成干白酒，以朝正南且較為溫暖的坡段葡萄釀成甜白酒。

300 公頃

100%

卡斯康丘 Côtes de Gascogne

卡斯康丘是西南產區幾個面積較大的產區之中，少數以生產白酒為主者。之所以如此，是因為以往這些葡萄，主要用來釀成雅馬邑白蘭地。為了因應日漸降低的白蘭地銷售量，卡斯康丘必須改變以回應市場。本產區每年可以銷售 1 億瓶葡萄酒，是法國面積第二大的指定地理區保護等級（IGP）產區。

12,000 公頃

8% 7% 10% 75%

0
4
8 km
N
E
S
O
傑爾省
Bascous
Dému
Vic-Fezensac
Nogaro
Avéron-Bergelle
Sabazan
Aignan
Sarragachies
Termes-d'Armagnac
Lupiac
Castelnavet
Poutdraguin
聖山
卡斯康丘
Riscle
Peyrusse-Vieille
Lasserade
Plaisance
Louslitges
Castelnau-Rivière-Basse
Jû-Belloc
Beaumarchés
Bassoues
馬第宏
Ladevèze-Ville
Marciac
Monpezat
Maubourguet
阿厚斯河
上庇里牛斯省
Lembeye
櫻桃、黑醋栗、皮革
甘草、烤麵包
馬第宏
洋梨、榛果、
柳橙皮、蜂蜜
巴歇漢克
甜白酒
杏桃、香草莢、
檸檬、蜜桃
巴歇漢克
干白酒
黑醋栗、李乾、
林下灌木叢、百里香
圖爾松
紅酒
覆盆子、紫羅蘭、
黑醋栗、紅醋栗
圖爾松
粉紅酒
洋槐花、柑橘、
蜜桃、檸檬
圖爾松
白酒
杏桃、柳橙、
鳳梨、檸檬
卡斯康丘
白酒
櫻桃、黑醋栗、
甘草、林下灌木叢
聖山
紅酒

貝亞 Béarn

貝亞產區位於波城西北邊（波城西邊是居宏頌，北邊則有馬第宏與維克－畢勒－巴歐漢克）。貝亞的歷史園區位在歐泰茲附近，15 世紀時，這裡已經時興釀造淡紅酒（Claret）。本產區的土壤主要是黏土質沙土，底層則是黏土質砂岩。貝亞紅酒架構宏大，至少需要一段時間的培養，與當地美食紅椒燉小牛肉（Axoa de veau）與畢戈爾黑豬血腸（Boudin de porc noir de Bigorre）有著完美的搭配。村莊級法定產區貝亞貝洛克（Béarn-Bellocq）涵括波城西邊 90 公頃面積，可在以下四村鎮釀造：Bellocq、歐泰茲、Lahontan 與貝亞沙力。

260 公頃

1%
45%
54%

依蘆雷姬 Irouléguy

依蘆雷姬的園區位於巴斯克地區的核心地帶，介於海拔 200-400 公尺，主要的葡萄園都圍繞著 St-Étienne-de-Baïgorry 和 St-Jean-Pied-de-Port 兩村展開。

本產區當初是受到位於海拔 1,000 公尺的宏瑟沃修道院（Abbaye de Roncevaux）的影響，自中世紀開始發展。修士所釀的酒主要為提供給住宿者與踏上聖雅各朝聖之路（Chemin de St-Jacques-de-Compostelle）的朝聖者飲用。

依蘆雷姬的面積僅 240 公頃，是法國面積最小的山區葡萄園之一。三分之二的園區位在陡峭的梯田上，部分區塊的坡度可達 80%，因而園務施行不易，多數情況只能以手工完成。

根瘤蚜蟲病肆虐之後，本地的葡萄樹遭遇滅絕命運。後來有一小群熱情的酒農重植了葡萄園。1980 年代，藉由當地一家釀酒合作社的再生，帶給產區一股新動力。目前在幾家知名酒莊的帶領下，依蘆雷姬又日漸受到愛酒人歡迎。

240 公頃

10%
25%
65%

Irissarry
Ossès
St-Martin-d'Arrossa
庇里牛斯－大西洋省
依蘆雷姬
Garmathe
Jaxu
Bastince-Iriberry
St-Étienne-de-Baïgorry
依蘆雷姬
St-Jean-Pied-de-Port
Anhaux
St-Jean-le-Vieux
Ahaxe-Alciette-Bascassan
St-Michel
Lecumberry
Banca
Béhorléguy
Estérençuby
Aldudes
Urepel
庇里牛斯山
西班牙

庇里牛斯山麓區
Piémont pyrénéen

地層底下經過數百萬年的激烈動盪後，誕生了一座山頭。而土壤在經歷緩慢的變遷後，提供了多樣的風土；貝亞地區的庇里牛斯山地質皺摺作用，也連帶地牽扯直至巴斯克地區的核心。

居宏頌 Jurançon

居宏頌的園區自波城的西邊與南邊展開，其最佳風土已經觸及庇里牛斯山山脈，朝南的葡萄園可以獲得絕佳日照。據說法王亨利四世在受洗時，曾飲用幾滴居宏頌葡萄酒，以增強其心志與體質。

1 200 公頃

30%

70%

本產區主要以當地品種釀造帶甜味的白酒，品種包括大蒙仙、小蒙仙、古比（Courbu）、卡馬哈雷（Camaralet）與羅塞（Lauzet）等。品質最佳的居宏頌具有絕佳的儲存潛力。

卡歐 Cahors

馬爾貝克單寧多，釀成的酒色也深。卡歐其實是馬爾貝克的發源地，也是法國國內欣賞本品種紅酒的最佳產區。

品種

馬爾貝克、梅洛、塔那

種植面積

4,200 公頃

釀造酒種

100%

土壤

洛河河岸：沙土與河泥。
谷地：黏土與小石塊。
臺地：黏土質石灰岩。

許多的馬爾貝克品種紅酒其實釀自卡歐，當地人也稱本品種為 Cot。卡歐附近的產區都將馬爾貝克當作輔助品種，卡歐則選它擔任主角：最終的混調必須至少含有 70% 的馬爾貝克，選擇以 100% 馬爾貝克裝瓶者也不在少數。

卡歐產區範圍包含洛省的 45 個村莊（主要集中在產區南邊）在內。我們可以將葡萄園區分為兩區：順著蜿蜒的洛河分布的河階地園區，以及位於南邊、生長在凱爾希高原（Causses du Quercy）上的臺地園區。臺地上的葡萄樹因種植環境比較嚴苛而看似孤寂，但其實在炎熱的夏季時，卻比谷地葡萄樹擁有更佳的通風條件。臺地葡萄樹產量偏少，但果汁品質更細緻，採收時間一般晚於谷地一星期。

馬爾貝克被卡歐選為主角

新一代酒農為卡歐帶來不少生氣與活力，所釀紅酒的單寧質地更顯細膩，常帶有果乾、松露以及摩卡咖啡氣息，且每年都招來更多的卡歐愛好者。

凱爾希丘 Coteaux du Quercy

本法定產區相當年輕（成立於 2011 年），地理位置介於卡歐與蓋雅克之間，以主要品種卡本內弗朗生產紅酒與粉紅酒。本區紅酒在酒齡年輕時，單寧常顯得過於突顯，建議等個 2-4 年，待酒質較為圓潤後再開瓶品嘗。

250 公頃

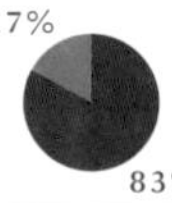

17%
83%

阿維宏 Aveyron

阿維宏的幾個法定產區，其實與西南產區有些距離，比較特殊的是採用菲榭瓦度或加美葡萄釀酒，產區其實距離歐維涅區更近……

艾斯坦 Estaing

艾斯坦的園區位於歐布哈克高原的山腳下，於 2011 年成為 AOC 法定產區的一員，這面積嬌小的葡萄園其實自一百年前起就不斷地縮減面積，目前的占地只有古時的 1%。這裡主產紅酒，主要釀造品種是菲榭瓦度與加美。

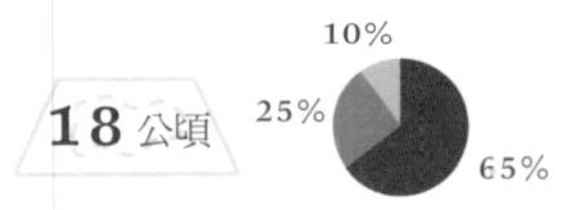

安特格－勒－菲爾 Entraygues-le-Fel

安特格－勒－菲爾是西南產區中位置最北的葡萄園，但也可看成是歐維涅最南的產區；本產區同時受到中央高原以及地中海影響。

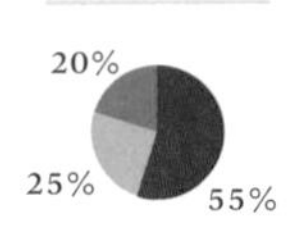

園區的發展是在 13 世紀時，與康克修道院（Abbaye de Conques）的成立同時期發生。紅酒品種是當地的菲榭瓦度與卡本內弗朗，白酒主要以白梢楠釀成。

馬西雅克 Marcillac

馬西雅克的氣候具有半山區的特性：冬季嚴寒。又因為受到地中海型氣候的影響，夏季顯得溫暖。這裡的品種之王是西南產區特有品種的菲榭瓦度（當地又稱為 Mansois），種植面積幾乎占全區的 50%。酒香帶有覆盆子、黑醋栗與青椒的氣息，酒齡漸老後則出現甘草與可可風味。馬西雅克紅酒單寧雖重，同時卻非常芬芳，一般屬於較為粗獷的類型。

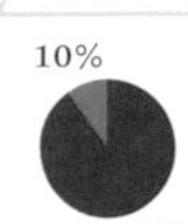

米由丘 Côtes de Millau

米由丘位於比較南邊的坦恩河谷裡，本區種在河階地上的葡萄園，讓人想起阿維宏北部的產區，但米由丘使用的品種不同：釀造紅酒的主要品種是加美與希哈，香氣表現出紫羅蘭與李乾的特性。

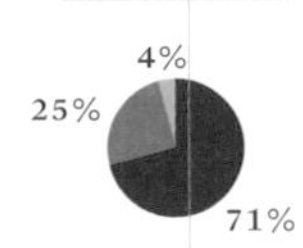

薩瓦
SAVOIE

高山葡萄園

瑞士
雷曼湖
侏羅山脈
Ripaille
Évian-les-Bains
Publier
THONON-LES-BAINS
Marin
Nyon
Sciez
Douvaine
Marignan
Crépy
Bons-en-Chablais
日內瓦
Ambilly
Gaillard
Annemasse
St-Julien-en-Genevois
Bellegarde-sur-Valserine
Reigner-Ésery
l'Arve
Ayse
Thiez
Bonneville
Cluses
法蘭基優質村莊FRANGY
La Roche-sur-Foron
Frangy
Fillière
薩瓦
薩瓦－胡榭特
在整個薩瓦區都可以釀造
MONTAGNE DU GRAND COLOMBIER
Corbonod
塞榭
塞榭
le Fier
安錫
Thônes
隆河
Chautagne
Rumilly
安錫湖
St-Jorioz
Entrelacs
馬黑斯特優質村莊
MARESTEL
布爾傑湖
Faverges-Seythenex
Ugine
Jongieux
艾克斯萊邦
Albertville
蒙屋優質村莊
MONTHOUX
蒙特明諾優質村莊
MONTERMINOD
Saint-Jean-de-la-Porte
伊塞爾河
香貝希
Chignin
Challes-les-Eaux
Saint-Jeoire-Prieuré
Cruet
Arbin
阿普蒙優質村莊
APREMONT
Montmélian
Abymes
Pontcharra
薩瓦優質村莊
薩瓦－胡榭特優質村莊

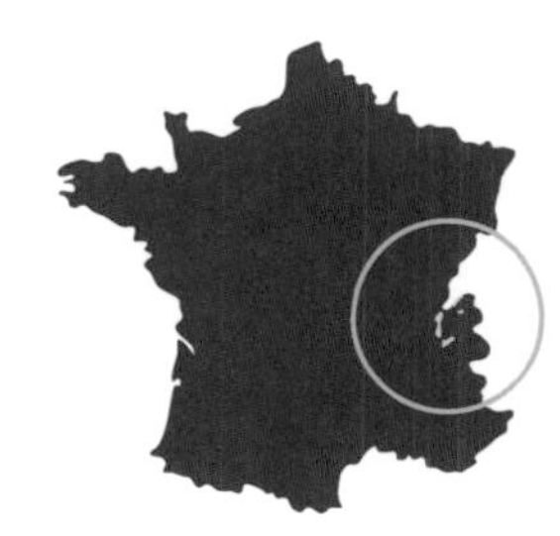

薩瓦 Savoie

薩瓦產區的葡萄園位在法國最多山的幾個省份內，園區海拔都相當高，種植的都是具有當地特色的葡萄品種。

品種

加美、蒙得斯、佩桑、黑皮諾

阿泰斯、賈給爾、阿普蒙、胡姍、夏思拉

種植面積

1,800 公頃

釀造酒種

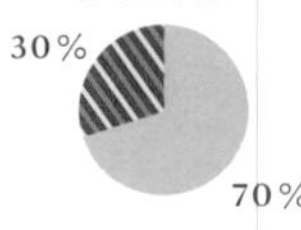

土壤

沖積土、冰磧土、崩積岩、泥灰岩質石灰岩土壤

氣候

受地中海型與大陸性氣候影響的溫帶氣候

薩瓦的葡萄園位於薩瓦省與上薩瓦省，喜愛涼爽的山坡地，海拔可達 500 公尺，雖號稱「高山葡萄園」（Vignoble alpin），但其實沒有想像中高。薩瓦葡萄園歷史悠久，在羅馬人來此之前即已存在，很適合生長在此地的冰磧土與崩積岩土質上。

這裡有多達 23 種葡萄品種，且多為當地品種。當地酒農最愛的品種有阿泰斯（Altesse，當地也稱 Roussette-de-savoie）、賈給爾（Jacquère）、胡姍（當地也稱 Bergeron）、夏思拉與蒙得斯（Mondeuse）：也就是說薩瓦的地方特色非常突出！然而，薩瓦的葡萄酒其實很少出口：多數被當地人喝掉了，當然每年來此登山或滑雪的觀光客也幫忙消耗不少。

薩瓦有兩個法定產區：薩瓦與薩瓦－胡榭特，在薩瓦的整個產區範圍內，都可以釀造這兩種酒。若在酒標上，除了標示薩瓦或是薩瓦－胡榭特，還特別標示 19 個地理區命名（優質村莊：Cru）中的任一，則表示酒質比較優越。上述的例子有：AOC Roussette de Savoie Frangy 或是 AOC Savoie Apremont 等。

假使酒標上標示有 Crémant-de-Savoie，表示這是當地品質最高的氣泡酒。它必須以「瓶中二次發酵法」製成，通常混調有賈給爾、阿泰斯與夏多內。

薩瓦－胡榭特
Roussette-de-savoie

阿泰斯品種又稱為胡榭特（Roussette），因為它成熟時呈現一絲紅褐色。雖然在整個薩瓦都能釀造薩瓦－胡榭特，然而主要的種植區域仍在法蘭基（Frangy）優質村莊以及布爾傑湖畔。品質最佳的薩瓦－胡榭特位於以下四個優質村莊：法蘭基、馬黑斯特（Marestel）、蒙特明諾（Monterminod）與蒙屋（Monthoux）。此酒干性清鮮，流動著佛手柑、杏仁以及紫羅蘭的滋味……雖然本區白酒多數趁年輕時飲用即可，但釀自薩瓦－胡榭特法定產區者，在瓶中陳年幾年後，滋味也能益趨複雜。

50 公頃

塞樹
Seyssel

塞樹法定產區十分特殊，它其實分屬於薩瓦與布杰（Bugey）兩產區。塞樹葡萄園西邊，有 1,531 公尺的大哥倫比山脈（Grand Colombier）聳立，園區海拔介於 200-400 公尺，在冰磧土上展現風土滋味。這裡的干性白酒以阿泰斯釀成，帶有紫羅蘭與鳶尾花氣息，半甜（Demi-sec）版本比較圓潤，以洋槐和蜂蜜滋味引人。這裡也釀 100% 摩列特（Molette）品種裝瓶的白酒（有異國水果香氣，尾韻輕微帶苦），品種名也會標示於酒標上。塞樹的氣泡酒通常以數種品種釀成。

90 公頃

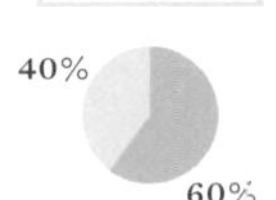

布杰
BUGEY

就在侏羅與薩瓦之間

布杰
布杰—胡榭特
在整個布杰區都可以釀造
瑟東優質村莊CERDON
瑟東
塞榭村
塞榭
大維希尤優質村莊
VIRIEU-LE-GRAND
蒙塔紐
馬匿可勒優質村莊
MANICLE
貝里
蒙塔紐優質村莊
MONTAGNIEU
布列斯布爾
朗河
隆河
布爾傑
Jasseron
Ceyzériat
Montagnat
Journan
Certines
St-Martin-du-Mont
Poncin
Cerdon
Mérignat
Pont-d'Ain
Jujurieux
St-Jean-le-Vieux
Priay
Ambronay
Montréal-la-Cluse
Nantua
Bellegarde-sur-Valserine
Hauteville-Lompnes
Corbonod
AMBÉRIEU-EN-BUGEY
St-Rambert-en-Bugey
LAGNIEU
Chavornay
Virieu-le-Grand
Culoz
Rossillon
Ceyzérieu
Contrevoz
Marignieu
Magnieu
BELLEY
Porcieu-Amblagnieu
Bénoinces
Montalieu-Vercieu
Bouvesse-Quirieu
Montagnieu
Lhuis
Creys-Mépieu
Groslée
Jongieux
Yenne
Arandon-Passins
Morestel
Sermérieu
Peyrieu
Vézeronce-Curtin
LES AVENIÈRES-VEYRINS-THUELLIN
N
E
S
O
0
3
6 km
布杰優質村莊
布杰—胡榭特優質村莊

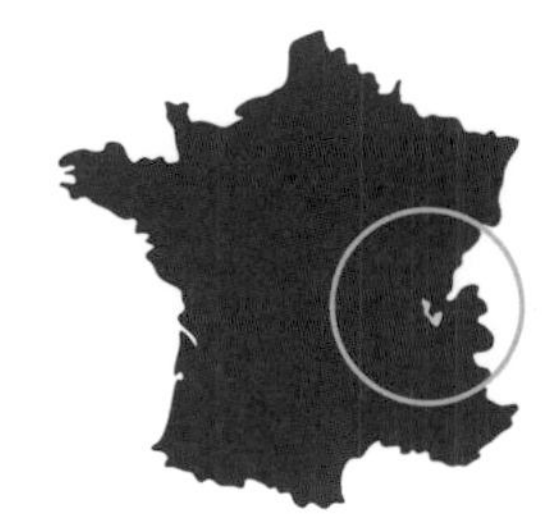

布杰 Bugey

布杰位於侏羅山脈南端，整體風情神似薩瓦，但其實也具有獨到之處，尤其在當地特色氣泡酒的釀造上。

品種

●
加美、蒙得斯、黑皮諾、普沙

●
夏多內、阿泰斯、賈給爾

種植面積

300公頃

釀造酒種

10%
17%
13%
60%

土壤

泥灰岩質石灰岩土、黏土質石灰岩土

氣候

受大陸性氣候影響的溫帶氣候

布杰僅有300公頃葡萄園，是繼洛林之後法國面積最小的產區。布杰常與薩瓦相提並論，這是因為兩產區有些相似之處，首先是兩者共同擁有塞樹（Seyssel）法定產區，再者是布杰－胡榭特（Roussette-du-Bugey）只能用阿泰斯釀酒，一如薩瓦－胡榭特的情形。薩瓦專長在干白酒的釀造，布杰則以釀造氣泡酒見長（占總產量的61%）。布杰的白酒主要以夏多內釀成（至少占51%），單一品種紅酒的釀造葡萄則是加美、黑皮諾與蒙得斯。

在布杰地方性法定產區的範疇裡，可以加註三個地理區命名（優質村莊：Cru）：

馬匿可勒優質村莊（Manicle）：這裡的石灰質土壤，可以讓黑皮諾盡展長才。夏多內老藤也可以釀出優良酒質。

蒙塔紐優質村莊（Montagnieu）：本村的崩積岩土質，最能展現蒙得斯品種的長處；所釀造的氣泡酒氣息誘人，具有少見的複雜度。

瑟東優質村莊（Cerdon）：在泥灰岩質石灰岩土壤的山坡上，酒農以普沙與加美葡萄，採用「老祖宗法」釀出低酒精度（7-9%）的美味粉紅氣泡酒。光是Bugey Cerdon法定產區，就能釀出將近一半的布杰葡萄酒產量。

在布杰－胡榭特（Roussette du Bugey）的法定產區範疇下，可以加註兩個地理區命名（優質村莊：Cru）：蒙塔紐優質村莊與大維希尤優質村莊（Virieu-le-Grand）。蒙塔紐的葡萄酒以明顯的礦物質風味著稱，大維希尤的酒款甚至會出現新鮮松露的風味。

塞樹葡萄園同時分屬布杰與薩瓦兩產區。這種看來頗為特異現象的產生，是因為隆河將塞樹村切分成左岸與右岸。一邊位於朗省（L'Ain），另邊位於上薩瓦省（Haute-Savoie），於是本村也有兩個村政府。目前有關單位正研討將左右岸合而為一，然而問題是：塞樹將來到底屬於哪一省份呢？

隆河

RHÔNE

傍河而生的葡萄園

里昂，25公里↑
Givors
羅亞爾省
羅第丘
維恩
格里耶堡
恭得里奧
伊塞爾省
0 10 20 km
聖喬瑟夫
隆河丘
北隆河
維寇爾山脈
艾米達吉
克羅茲－艾米達吉
伊塞爾河
高納斯
瓦隆斯
聖佩雷
維瓦瑞山脈
第瓦區
Côtes du Rhône
塞凡山脈
Privas
Crest
Die
迪—克雷耶特
迪丘
夏替雍第瓦
阿代須省
隆河
Aubenas
德隆省
第瓦山脈
蒙鐵利瑪
l'Ardèche
格里農阿德瑪
維瓦瑞丘
Grignan
Vallon-Pont-d'Arc
Côtes du Rhône Villages
Grignan-les-Adhémar
鄉村隆河丘
l'Aygues
巴侯尼山脈
凡索伯
l'Ouvèze
柏嵐
哈斯多
給漢
Vaison-la-Romaine
吉恭達斯
mont ventoux 1910 m
南隆河
瓦給哈斯
Côtes du Rhône Villages
馮度山
橘城
Côtes du Rhône
教皇新堡
威尼斯—彭姆
威尼斯—彭姆蜜思嘉
里哈克
卡彭塔
塔維勒
Ventoux
Uzès
Côtes du Rhône
杜榭杜蔡斯
Côtes du Rhône Villages
亞維儂
le Gard
嘉德省
Apt
Cavaillon
尼姆
Beaucaire
盧貝宏
盧貝宏山
貝爾嘉德—克雷耶特
尼姆丘
隆河口省
Durance
阿爾
Salon-de-Provence
蒙佩利耶
隆河

隆河 Rhône

隆河產區就像一本書，首先翻開的是北隆河的章節：這裡的釀酒史起自種植在極端陡峭、好似懸於天邊的葡萄園。之後以南隆河當作終章：隆河的葡萄園南端與普羅旺斯接壤，葡萄在熱浪與來自北方的乾冷密斯特拉風中成長茁壯。

品種

希哈、格那希、慕維得爾、仙梭、卡利濃

維歐尼耶、胡姍、馬姍、白格那希、白克雷耶特、布布蘭克

種植面積

71,600 公頃

釀造酒種

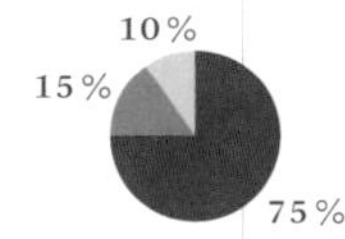

土壤

北隆河：黏土、小石塊、花崗岩。南隆河：黏土、小石塊、石灰岩或沙土。

氣候

北隆河：較溫和的大陸性氣候。南隆河：地中海型氣候。

在法國中央山脈與阿爾卑斯山系的雙重夾擊下，隆河谷地於焉誕生。北隆河的陡坡所顯現的僅是冰山一角：這裡一如多元風土所形成的千層派。北隆河花崗岩層的形成，源自中央山脈的火山群運動；南隆河的大型鵝卵石，則是幾千年來由河川推運散落各處。

隆河是法國最古老的葡萄園之一。一如許多產區，其風土與葡萄園的興盛都與所傍河流有關。隆河潺潺流過亞維儂的大橋下，不僅方便羅馬人通商、成為里昂人以及教皇的重要水源，也促成葡萄酒業的發展與傳承。

當地人會說：「酒要好喝，葡萄園必須能看見河。」不過這句諺語主要是指介於維恩與瓦隆斯之間的葡萄園，它們在極為陡峭的崖壁上延伸，以吸收最充足的陽光。北隆河的白酒主要以維歐尼耶釀成，紅酒的主角則是希哈。往南經過蒙鐵利瑪，就到了南隆河的範疇，葡萄園主要以東西向擴展，轉變成地中海型氣候，希哈讓位給格那希、慕維得爾、卡利濃與仙梭。

酒要好喝
葡萄園必須能看見河

南隆河紅酒性格強勁，海拔高些（200-400 公尺），酒質也細膩一些；白酒則圓潤而芬芳。在後面幾頁，我們將介紹隆河區的 17 個優質村莊（Cru）：隆河的最高分級。此外，也不會漏掉一般人較少注意到的迪－克雷耶特與尼姆丘產區。你準備好跟我順著隆河一探究竟了嗎？

隆河17個優質村莊

羅第丘
格里耶堡
恭得里奧
艾米達吉
克羅茲－艾米達吉
聖喬瑟夫
高納斯
聖佩雷

凡索伯
給漢
哈斯多
吉恭達斯
瓦給哈斯
威尼斯－彭姆
教皇新堡
里哈克
塔維勒

1446 年，布根地公爵下令禁止隆河的葡萄酒出現在布根地，深怕隆河酒獲得首都皇室喜愛而導致布根地葡萄酒失寵。原來葡萄酒的遊說團體自古已然存在！

隆河的葡萄品種

格那希

格那希的種植面積占整個隆河產區的一半有餘，可說是隆河的「大哥級」品種。它源自西班牙，在地中海沿岸地區與隆河谷地（尤其是南隆河）適應得極好。它也是教皇新堡紅酒用以混調的品種中的要角。即便以法國的範疇來論，格那希也是重量級品種：它是法國除了梅洛之外，種植第二多的釀酒葡萄。

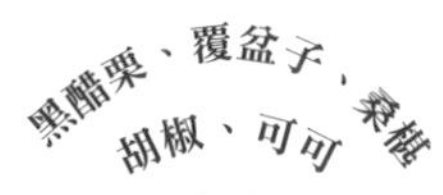

希　哈

希哈可說是隆河的葡萄品種之后，它種植在北隆河多陽的陡坡上。它除了在法國南部適應良好之外，在澳洲與加州也同樣表現出色……希哈果粒呈美麗的橢圓狀，藍黑的果色，所釀的酒非常芬芳、風味複雜、架構十足，酸度也不高。

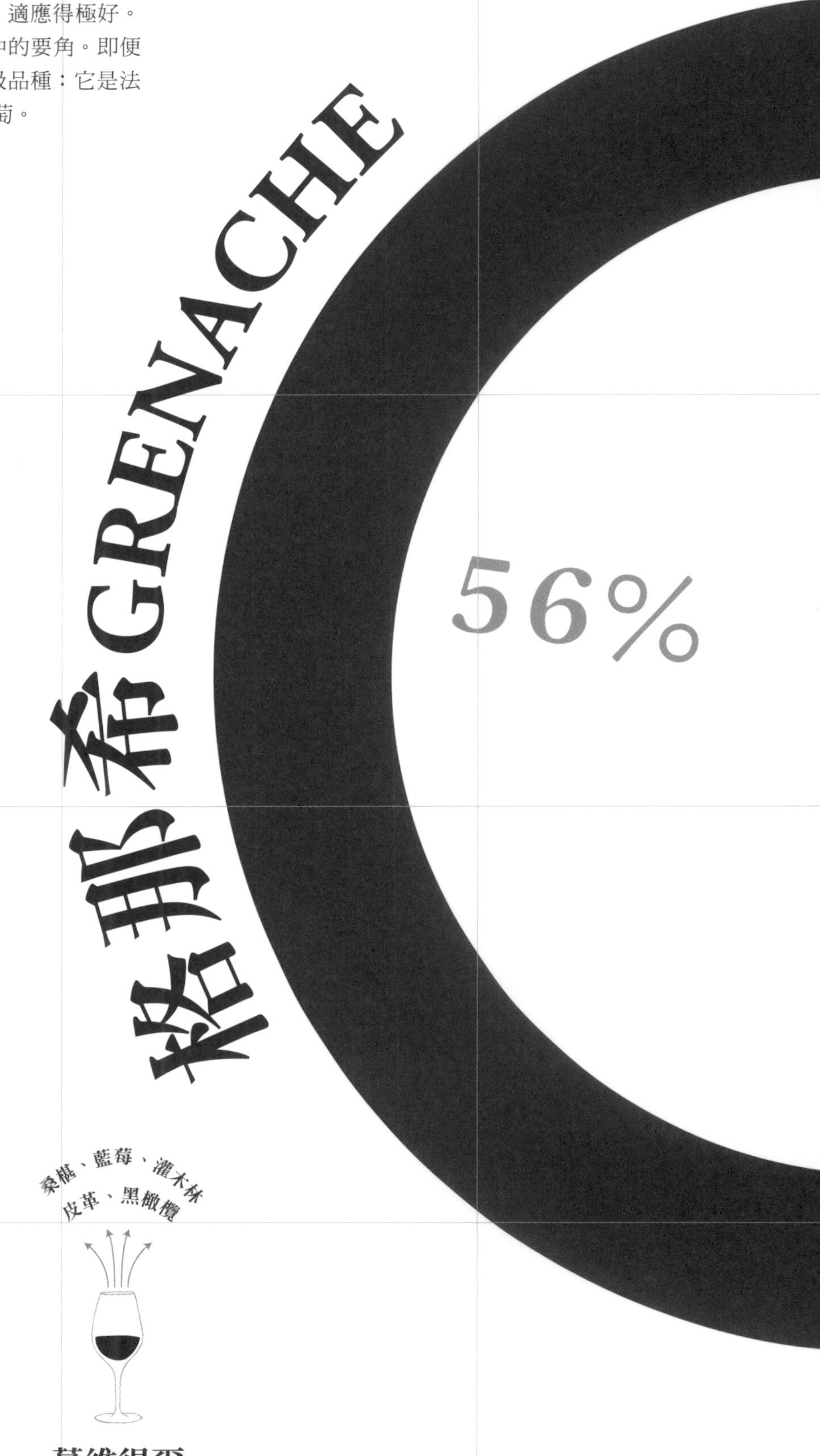

卡利濃

卡利濃很少以單一品種釀造與裝瓶，多與希哈、格那希或是仙梭混調。本品種喜愛溫暖氣候，不怕風吹，偏愛多石的山坡地。如果種在平原地帶，會顯得多產而平庸，坡地才能釀出卡利濃的真正特色：色深、強壯、芳香，且具有良好的儲存潛力。

慕維得爾

一如格那希以及卡利濃，慕維得爾出身伊比利半島，且通常用於混調。它不好搞，甚至有些難纏：成熟得晚、產量又低，更麻煩的是產量非常不穩定，也因此，種植慕維得爾的人愈來愈少了。當條件俱足時，它能產出相當深沉的酒色，且單寧架構扎實，使得最終酒質具有極好的儲存潛力與繁複的酒香。

其他品種

主流品種之外的其他品種，在隆河的使用率不是太高，但讀者仍需知道的有：用來釀造紅酒的古諾日、黑皮朴爾（Picpoul noir）與灰格那希（Grenache gris）以及用以釀造白酒的馬姍、胡姍、布布蘭克以及白于尼。

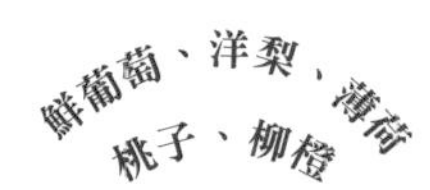

蜜思嘉

隆河的蜜思嘉最常用來釀造威尼斯－彭姆蜜思嘉（Muscat de Beaumes-de-Venise），蜜思嘉的葡萄樹常種在多陽、以矮石牆築成的斜坡梯田上。它的果粒小而甜，所釀的酒非常芬芳，酒質強勁細緻兼具，常帶有橙橘、熱帶水果與一些植蔬氣息。

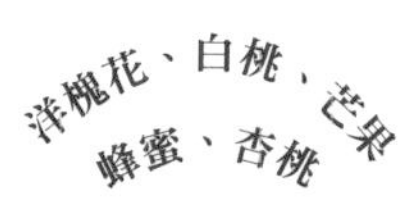

維歐尼耶

這是用來釀造恭得里奧與格里耶堡兩個法定產區的經典品種，它甚至也參與部分北隆河偉大紅酒的混調配角，以帶來甜潤感與細膩度。以單一品種裝瓶時，維歐尼耶奔放的香氣與尾韻長度，在在讓人刮目相看。

白克雷耶特

本品種主要用來釀造第瓦區的氣泡酒，以及貝爾嘉德－克雷耶特產區的干白酒。所釀酒質清鮮微酸，末段帶一絲苦韻。以白克雷耶特為主要釀造品種的酒款，基本上趁年輕時喝掉即可。

仙　梭

仙梭是普羅旺斯的古老品種，常用於釀造粉紅酒。它的酒香相當細緻，單寧架構不強，在南法葡萄酒的混調中，正好帶來可口的果香。仙梭是多產的品種，因而必須限制每公頃產量以提升酒質。

羅第丘
Côt-Rôtie

隆河優質村莊

在羅第丘上進行農事，有如走鋼索般令人膽戰心驚。這裡的葡萄園坡度有時甚至可達 60 度，採收時，必須在採收工身上繫條安全索以策安全。

品種
- ● 希哈
- ● 維歐尼耶

種植面積
280 公頃

釀造酒種
100%

土壤
雲母片岩、淡色片麻岩（leucogneiss）、混合岩（migmatites）

羅第丘是非常獨特的葡萄園，海拔介於140-320公尺，部分梯田工事築於羅馬人時期。本產區是希哈葡萄的聖殿，可說是隆河谷地的葡萄園寶藏之一。

照字義直譯，Côte-Rôtie 意即「炙燒的山丘」。隆河往南流經維恩後，朝地中海方向前進，並在此突然改變河道流向，朝西南向拐個大彎，繼續流 7 公里，並使位於河北面的朝南山坡完全暴露在陽光照射之下。再加上部分坡段受到屏障，不受密斯特拉風影響，使這裡的酒完整地呈現「陽光風味」。

我們常常把羅第丘裡的棕丘（Côte brune）與黃金丘（Côte blonde）相對立來看。傳說中，安裴鎮有位貴族將此兩園依兩個女兒的不同髮色來命名。不過，比較可信的說法是棕丘的命名與土壤有關：土裡含有許多顏色較深的雲母片岩。黃金丘則是因為這裡種有羅第丘最多的維歐尼耶（成熟果粒呈金黃色）。

照字義直譯 Côte-Rôtie 意即「炙燒的山丘」

加入維歐尼耶混釀（混釀比例約 0-20%），目的是使得酒體更為圓潤。

在羅第丘北部的土壤（黏土＋片岩＋雲母）裡，希哈能表現出最優雅的風貌。往南邊走，土壤裡含有較高比例的花崗岩，酒體呈現更鮮明的花香。羅第丘的酒色偏深，有時呈現一些番石榴光澤，實為法國葡萄酒的珍寶。

恭得里奧與格里耶堡

Condrieu & Château Grillet

毫無疑問是法國最稀罕與個性獨具的葡萄酒。

1930 年代，維歐尼耶被認為是世界上最好的白酒品種之一，卻在 1960 年代瀕臨絕種，當時全世界只剩 10 公頃的種植面積。幸好有幾位喜愛維歐尼耶細緻質地的頑固份子，不僅沒放棄，還加緊種植，並使恭得里奧酒質回復過往的高度。時至今日，維歐尼耶不僅沒有絕跡，也種植在美國與澳洲。

如今恭得里奧的產量仍然相當小，種植面積僅有 170 公頃。其酒質豐潤飽滿，帶有檸檬皮、橘子與杏桃的滋味。它的圓潤感源自黏土質花崗岩土壤的培育。

恭得里奧的風土孕育了豐潤飽滿的酒質芬芳盈人

格里耶堡法定產區（1936 年獲得法定產區資格，僅 3.5 公頃）就位於恭得里奧的核心處，它也是獨占園（Monopole）：只有在那擁園的同名酒莊（Château-Grillet）有資格釀造格里耶堡。一如羅第丘有「炙燒的山丘」之意，格里耶堡就指「被燒烤的酒堡」，夏日午後尤其如此。格里耶堡是法國面積最小的法定產區，每年平均產量只有 1 萬瓶：先搶先贏囉！

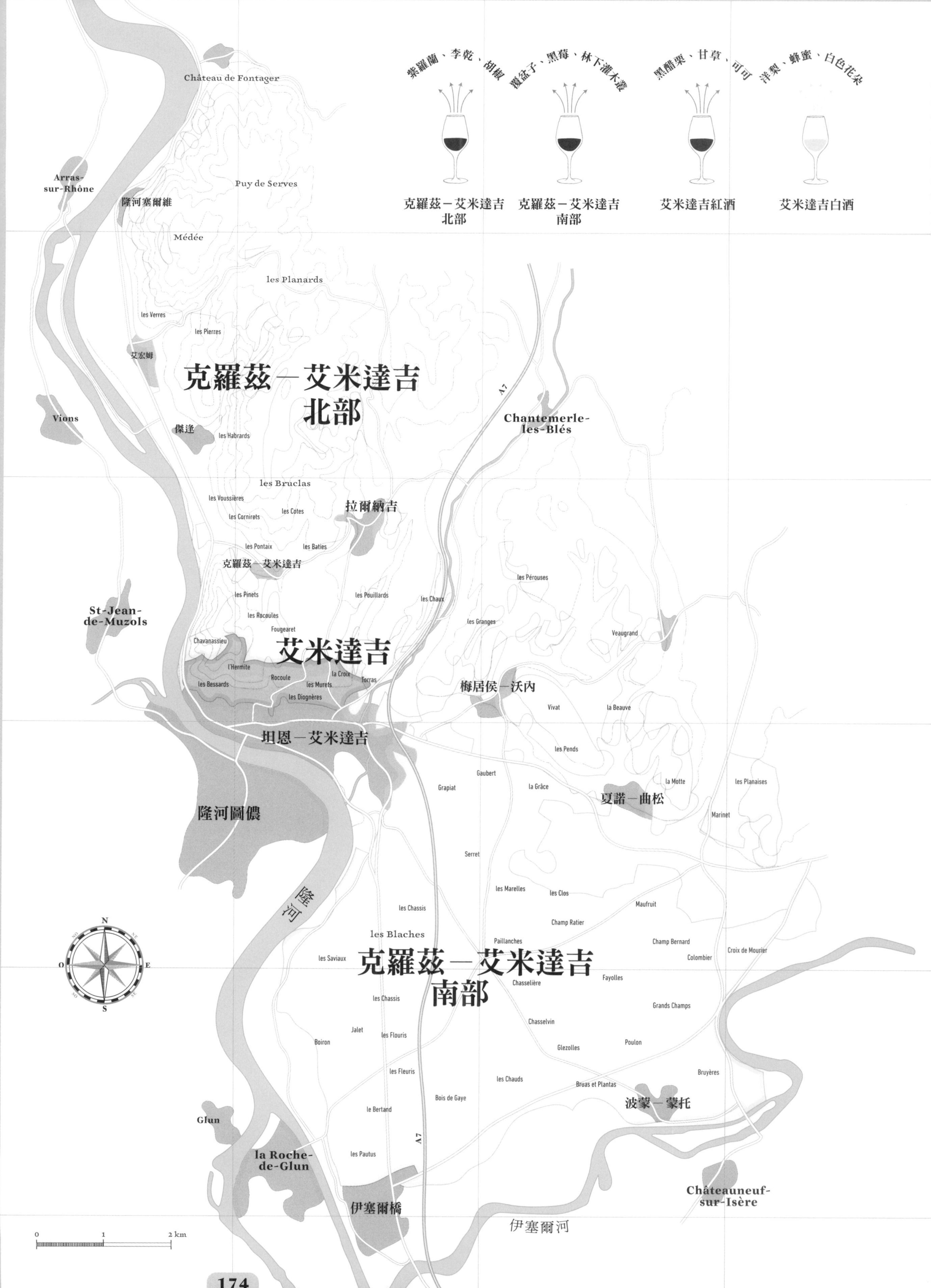
紫羅蘭、李乾、胡椒
覆盆子、黑莓、林下灌木叢
黑醋栗、甘草、可可
洋梨、蜂蜜、白色花朵
克羅茲－艾米達吉北部
克羅茲－艾米達吉南部
艾米達吉紅酒
艾米達吉白酒
Château de Fontager
Puy de Serves
Arras-sur-Rhône
隆河塞爾維
Médée
les Planards
les Verres
les Pierres
艾宏姆
克羅茲－艾米達吉北部
Vions
傑逢
les Habrards
Chantemerle-les-Blés
A7
les Bruclas
les Voussières
les Cornirets
les Cotes
拉爾納吉
les Pontaix
les Baties
克羅茲－艾米達吉
les Pinets
les Pouillards
les Chaux
les Pérouses
St-Jean-de-Muzols
les Rocoules
Fougearet
les Granges
Veaugrand
Chavanassieu
艾米達吉
l'Hermite
la Croix
les Bessards
Rocoule
les Murets
Torras
les Diognères
梅居侯－沃內
Vivat
la Beauve
坦恩－艾米達吉
les Pends
Gaubert
Grapiat
la Grâce
la Motte
les Planaises
夏諾－曲松
Marinet
隆河圖儂
Serret
les Marelles
les Clos
隆河
les Chassis
Maufruit
Champ Ratier
les Blaches
Paillanches
Champ Bernard
les Saviaux
克羅茲－艾米達吉南部
Colombier
Croix de Mourier
Fayolles
Chasselière
les Chassis
Grands Champs
Chasselvin
Jalet
les Flouris
Boiron
Glezolles
Poulon
les Fleuris
les Chauds
Bruas et Plantas
Bruyères
Bois de Gaye
波蒙－蒙托
le Bertand
Glun
A7
la Roche-de-Glun
les Pautus
Châteauneuf-sur-Isère
伊塞爾橋
伊塞爾河
N
E
S
O
0
1
2 km

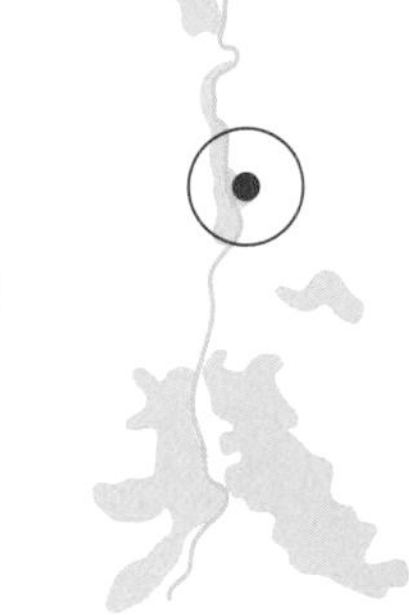

艾米達吉與克羅茲－艾米達吉
Hermitage & Crozes-Hermitage

本產區與騎士有關、與希哈葡萄有關，更與職涯轉換息息相關，
產區釀酒史非常引人入勝呢！

品種

黑格那希、希哈、慕維得爾

白格那希、胡姍、布布蘭克

種植面積

3,145 公頃

釀造酒種

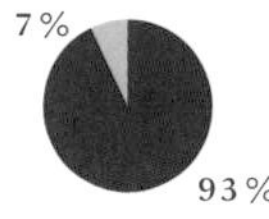

土壤

鵝卵石、多石的黏土質土壤、石灰岩質沙土

一位叫做史特林堡的騎士（Henri-Gaspard de Stérimberg）在 1224 年時決定改變生涯規劃，這也成了歷史上最佳的職涯轉換案例。他厭倦了連年征戰，於是回鄉過起隱士生活。他選擇一個多陽的山頭，在上頭蓋了座小教堂，隨後便開始植樹釀酒。葡萄樹在幾個世紀前已然存在，不過這個規模不大的葡萄園的盛名以及風土潛力的開發，仍與史特林堡的歷史與農事息息相關。

艾米達吉這座山頭名列葡萄酒世界的七大驚奇之一。此植滿葡萄樹的山坡可說是由幾代以來的葡萄農「雕塑」而成，在上頭往下鳥瞰隆河流過的景色美得出奇，隆河也將左、右岸劃開成為德隆省與阿代須省。這裡可以遠眺白朗峰，腳下山坡則是釀造紅酒的天堂，也僅有三十幾位葡萄農有幸釀造艾米達吉法定產區葡萄酒。這裡也是北隆河左岸少數的山坡葡萄園，陡峭的右岸則聚集了北隆河絕大多數的園區。

艾米達吉這座山頭被列入葡萄酒世界七大驚奇之一

希哈是世界最偉大的品種之一。在此陡峭山頭，希哈可說如魚得水，展現出超現實的酒質深度，好似葡萄農的辛勤都一併裝入瓶中。斜陡的山坡讓耕作顯得異常困難，但心血並未白費。法規允許艾米達吉與克羅茲－艾米達吉這兩個法定產區可以添入白葡萄（最多 15%）以為酒帶來一絲清爽感與酸度。

我們將園區分為三組以方便討論：

克羅茲－艾米達吉北部（Crozes-Hermitage Nord）：屬於比較冷涼的花崗岩土壤，丘陵起伏，酒質濃縮，年輕時可能顯得過於嚴肅。

艾米達吉（Hermitage）：小規模的南向陡峭葡萄園。屬於法國最罕見的紅酒之一。酒質強勁，呈較深的紅寶石酒色，儲存潛力可達 20 年。

克羅茲－艾米達吉南部（Crozes-Hermitage Sud）：屬於較溫暖的多石臺階形式葡萄園，地形相當平坦，酒質年輕時就顯得相當可口。

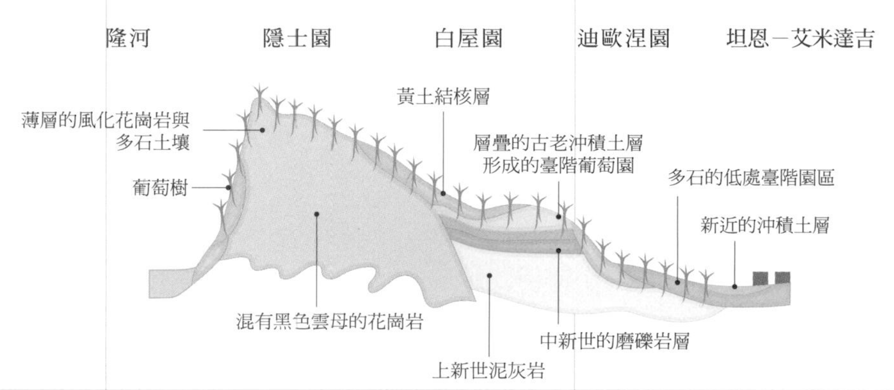

艾米達吉山丘的地質剖面圖

聖喬瑟夫
Saint-Joseph

隆河優質村莊

這是隆河谷地分布最廣的優質村莊產區，其葡萄園順著隆河右岸蜿蜒地種植長達55公里，途經許多小村莊。因距離之故，南邊積雷宏格蘭居的採收日期會早於北邊的夏瓦內。

品種

希哈

馬姍、胡姍

種植面積

1,330公頃

釀造酒種

13%

87%

土壤

北部是較柔軟的片麻岩以及花崗岩；南部是較貧瘠與酸性較高的花崗岩

聖喬瑟夫的葡萄園在狹窄的花崗岩臺階地上，朝東南向。一如其他北隆河產區，園區的坡度很陡，而希哈也是最主要品種。大雨時，這些臺階地梯田有助於水土保持，也能讓雨水往下滲透。近年來，聖喬瑟夫的葡萄酒（當地人暱稱 Saint-Jo）因里昂小酒館餐廳的推廣，愈來愈受歡迎，可說大器晚成。本區的種植史與地理分布都沒幫上聖喬瑟夫什麼忙，在過去，本區的酒都以「莫夫村葡萄酒」（Vins de Mauves）銷售。除了成名較晚，本區也沒有任何一村名叫聖喬瑟夫。1956 年時，聖喬瑟夫的法定產區只占地 90 公頃，現則達 1,330 公頃。聖喬瑟夫物有所值、架構好、相當優雅，酒價也比旁臨的知名優質村莊來得平易近人。聖喬瑟夫的白酒長期處於恭得里奧的陰影下，紅酒則遭克羅茲－艾米達吉掩去光芒，被認為酒質普通。不過，今日的聖喬瑟夫展開反攻，不管紅酒或白酒，都已成為北隆河不可錯過的優質村莊美酒。

聖喬瑟夫的名聲可以「大器晚成」來形容

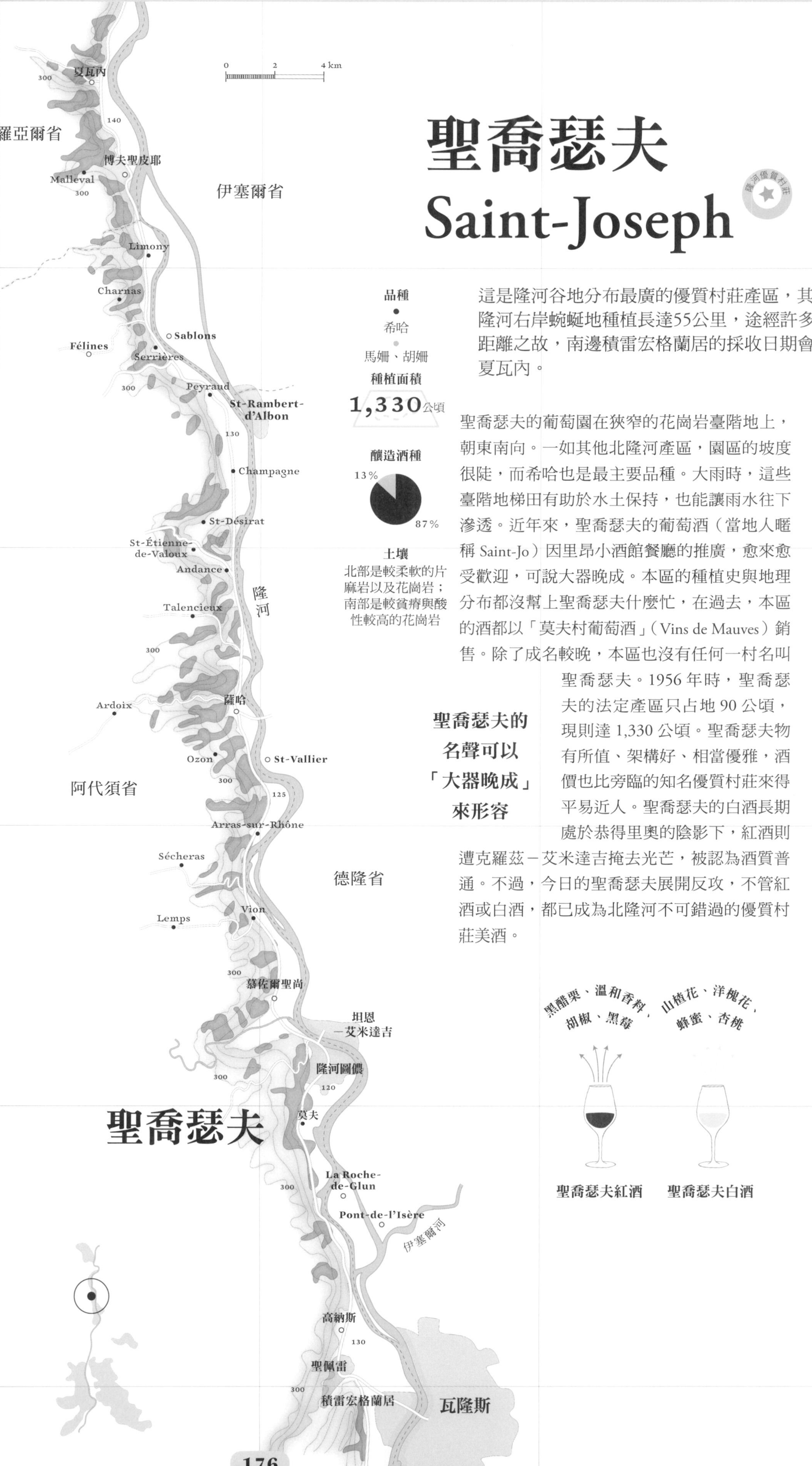

黑醋栗、溫和香料、胡椒、黑莓

山楂花、洋槐花、蜂蜜、杏桃

聖喬瑟夫紅酒　聖喬瑟夫白酒

0 0,25 0,5 km

le Coulet
les Arlettes
隆河
les Eygas
Jouvet
la Mure
Chaillot
Précharnier
Rouveure
les Peupliers
Pied la Vigne
St-Pierre
Tézier
les Aires
Chanas
la Viale
Chaban
高納斯
les Mazards
les Rieux
高納斯
Chambon
la Lègre
la Sabrote
les Près
les Savaux
les Plaines
Rougeole
Bouyonnet
le Grand Bois
Rancurel
Clarençon
284 240 336 217 432 421 343 388 452 342 405 204 453 422 368 220 135 354 230 129

隆河優質村莊

紅色水果、黑色水果、皮革、動物調性

高納斯 Cornas

高納斯是繼羅第丘與艾米達吉之後，北隆河產區的第三顆紅色珍珠。

品種

•

希哈

種植面積

150 公頃

釀造酒種

100%

土壤

花崗岩臺階地、花崗岩混合軟泥、片麻岩

高納斯產區位於瓦隆斯市西北邊不遠，屬阿代須省境內，其葡萄園位在法國中央高原的花崗岩地質邊緣處，較高一些的海拔有利於酒質尋得一絲清爽。在此，中央高原與隆河的轉角處相接。

高納斯的葡萄園劃分成許多小塊，園區海拔可達420公尺，成為北隆河海拔最高的葡萄園。高納斯可以區分為兩大範疇來看，一是山腳與高原區：果香較為豐富；另一是陡坡園區：這裡更能反應本法定產區的本質，口感也更為濃郁。

依規定，羅第丘與艾米達吉的紅酒可摻入小比例的白葡萄，但高納斯紅酒只能以百分之百的希哈釀成：也因此其口感更為集中，然而現下的高納斯已經擺脫過往有時顯得過於嚴肅堅硬的特質。高納斯的特色在於酒色深沉，近乎黑色（也被稱為「黑酒」），並反射一些紫色光澤，完全呈現希哈本色。

高納斯的酒色近乎黑色

北隆河其他產區 Autres vins du Rhône septentrional

里昂丘 Coteaux du Lyonnais

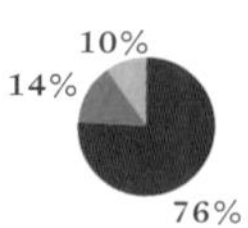

里昂丘算是連接薄酒來與隆河谷地之間的「橋梁產區」。19 世紀時，里昂丘的葡萄園一度達到 12,000 公頃，然而之後的葡萄根瘤芽蟲病與里昂市郊的向外擴張，都使本區葡萄園面積急遽縮小，目前只剩當年的五十分之一。這裡種植加美以釀造口感爽脆的紅酒與粉紅酒，帶有黑醋栗、草莓以及覆盆子氣息。夏多內白酒則酒質柔軟圓潤，當混調阿里哥蝶時，滋味更顯酸爽。

聖佩雷 Saint-Péray

聖佩雷最有名的是氣泡酒，曾為皇室愛用，作家朱爾．凡爾納（Jules Verne, 1828-1905）曾將它形容為「南法的香檳」，只不過一度為世人所遺忘。今日的聖佩雷反以靜態白酒重新吸引世人目光：其風味較其他北隆河白酒更加鮮爽。主要釀造品種是馬姍，有時會混一些胡姍，展現出細膩的紫羅蘭、山楂花與洋槐花的氣韻，陳年幾載後會演化出更鮮明的礦物質氣息。

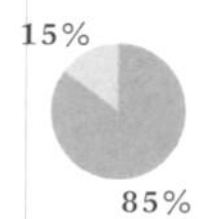

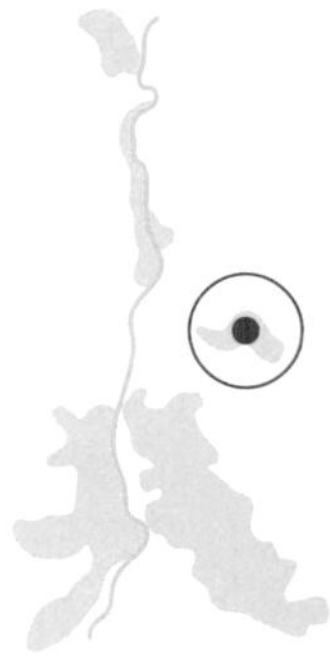

第瓦區 Diois

來到第瓦區，葡萄園已然遠離隆河，開始爬上較為冷涼的山頭：本區介於維寇爾山脈（Vercors）與普羅旺斯巴宏尼山區（Baronnies provençales），介於大陸性氣候與地中海型氣候之間。

品種

加美、黑皮諾、希哈

白克雷耶特、蜜思嘉

種植面積

1,600 公頃

釀造酒種

0.5%
0.5%
99%

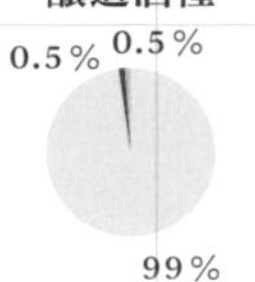

屬於小規模的夏替雍第瓦（Châtillon-en-Diois）葡萄園僅有五十多公頃，位於維寇爾山脈南側，有些區塊甚至可攀至海拔600公尺。夏替雍第瓦僅出產靜態酒，這在第瓦區可是產量極微的邊緣產品。這裡的紅酒順口易飲，主要以加美釀成，有時會混調黑皮諾或是希哈。白酒干性不甜，以阿里哥蝶與夏多內釀成。

迪－克雷耶特就是第瓦區的招牌酒款

迪－克雷耶特（Clairette de Die）是第瓦區的招牌酒款，是以蜜思嘉釀成的氣泡酒，與酒名教人臆測的不同，白克雷耶特反而是混調裡的次要品種。在酵母未完全消耗掉葡萄裡的糖分之前，發酵過程就會停止，以讓酒液帶有甜味，且維持較低的酒精濃度（7%-8%）。

迪氣泡酒（Crémant de Die）與迪－克雷耶特的主要差別在於品種組成：前者的主要品種是白克雷耶特，並混有阿里哥蝶以及微小比例的蜜思嘉。迪氣泡酒帶有極為芳香的鼻息，以白花香氣為特色，使它與本區其他氣泡酒有著顯著的差異。

第瓦區的99%的產量是迪－克雷耶特以及迪氣泡酒，讓我們也開瓶來慶祝一下吧！

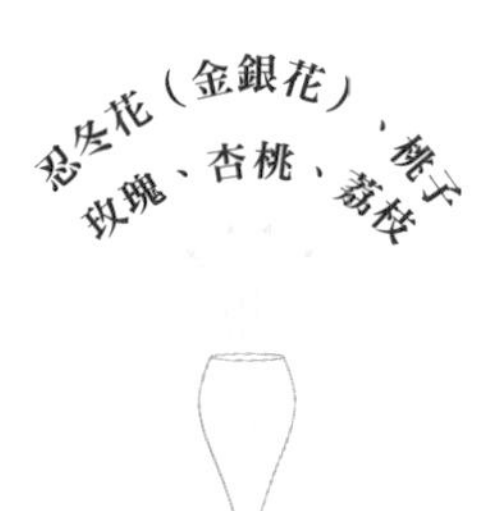

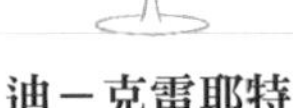

忍冬花（金銀花）、桃子
玫瑰、杏桃、荔枝

迪－克雷耶特

白花氣息、綠蘋果、果乾

迪氣泡酒

Chamaloc
Vachères-en-Quint
Ponet-et-St-Auban
Romeyer
Beaufort-sur-Gervanne
德隆省
Ste-Croix
Cobonne
Suze
德隆河
迪
Montclar-sur-Gervanne
Pontaix
夏替雍第瓦
Véronne
Barsac
克雷斯特
錫河奧斯特
密哈貝爾布拉孔
Solaure-en-Diois
Laval d'Aix
Vercheny
Châtillon-en-Diois
塞楊
Aurel
St-Roman
Piégros-la-Clastre
Aubenasson
Espenel
Montmaur-en-Diois
St-Sauveur-en-Diois
Menglon
Chastel-Arnaud
Barnave
Recoubeau-Jansac
St-Benoît-en-Diois
Montlaur-en-Diois
迪－克雷耶特與
迪氣泡酒
Luc-en-Diois
0
2
4 km
Poyols

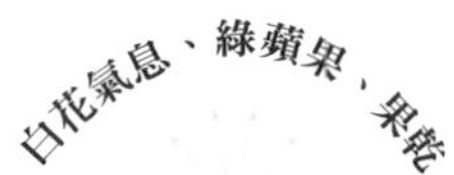

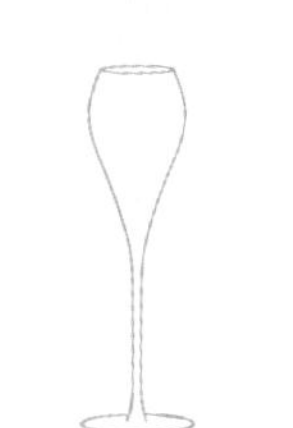

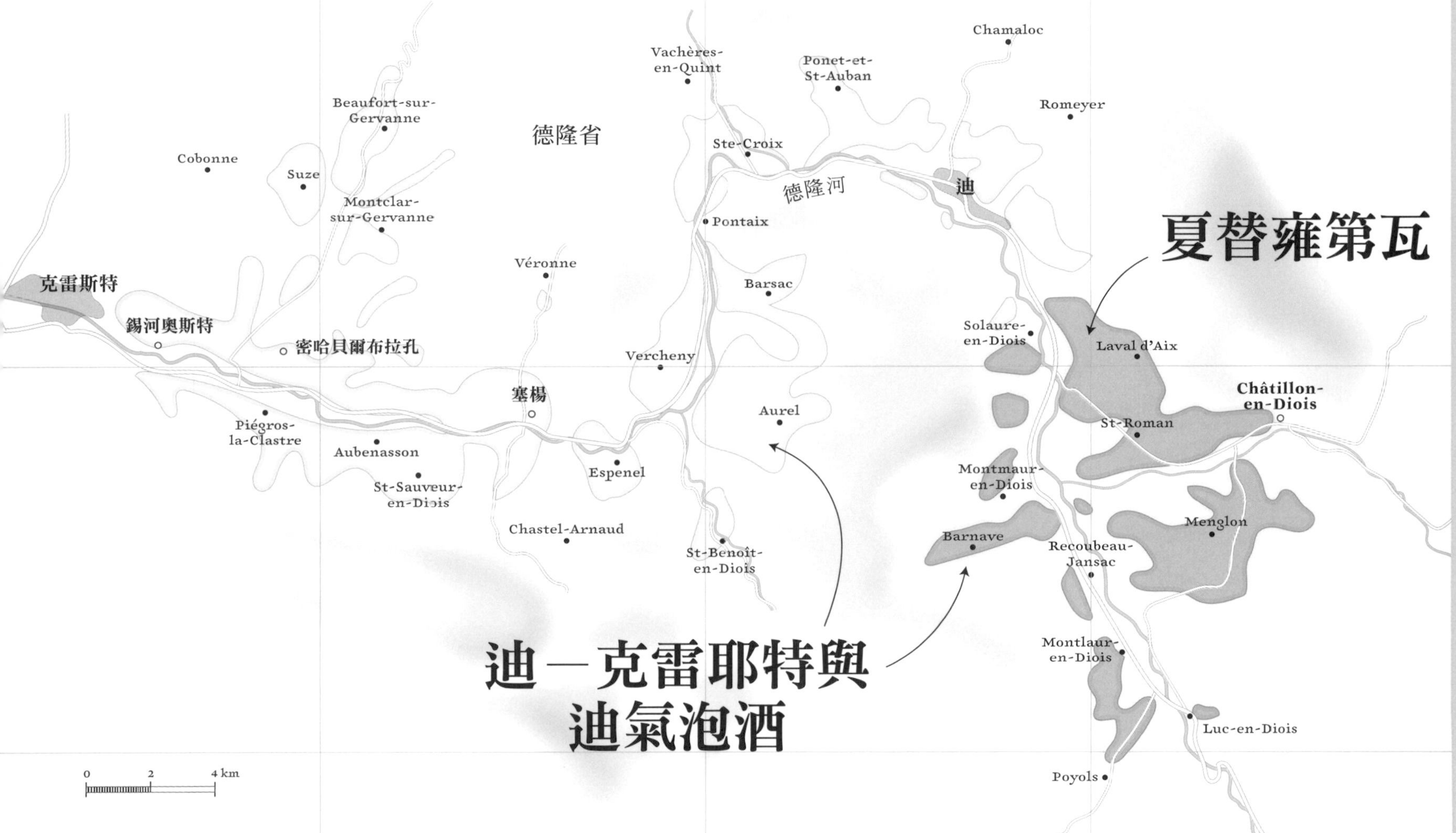

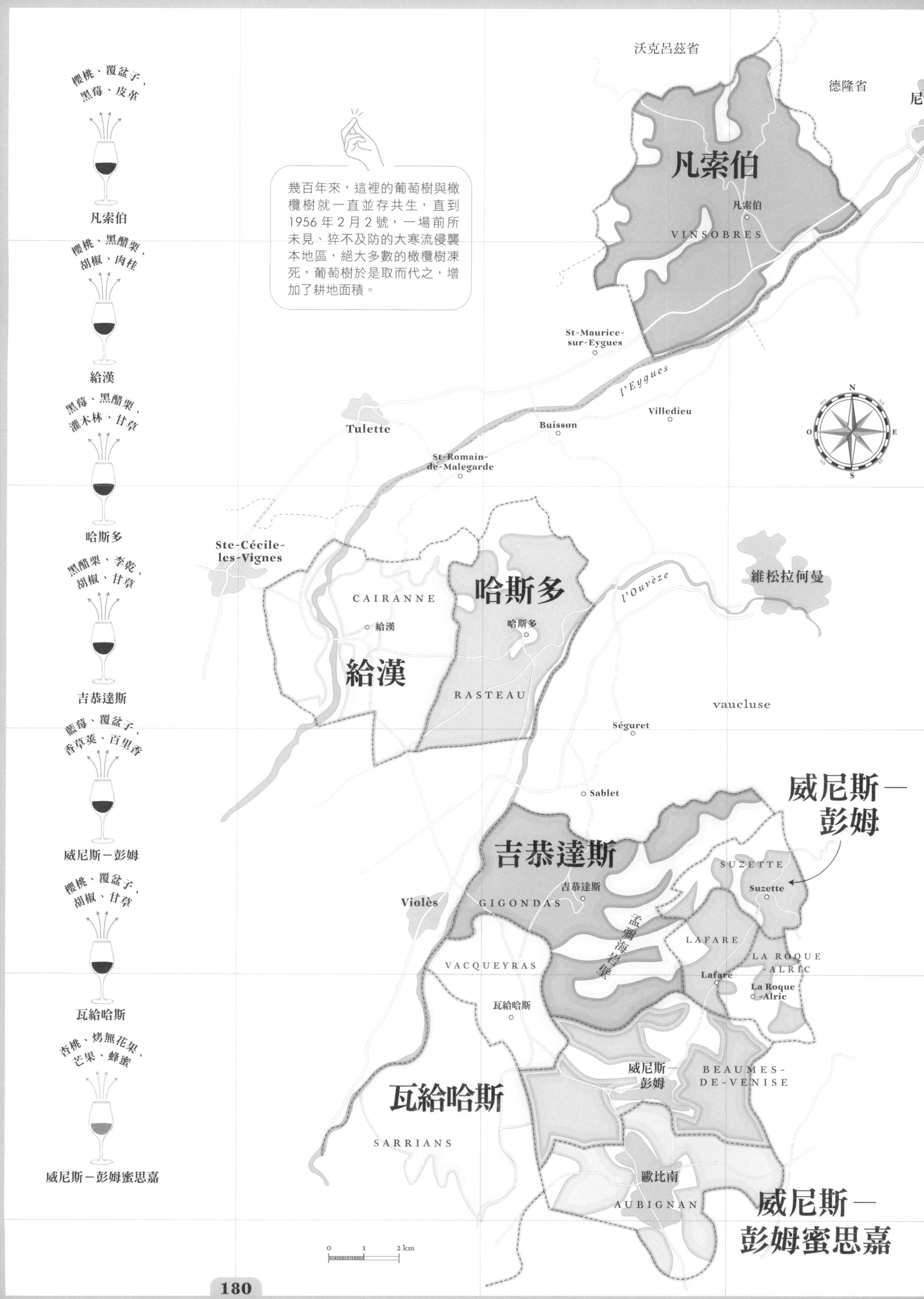

櫻桃、覆盆子、黑莓、皮革
凡索伯
櫻桃、黑醋栗、胡椒、肉桂
給漢
黑莓、黑醋栗、灌木林、甘草
哈斯多
黑醋栗、李乾、胡椒、甘草
吉恭達斯
藍莓、覆盆子、香草莢、百里香
威尼斯－彭姆
櫻桃、覆盆子、胡椒、甘草
瓦給哈斯
杏桃、烤無花果、芒果、蜂蜜
威尼斯－彭姆蜜思嘉
幾百年來，這裡的葡萄樹與橄欖樹就一直並存共生，直到1956年2月2號，一場前所未見、猝不及防的大寒流侵襲本地區，絕大多數的橄欖樹凍死，葡萄樹於是取而代之，增加了耕地面積。
沃克呂茲省
德隆省
凡索伯
凡索伯
VINSOBRES
St-Maurice-sur-Eygues
l'Eygues
Villedieu
Buisson
Tulette
St-Romain-de-Malegarde
Ste-Cécile-les-Vignes
哈斯多
CAIRANNE
給漢
哈斯多
給漢
RASTEAU
l'Ouvèze
維松拉何曼
vaucluse
Séguret
Sablet
威尼斯－彭姆
吉恭達斯
吉恭達斯
GIGONDAS
Violès
SUZETTE
Suzette
孟彌海岩壁
LAFARE
LA ROQUE-ALRIC
Lafare
La Roque-Alric
VACQUEYRAS
瓦給哈斯
威尼斯－彭姆
BEAUMES-DE-VENISE
瓦給哈斯
SARRIANS
歐比南
AUBIGNAN
威尼斯－彭姆蜜思嘉
0 1 2 km

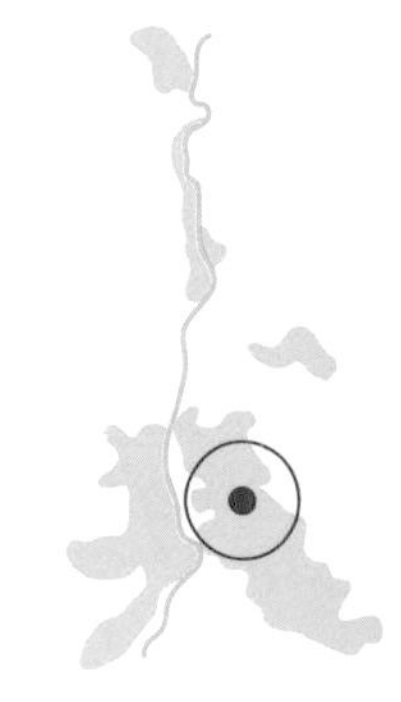

凡索伯 Vinsobres

凡索伯是南隆河海拔最高的產區之一（介於 200-450 公尺）。位於普羅旺斯德隆省的本產區近年迎來新氣象：已有三成的葡萄園改為有機種植。

1,376 公頃

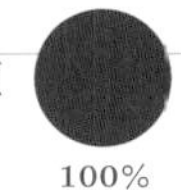

100%

給漢 Cairanne

愈往南方走，品種愈顯得多元。在迷人的給漢村周圍，人們種植格那希、希哈與慕維得爾以釀造紅酒；採用白克雷耶特、白格那希與胡姍以釀白酒。給漢是隆河最後一個列入優質村莊葡萄酒的產區。

856 公頃

4%

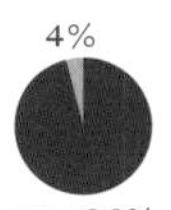

96%

哈斯多 Rasteau

經過哈斯多酒農的長年努力，終於在 2010 年讓本產區紅酒獲得法定產區認證，使世人進一步認識哈斯多也能釀造優質紅酒。本區也以釀造天然甜葡萄酒（Vin Doux Naturel, VDN）聞名。

2% (vdn)

953 公頃

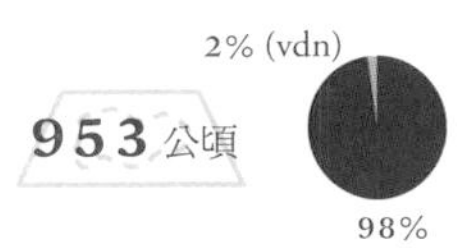

98%

吉恭達斯 Gigondas

吉恭達斯是繼教皇新堡之後，南隆河最知名的葡萄酒。本區土壤以灰色石灰岩為特色。吉恭達斯紅酒滋味豐富、強健，宏大架構使其非常適合陳年。酒質年輕時以黑醋栗風味為主調，陳年後會出現甘草或可可的風味。

1,189 公頃

2%

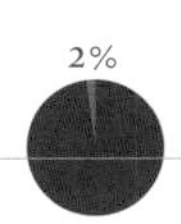

98%

威尼斯－彭姆 Beaumes-de-Venise

本產區名與義大利威尼斯水都毫無關係，而是源自舊時的威尼桑郡（Comtat Venaissin），當時該郡以卡彭塔（Carpentras）為首府。然而，威尼斯－彭姆的景色倒是與托斯卡尼的葡萄園與橄欖樹遍布的景色有幾分類似。由於海拔較高（可達 400 公尺），氣候較為涼爽，因而本區紅酒顯得相當均衡。

660 公頃

100%

瓦給哈斯 Vacqueyras

早自 1998 年，瓦給哈斯就獲選為亞維儂藝術節官方用酒。本區位於知名的孟彌海岩壁（Dentelles de Montmirail）山區下方，共有 160 家酒莊在這片廣泛的沖積臺階地（當地稱為灌木林高原 Plateau des Garrigues）上耕耘。

1,438 公頃

4% 1%

95%

威尼斯－彭姆蜜思嘉 Muscat de Beaumes-de-Venise

雖然以釀造紅酒為主，然而在威尼斯－彭姆蜜思嘉，蜜思嘉葡萄生根之久，早已成為傳統的一部分。這款天然甜葡萄酒本質優雅、滋味集中，也顯清鮮。一般認為應該趁酒款年輕時喝掉，然而，陳放十多年後再飲，你將會大大地驚喜其酒質的演變。

500 公頃

100%

橘城
庫鐵松
教皇新堡
貝達里德
索格
隆河
Coudoulet
la Barnouine
la Janasse
le Bousquet
Chapouin
Bois-Lauzon
la Bertaude
Cabrières
Palestor
la Gardiole
Baratin
Maucoil
Brusquières Ouest
les Brusquières
Bois-Dauphin
Pignant
les Bédines Nord
la Gulgasse
les Cassanets
Montredon
Farguerol Nord
Cabrières
le Pied Long
Pignan
le Cristia
Valori
le Pied de Baud
la Roquette
Pignan
le Rayas
le Pointu
Combes d'Arnavel
Beau Renard Nord
l'Arnesque
Farguerol Sud
Pradel
le Côteau de l'Ange
les Grandes Galiguières
Vaudieu
les Grès
le Cristia
St-Georges-Nord
St-Georges-Sud
l'Étang
le Grand Pierre
Combes Masques Nord
Combes Masques Sud
Beau Renard Sud
la Gardine
le Four à Chaux
le Tresquoys
les Terres Blanches
le Mourre de Gaud
Palintau
le Mourre des Perdrix
la Crau Est
les Saintes-Vierges Nord
le Grand Devès
les Bousquets
le Castelas
Charbonnières Ouest
Charbonnières Est
la Crau Ouest
les Saintes-Vierges Sud
les Esqueirons
les Roumiguières
Bois Sénéchaux
la Crau Sud
la Font du Loup
les Saummades Sud
Colombis
le Devès d'Estouard
Chemin de Courthezon
Montolivet
les Blaquières
le Parc
la Font du Pape
la Crau
la Croze
Barbe d'Asne
les Bourguignons
les Cabanes
le Village
Coste Froide
la Solitude
la Crau Est
Duvet Ouest
Duvet Est
le Lac
la Cerise
Relagnes
le Boucoup
la Crau-Ouest
la Chartreuse Nord
Pierre à Feu
les Parrans
le Clos
la Petite Crau
le Moulin à Vent
Mont-de-Viès
Mont-Pertuis
Font du Loup
Chemin de Châteauneuf
Réveirores Ouest
Réveirores Est
le Bois de la Ville
la Fortiasse
la Grenade
le Limas
la Bigote
les Mascaronnes
la Crau Sud
Font de Michelle
le Grand Plantier
les Marines
le Chemin de Sorgues
Pied-Redon
les Guarrigues
Marron
le Bois de Boursan
la Petite Bastide
la Nerthe
Crois de Bois
les Grandes Serres Ouest
les Plagnes
le Grand Chemin de Sorgues
les Combes
Cabane de St-Jean
Côteau de St-Jean
Patouillet
St-Louis
la Rigole
les Grandes Serres
les Escondudes
Sauvines
les Galimardes
les Petites Serres
Cansaud
les Revès
Pied-Redon
le Coulaire Ouest
Pigeoulet
Terre Ferme
Rascassa
les Bas Serres
les Serres
les Coulets
Cansaud
Fangueiron
Plan du Rhône
Nalffres
la Crousroute
le Grand Coulet
A7
N
E
S
O
0
0,5
1 km

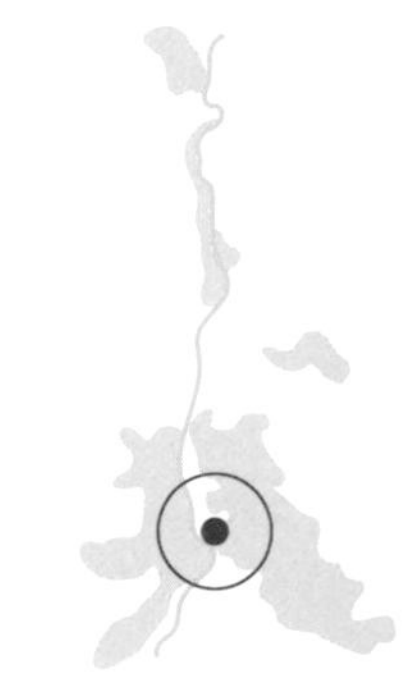

隆河優質村莊

教皇新堡
Châteauneuf-du-Pape

得益於諸位教皇，教皇新堡產區的名聲於焉建立，
它是南隆河最具領導地位的產區，以多樣品種釀成，
保有珍貴的獨特地位。

品種

● 黑格那希、希哈、慕維得爾

● 白格那希、胡姍、布布蘭克

種植面積

3,145 公頃

釀造酒種

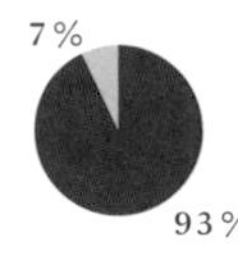

土壤

鵝卵石、多石的黏土質土壤、石灰岩質沙土

一如產區名所指稱，此為「教皇之酒」，教廷首先於 14 世紀時在亞維儂尋得了教皇的居所。之後的教皇尚二十二世（Jean XXII）在本鎮高處，命人建立了可以鳥瞰整鎮的城堡，鎮名後來成為教皇新堡，城堡也成為其避暑的行宮。教皇尚二十二世原是出自卡歐的富裕家族，他也將洛省的葡萄農叫來協助教皇新堡葡萄園的發展。由於冠上「教皇之酒」的稱號，當時本區的酒極富盛名，全歐洲都能品飲到教皇新堡葡萄酒。直到今日，其魅力未曾稍減，因為本法定產區的 66% 產量都用於出口。

當我們漫步在教皇新堡葡萄園裡時，最常見到的經典景色是滿布的鵝卵石，它們最早是由隆河自阿爾卑斯山順流推送而下。這些鵝卵石會儲存普羅旺斯陽光的熱能，使葡萄的風味更為濃縮。下層的黏土質可讓老藤的根系往下深探，以獲取水源。在本法定產區的西半部，通常含有較多的石灰岩質土壤，東半部則多沙。

傳統教皇新堡以13種葡萄釀成

此地風土的另一重要元素是密斯特拉風：此北風在夏季時可讓葡萄稍解酷熱。本地的地中海型氣候可讓夏季溫度飆到將近攝氏 40 度！風的吹送也有助於降低濕氣，減少葡萄樹羅病。

傳統上，教皇新堡的酒以 13 種葡萄釀成，每種葡萄各有其作用：有益於顏色、清鮮感、儲存潛力……許久以前，各品種都種在同一塊地上；今日的酒農則如珠寶工匠一般地精雕細琢，仔細地依據各自品種比例，混調出各家獨樹一格的教皇新堡。不過，風味熱情的格那希通常還是占據主位。今日，要找到一瓶混合 13 種品種的教皇新堡紅酒裡，已成難事。

教皇新堡紅酒酒質強勁，架構雄渾宏大，通常必須將其忘在酒窖裡幾年光陰，才能嘗到教皇新堡的真正潛力。教皇新堡白酒較為罕見，但滋味同樣令人陶醉：酒質圓潤飽滿，香氣外放豐富。

月桂葉、百里香、胡椒、甘草、覆盆子、草莓、黑醋栗

教皇新堡紅酒

茴香、八角、洋槐、椴花、白桃、杏仁

教皇新堡白酒

• 仙梭
• 胡姍
• 蜜思卡丹
• 古諾日
• 克雷耶特
•• 格那希
• 瓦卡黑斯
• 皮卡東
• 希哈
• 黑鐵黑
• 布布蘭克
• 皮朴爾
• 慕維得爾

允許在教皇新堡使用的13種品種

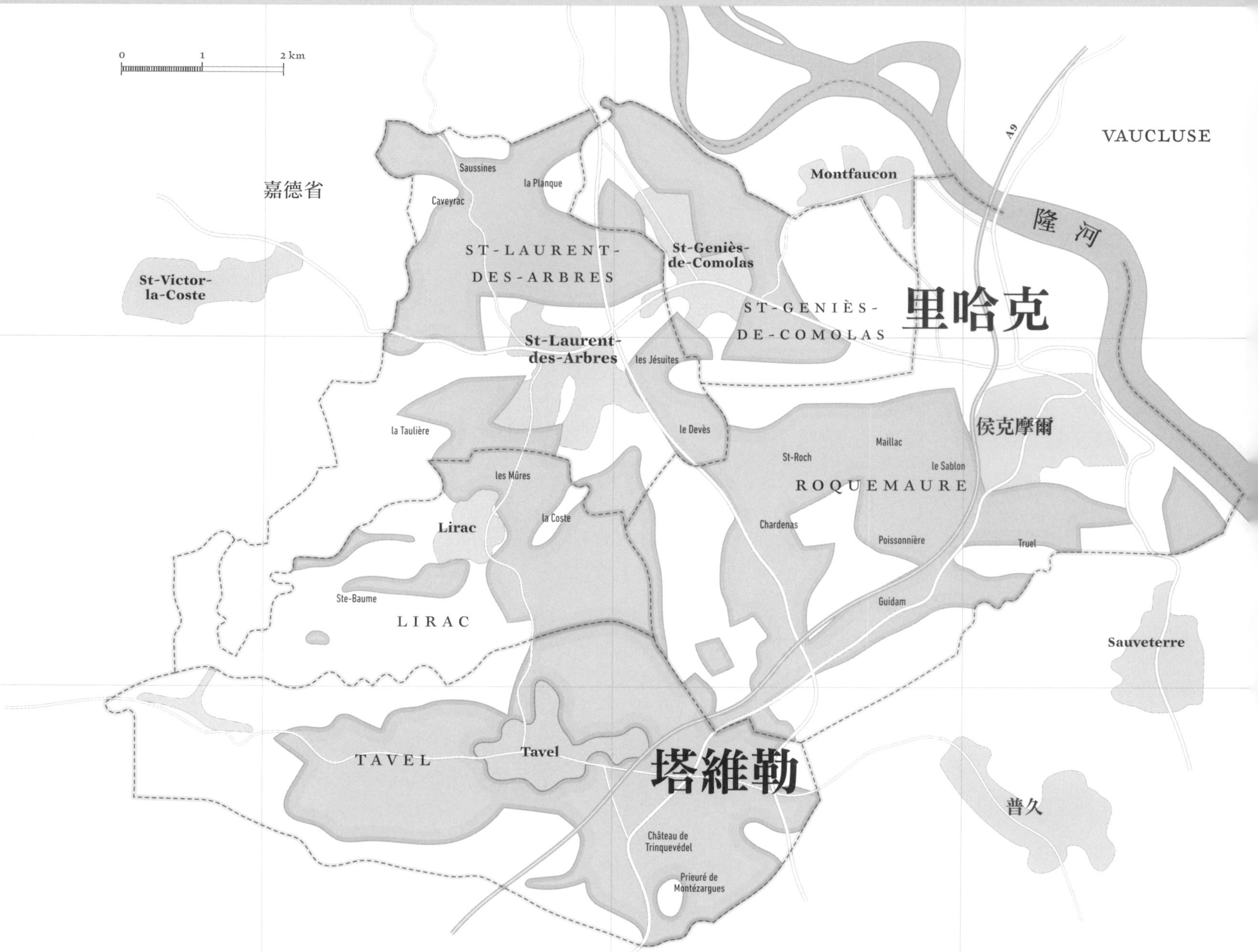

0 1 2 km
VAUCLUSE
A9
嘉德省
Montfaucon
Saussines
la Planque
Caveyrac
隆河
ST-LAURENT-DES-ARBRES
St-Geniès-de-Comolas
St-Victor-la-Coste
ST-GENIÈS-DE-COMOLAS
里哈克
St-Laurent-des-Arbres
les Jésuites
la Taulière
le Devès
侯克摩爾
St-Roch
Maillac
le Sablon
les Mûres
ROQUEMAURE
la Coste
Lirac
Chardenas
Poissonnière
Truel
Ste-Baume
Guidam
LIRAC
Sauveterre
TAVEL
Tavel
塔維勒
普久
Château de Trinquevédel
Prieuré de Montézargues

里哈克 Lirac

里哈克位於隆河右岸嘉德省境內，周圍有灌木林圍繞，密斯特拉風的風勢強勁，它也是當地受陽最多的葡萄園之一。這裡不常下雨，葡萄長勢受限，酒的滋味更顯濃縮。雖然主產紅酒，但里哈克也是少數隆河優質村莊中，三種酒色（紅、白、粉紅）都釀的例子之一。

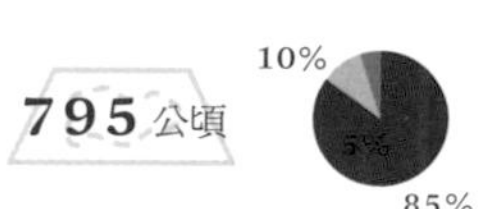

塔維勒 Tavel

只要是釀自塔維勒，就一定是粉紅酒；但並非所有的粉紅酒都有資格叫做塔維勒！不要將它與夏日泳池畔的粉紅酒相提並論，能列入隆河優質村莊，就表示它有其過人之處。它的酒質飽滿，餘韻綿長，是少數法國粉紅酒在經過陳年之後，酒色不會過度變淡的特例之一。

塔維勒與希塞粉紅酒是兩個只產粉紅酒的產區

隆河的經典優質品種，在板石（lauzes）、鵝卵石、沙地以及小石子地，都能有傑出表現，唯獨原產自普羅旺斯的蓋利多（Calitor）品種除外，它只愛塔維勒的乾熱土質。塔維勒與香檳的希塞粉紅酒（Rosé des Riceys），是法國唯二只產粉紅酒的法定產區。

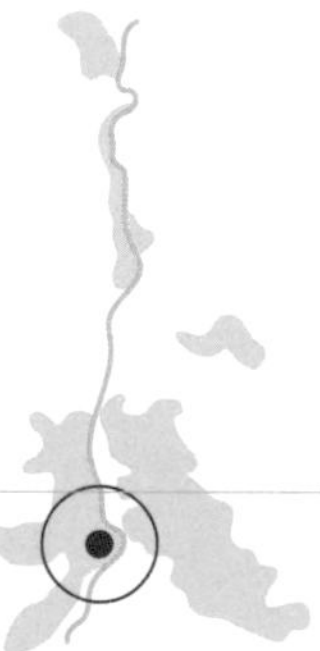

尼姆丘

Costières-de-Nîmes

3,948 公頃 40% 5% 55%

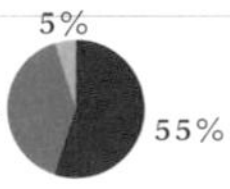

尼姆丘是隆河最具地中海型氣候的產區，與隆格多克產區是鄰居，地理位置介於塞凡（Cévennes）、卡瑪格（Camargue）與普羅旺斯地區交界處。除了凡索伯之外，尼姆丘是南隆河以希哈為主要品種的法定產區。葡萄園有許多以砂岩組成的鵝卵石，外面裹著沙土，夏季時這種土質幾乎讓人感覺發燙，還好有來自南部的海風帶來一絲涼意，同時有助於葡萄保持清鮮度。這裡的葡萄園往往有果園或普羅旺斯絲柏小徑圍繞，用以抵擋密斯特拉風侵襲。

尼姆丘北部的酒質較為柔軟順口，南部則口感更為豐盛，架構更加宏大。

洋梨、蜂蜜、椴花、
一絲燻烤調性

貝爾嘉德－克雷耶特

Clairette-de-Bellegarde

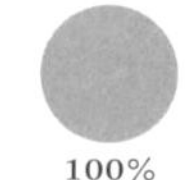

本產區的種植面積約略等同於 20 個足球場大小，均位於貝爾嘉德村境內，為南隆河面積最小的法定產區。貝爾嘉德－克雷耶特只產克雷耶特品種的干白酒，與迪－克雷耶特的氣泡酒不同，這裡都屬靜態白酒。酒格飽滿帶勁，帶有洋梨、蜂蜜、椴花氣息，傳統上這裡的白酒都用以搭配海鮮或是卡瑪格濱海地帶的河魚。

貝爾嘉德－克雷耶特
＋尼姆丘

尼姆丘

0 5 10 km

維松拉何曼
l'Ouvèze
馮度山
1910 公尺
MONT VENTOUX
Malaucène
Bédoin
Caromb
Aubignan
Sarrians
隆河
Mormoiron
卡彭塔
Mazan
Villes-sur-Auzon
Monieux
Sault
Monteux
Malemort-du-Comtat
St-Christol
Pernes-les-Fontaines
St-Didier
馮度
上普羅旺斯阿爾卑斯省
Lagarde-d'Apt
VAUCLUSE
亞維儂
St-Saturnin-lès Apt
L'Isle-sur-la-Sorgue
Gordes
Cabrières-d'Avignon
Gargas
阿普特
Caseneuve
古龍河
卡瓦昂
Robion
Bonnieux
盧貝宏
盧貝宏山脈
La Bastide-des-Jourdans
Mérindol
Cucuron
Lauris
杜宏斯河
Cadenet
La Tour-d'Aigues
Villelaure
Mirabeau
隆河口省
Pertuis

馮度 Ventoux

除了環法自行車賽一定會經過，馮度也以釀造紅酒知名（占七成產量）。馮度山位在本產區北部，葡萄樹也種植直至山腳下大約 500 公尺海拔處。馮度山頂的 1,910 公尺海拔可是相當寒涼呢！馮度法定產區的範圍相當大，囊括了 51 個村鎮在內，所釀酒款在年輕時就顯得美味可口，但也有些酒款具有相當好的儲存潛力。

6,400 公頃

4%
20%
76%

盧貝宏 Luberon

盧貝宏的葡萄園在盧貝宏山脈周遭，正巧位於聯合國教科文組織列級的生態保護區內，也是大自然愛好者的天堂。盧貝宏山主要以石灰岩組成，海拔介於 200-450 公尺，雖然屬於地中海型氣候區，也隨處可見普羅旺斯常見地景：薰衣草田，但確實受到山區氣候的影響，氣溫比許多隆河產區更為冷涼。本法定產區以兩條河為界：北古龍河與南杜宏斯河。盧貝宏的白酒優雅清新，紅酒可口，而釀產最多的粉紅酒則帶有草莓與紅醋栗氣息，讓人聯想到夏季的悠閒氣氛。

3,400 公頃

20%
48%
32%

盧貝宏山之所以這麼「普羅旺斯」是山區氣候影響所致

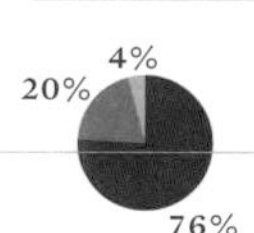

南隆河其他產區
Autres vins du Rhône méridional

隆河丘 Côtes du Rhône

隆河丘產區從北部的里昂一直南延伸到亞維儂，此地區性法定產區最能代表隆河酒業的精神，產量占整個隆河的 60%（絕大部分位於南隆河）。18 世紀隆河丘的酒質便受到認可，當地當時的橡木桶下方便刻有 C.D.R.（Côtes du Rhône）字樣以及產出年份。本區酒質通常簡單易飲，但是偶有令人驚豔的葡萄酒出現！由於整個隆河丘的土質非常多樣，因此處處都有美味的隆河丘等待你發覺！

44,000 公頃

鄉村隆河丘
Côtes du Rhône Villages

特定風土以及做法的葡萄酒，才能列為鄉村隆河丘法定產區。今日，在德隆省、沃克呂茲省與嘉德省境內的 95 個村子獲允許釀造鄉村隆河丘，其中只有 18 個酒村可以將村名標示於酒標上。例如：Côtes du Rhône Villages Valréas（沃克呂茲省）。或許其中有些酒質秀美者，未來可以更進一步獲得隆河優質村莊的地位。

7,800 公頃

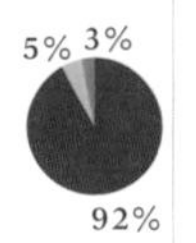

格里農阿德瑪
Grignan-les-Adhémar

2,000 公頃

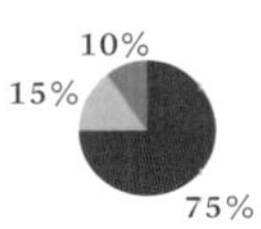

本法定產區位於南隆河最北邊，身處普羅旺斯德隆省的優質風土上，格里農阿德瑪以前稱為 Coteaux du Tricastin。主要釀造細緻優雅的紅酒，通常屬於年輕即飲型，以果香引人，粉紅酒也屬同樣類型。本區在橡木桶裡培養的維歐尼耶白酒，反倒有更優秀的儲存潛能。

維瓦瑞丘 Côtes du Vivarais

440 公頃

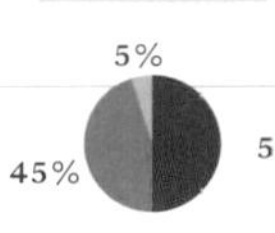

維瓦瑞丘是位於南隆河西北部的小產區，橫跨嘉德與阿代須兩省，有 14 個村子能產本區葡萄酒。位在臺地上的葡萄園與灌木林接壤，可以鳥瞰阿代須峽谷。維瓦瑞丘主產紅酒，除果味外，還常帶有植蔬與胡椒等氣息。這裡的粉紅酒產量也不少，為年輕即飲類型，很適合夏日飲用。

杜榭杜蔡斯 Duché d'Uzès

280 公頃

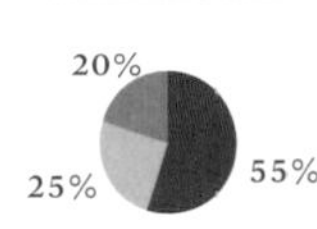

本法定產區的成立相當晚近（2013 年），它與隆格多克相接壤，園區可以延伸至塞凡山脈（Cévennes）的分支。葡萄品種與南法有相同之處：如仙梭、馬姍以及維門替諾，不過主要品種還是希哈、格那希與維歐尼耶。紅酒色深而芬芳，可趁年輕飲用。粉紅酒口味清鮮，與當地特產皮修林（Picholine）品種橄欖相搭最是美妙。

科西嘉
CORSE

美麗之島葡萄園

科西嘉角
卡普拉亞島（義大利）
N
O
E
S
0
10
20 km
CENTURI
Muscat du Cap Corse
科西嘉角丘
1307 m
史代羅山
Golfe
de St-Florent
BRANDO
巴替摩尼歐
巴斯提亞
SAINT-FLORENT
FURIANI
L'ÎLE ROUSSE
LUMIO
NOVELLA
卡勒維
BORGO
卡勒維
MOROSAGLIA
2706 m
MANSO
欽陀山
Golo
科西嘉葡萄酒
寇爾提
上科西嘉省
LINGUIZZETTA
2622 m
Monte Rotondo
Tavignano
2389 m
PIETROSO
Monte d'Oro
COGGIA
GHISONI
Liamone
ALÉRIA
Golfe
de Sagonne
BOCOGNANO
Fiumorbo
阿加修
Gravona
南科西嘉省
阿加修
COZZANO
VENTISERI
阿加修灣
2136 m
Monte Incudine
PIETROSELLA
Rizzanese
Aiguilles de Bavella
老港
LEVIE
PROPRIANO
沙田
沙田
老港
費加利
SOTTA
Îles Cerbicale
費加利
地中海
邦尼法丘
Iles Lavezzi
Bouches de Bonifacio

科西嘉 Corse

在地理位置上，人稱「美麗之島」的科西嘉其實更靠近義大利而不是法國。在品種名稱與酒款表現上，也更有義大利風。

品種

涅魯秋、夏卡雷露、阿雷阿堤哥

維門替諾、巴比羅薩、香提畢昂庫

種植面積

7,000公頃

釀造酒種

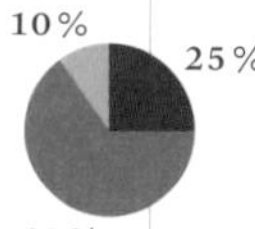

土壤

黏土質石灰岩、片岩、花崗岩、綠岩（Roches vertes）

氣候

地中海型氣候

科西嘉島最早由希臘人殖民，之後成為義大利的行省，最後在1768年的〈凡爾賽條約〉中讓渡給法國。島民可以更換國籍，但葡萄樹的基因還是勝過政治的變遷。只消看看這些品種的來處即可知情：幾乎全是義大利品種。

如果沒有山區的涼爽與海洋的影響，科西嘉的葡萄種植應屬「不可能的任務」，這裡的夏天尤其炎熱。幸好，來自法國本土大陸的風並未在蔚藍海岸止步：密斯特拉風以及地中海沿岸的西北風（tramontane）夾帶了地中海的水氣，為本島帶來涼爽的氣息。本島適合釀酒葡萄種植的另一證據是：早在希臘人將葡萄種植文化帶入島上之前，科西嘉已存在野生的葡萄樹。

巴替摩尼歐法定產區位在科西嘉角的南端，以優質葡萄酒奠定本產區的名聲與尊榮。這裡的黏土質石灰岩極為適合「科西嘉品種之王」涅魯秋（Niellucciu）的生長。

這裡的紅酒風味非常地濃縮，具有很好的儲存潛力。當然也別忘了白酒：酒質圓潤強勁。

科西嘉葡萄酒的問題是……產量太少！不過在1880年代，葡萄園面積可比現在大得多。然而，後來的葡萄根瘤芽蟲病的蔓延、農村人口大量外移以及葡萄酒生產過剩，都讓葡萄樹面積如陽光下的白雪一樣快速消失。今日，本島的葡萄酒僅有不到四分之一的產量會運出島外，使科西嘉成為最不容易品嘗到的法國葡萄酒之一。最簡單的品酒方式，就是去島上一趟囉！

科西嘉島早已存在野生的葡萄樹

Coppa、Lonzu、Figatellu……這些可不是葡萄品種名稱，而是科西嘉眾多的豬肉火腿製品中的幾樣，與巴替摩尼歐葡萄酒的聯姻可說是天作之合。白酒搭什麼呢：當地知名的炸羊酪球（Beignets au brocciu）再適合不過。來，我們一同為平安與健康舉杯（Pace è Salute）！

科西嘉
粉紅酒

巴替摩尼歐
紅酒

巴替摩尼歐
白酒

科西嘉角蜜思嘉

科西嘉有個生產天然甜葡萄酒的法定產區科西嘉角蜜思嘉（Muscat du Cap Corse）：它只占科西嘉總體產量的1%，但值得你品嘗或是親訪。此蜜思嘉天然甜葡萄酒，比起法國本土的同類酒款更顯清鮮與細緻，甜度也略低。

科西嘉的葡萄品種

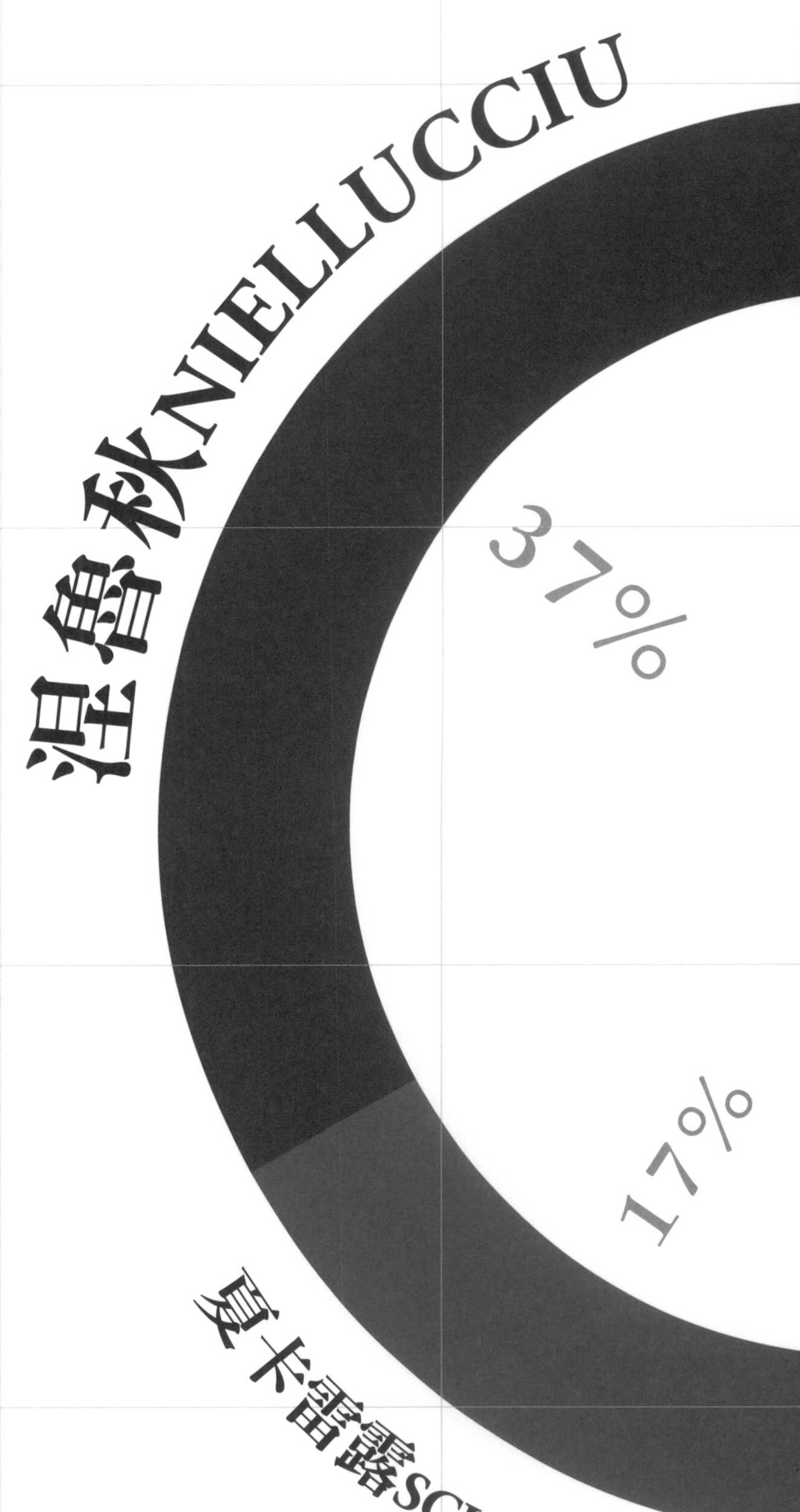

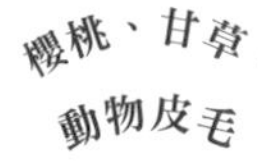

涅魯秋

本品種的義大利名稱山吉歐維榭（Sangiovese）更為人知曉。它是托斯卡尼地區奇揚替（Chianti）的最重要品種；奇揚替距離美麗之島科西嘉並不遠。雖然科西嘉全島都見種植，不過涅魯秋在巴替摩尼歐法定產區有著最佳表現。由於葡萄皮較厚，酒色也偏深。涅魯秋的單寧特性，使得最佳葡萄園的酒款有著絕佳的儲存潛力。

夏卡雷露

夏卡雷露主要種在阿加修與沙田法定產區的花崗岩土壤上，不過其實幾乎全科西嘉的法定產區都見種植（巴替摩尼歐除外）。它的色澤與單寧都不高，主要用來與涅魯秋混調，以釀造紅酒或是粉紅酒。品種名稱源自科西嘉方言 Sciaccarella：「鮮脆」。

其他紅酒品種

阿雷阿堤哥（ALEÀTICU）：本品種容易蓄積糖分，風味非常柔和，也種植在義大利普利亞地區、智利與澳洲。

明努斯代露（MINUSTÉLLU）：本品種在隆格多克稱為 Morrastel，在西班牙則叫做 Graciano，其單寧多，酸度高，故而主要用於混調。

此外，科西嘉也種有希哈、格那希、慕維得爾以及 Carcaghjòlu nèru 等等。

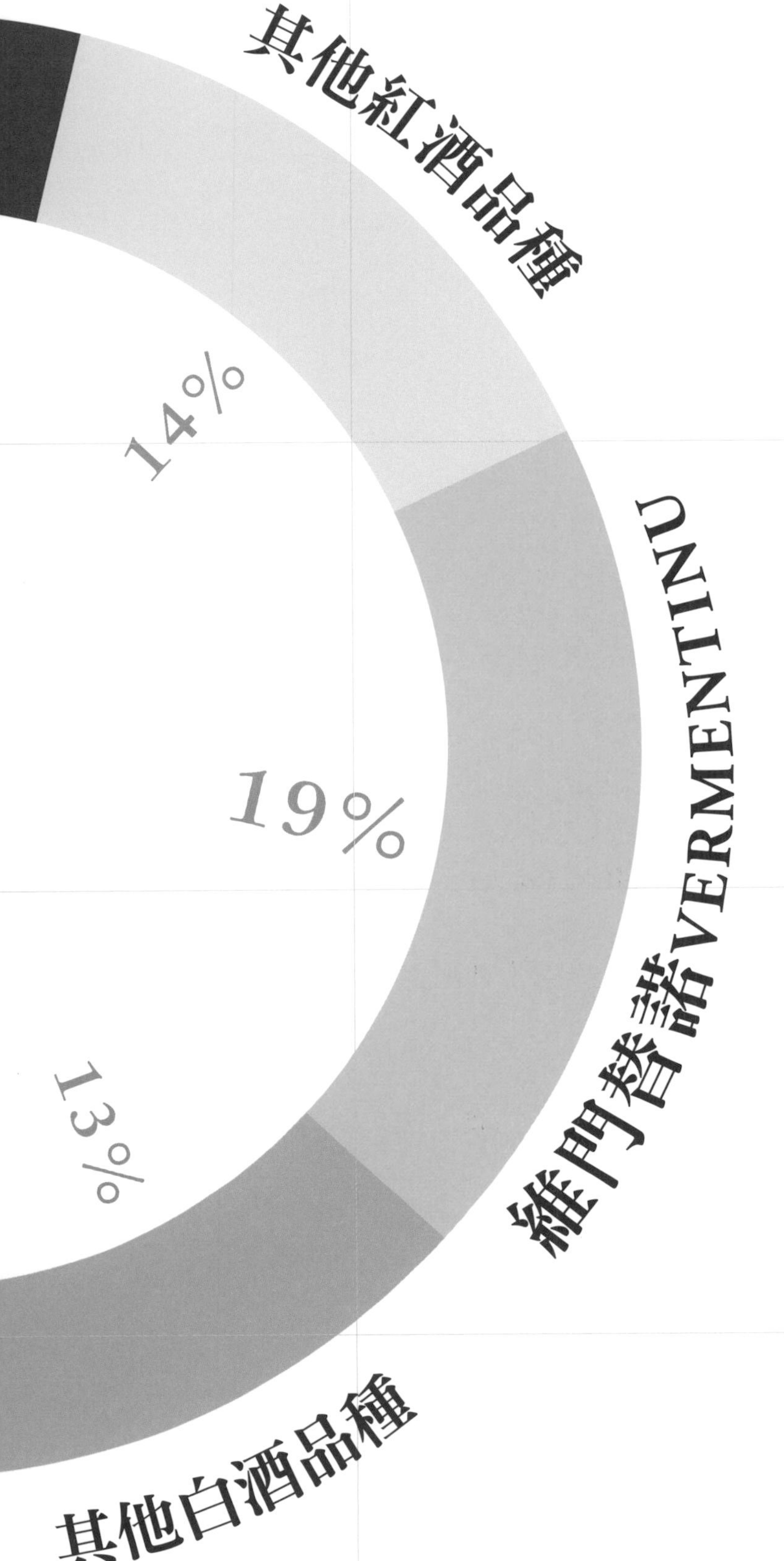

其他白酒品種

巴比羅薩（BARBIRÒSSA）：本品種按字面翻譯是「俄羅斯紅鬍子」，因為果實帶點橘紅色。

香提畢昂庫（BIÀNCU GENTÌLE）：雖然種植面積微不足道，但仍屬科西嘉的高貴品種。其特色是能展現極為奔放的熱帶水果氣息。

帕加代畢提（PAGADÈBITI）：按照字面翻譯有「還債」的意思。因為此品種單位產量很高，可以大量生產好還債……

此外，科西嘉也種有夏多內、白于尼、Carcaghjòlu biancu 與 Cudivèrta……

蘋果、杏仁、
蜂蜜、檸檬、桃

維門替諾

維門替諾是希臘以及義大利的常見品種，原產地應是土耳其。在科西嘉也稱為 Malvoisie，可以確定的是它是地中海的最佳品種之一，能產出飽滿、強勁，且可耐久儲的白酒。

品種系譜圖

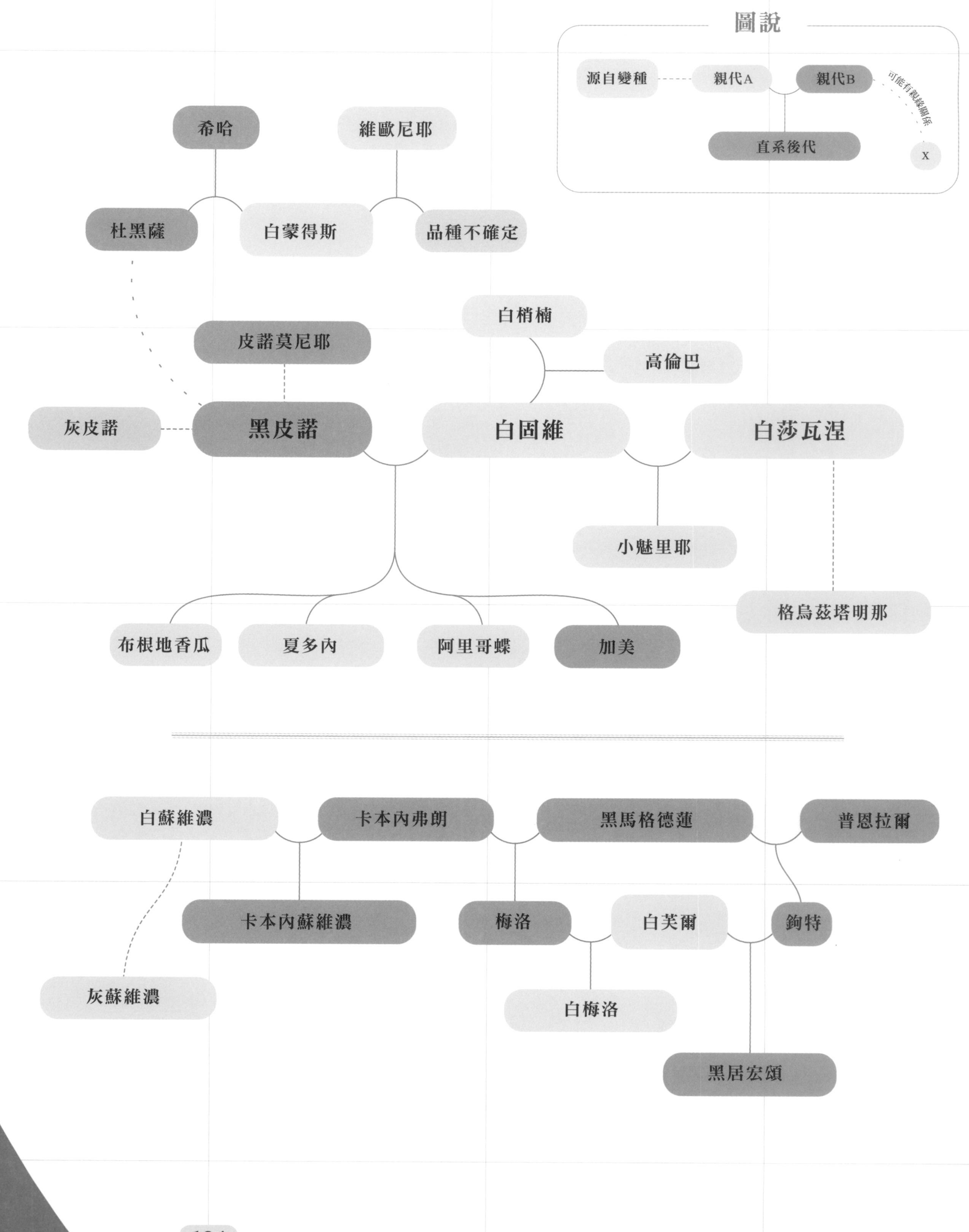

圖說
源自變種
親代A
親代B
可能有親緣關係
直系後代
X
希哈
維歐尼耶
杜黑薩
白蒙得斯
品種不確定
白梢楠
高倫巴
皮諾莫尼耶
灰皮諾
黑皮諾
白固維
白莎瓦涅
小魅里耶
格烏茲塔明那
布根地香瓜
夏多內
阿里哥蝶
加美
白蘇維濃
卡本內弗朗
黑馬格德蓮
普恩拉爾
卡本內蘇維濃
梅洛
白芙爾
鉤特
灰蘇維濃
白梅洛
黑居宏頌

法國主要品種比例圖

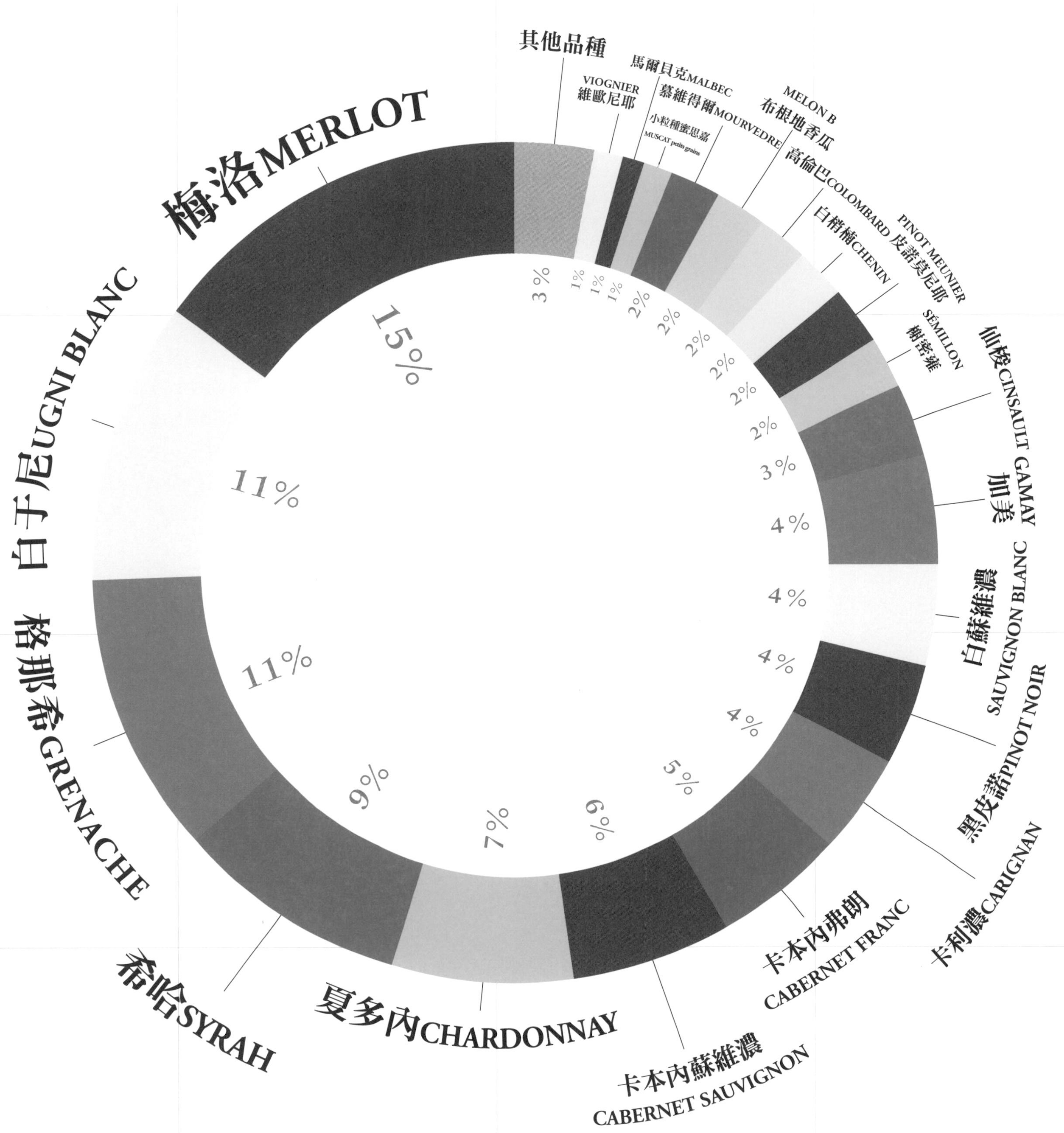

其他品種
VIOGNIER 維歐尼耶
馬爾貝克MALBEC
慕維得爾MOURVEDRE
小粒種蜜思嘉 MUSCAT petits grains
MELON B 布根地香瓜
高倫巴COLOMBARD
白梢楠CHENIN
PINOT MEUNIER 皮諾莫尼耶
SEMILLON 榭密雍
仙梭CINSAULT
加美GAMAY
白蘇維濃 SAUVIGNON BLANC
黑皮諾PINOT NOIR
卡利濃CARIGNAN
卡本內弗朗 CABERNET FRANC
卡本內蘇維濃 CABERNET SAUVIGNON
夏多內CHARDONNAY
希哈SYRAH
格那希GRENACHE
白于尼UGNI BLANC
梅洛MERLOT
15%
11%
11%
9%
7%
6%
5%
4%
4%
4%
4%
3%
2%
2%
2%
2%
2%
2%
1%
1%
1%
3%

法國新興產區

葡萄酒就像奧林匹克運動會，每個人都想有各自的版本！隨著溫室效應與相關法規的鬆綁，以前法國境內未料想到的地區，現在也開始植樹釀酒。這些新興產區規模極小，且主要以教育性質的合作計畫形式運作……目前雖如此，但未來還很難說！

加萊海峽省 Pas-de-Calais

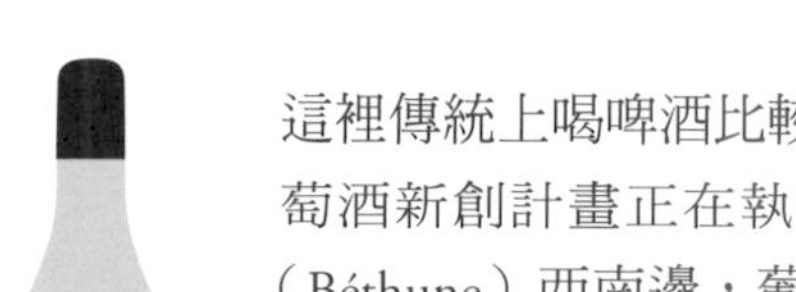

這裡傳統上喝啤酒比較多，但目前有兩個葡萄酒新創計畫正在執行。第一個位於貝屯（Béthune）西南邊，葡萄樹就種在阿利庫爾廢礦山（Terril d'Haillicourt）的向陽山坡上。Terril 一詞意指當地採礦之後，以廢棄礦石堆積而成的人工丘陵；名為「Charbonnay」的白酒年產僅幾百瓶。第二個計畫位於艾斯柯丘（Coteaux de l'Escaut）上，每年以夏多內與黑皮諾釀出 500 ml 瓶裝的紅、白與粉紅酒約數 11,000 瓶；該酒莊由瓦隆榭納（Valenciennes）的就業服務處（ESAT）找來專業人士協同經營管理。

法蘭西島地區 Île-de-France

其實在 13 世紀的法蘭西島地區，葡萄樹的種植面積可廣達 4 萬公頃，是目前阿爾薩斯面積的三倍！不過根瘤蚜蟲病以及都市化，都讓法蘭西島的葡萄園幾乎消失。1930 年代，人們在巴黎蒙馬特區種植了一些葡萄樹，不過目前比較認真執行的重植計畫，主要出現在 Yvelines、Val-d'Oise 與 les Hauts-de-Seine 三個省份。

布列塔尼地區 Bretagne

根據史載，羅馬人占據布列塔尼時期，就已經有葡萄樹的種植。不過，17 與 18 世紀的嚴冬讓葡萄樹的種植範圍僅限縮在南特城的周圍。過去 15 年來，我們再度見到這個以蘋果氣泡酒（Cidre）聞名的地區，又開始出現葡萄種植的新潮流，品種主要以黑皮諾、夏多內、白皮諾、加美與白梢楠為主。布列塔尼部分熱情酒農開始積極推廣「布列塔尼葡萄酒」（Vin de Bretagne）法定產區的誕生。

伴隨著氣候變遷的新挑戰，法國葡萄酒產區勢必做出因應措施。我們已經見到溫室效應的影響：酒中所含的酒精濃度較以往更高，採收日期也愈來愈提前……

種植品種的選擇必須重新考慮，以往未開發為葡萄園的風土，將會開始引起人們的好奇心。除了本頁提及的北部布列塔尼地區的種植計畫，在皮卡迪地區（Picardie）或是諾曼第地區（Normandie）也開始出現相似的發展。

溫室效應既然無可避免，就讓我們期待未來幾年，可望開始發現新產區、新風土，以及更多前所未嘗的葡萄酒吧！

葡萄酒與乳酪的搭配

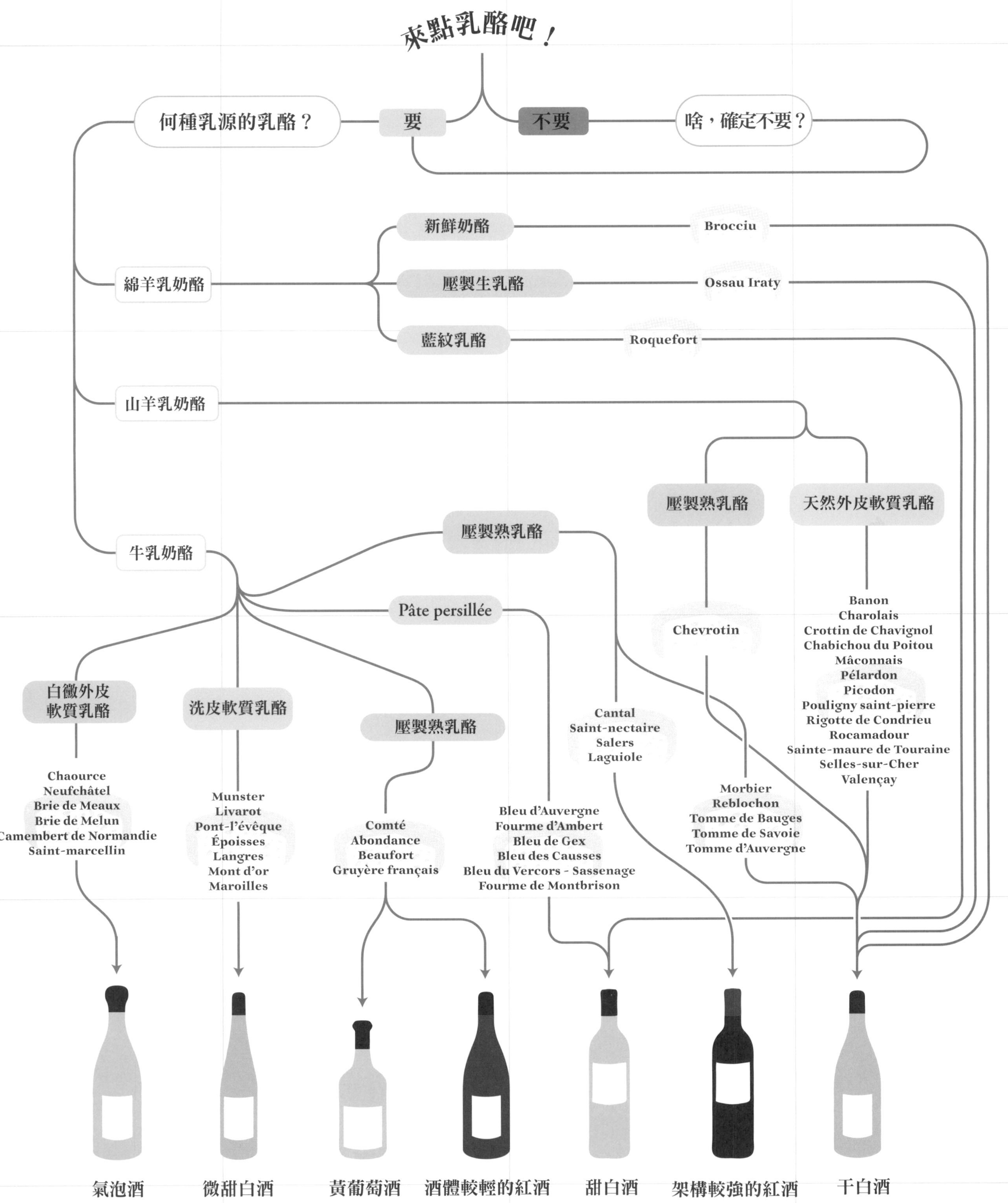
來點乳酪吧！
要
不要
何種乳源的乳酪？
啥，確定不要？
綿羊乳奶酪
新鮮奶酪
Brocciu
壓製生乳酪
Ossau Iraty
藍紋乳酪
Roquefort
山羊乳奶酪
壓製熟乳酪
天然外皮軟質乳酪
Chevrotin
Banon
Charolais
Crottin de Chavignol
Chabichou du Poitou
Mâconnais
Pélardon
Picodon
Pouligny saint-pierre
Rigotte de Condrieu
Rocamadour
Sainte-maure de Touraine
Selles-sur-Cher
Valençay
牛乳奶酪
壓製熟乳酪
Pâte persillée
白黴外皮軟質乳酪
洗皮軟質乳酪
壓製熟乳酪
Cantal
Saint-nectaire
Salers
Laguiole
Chaource
Neufchâtel
Brie de Meaux
Brie de Melun
Camembert de Normandie
Saint-marcellin
Munster
Livarot
Pont-l'évêque
Époisses
Langres
Mont d'or
Maroilles
Comté
Abondance
Beaufort
Gruyère français
Bleu d'Auvergne
Fourme d'Ambert
Bleu de Gex
Bleu des Causses
Bleu du Vercors - Sassenage
Fourme de Montbrison
Morbier
Reblochon
Tomme de Bauges
Tomme de Savoie
Tomme d'Auvergne
氣泡酒
微甜白酒
黃葡萄酒
酒體較輕的紅酒
甜白酒
架構較強的紅酒
干白酒

法定產區
中法索引

三　劃

上梅多克 Haut-Médoc 74
上普瓦圖 Haut-Poitou 59
凡索伯 Vinsobres 181
土勒丘 Côtes-de-Toul 119
小夏布利 Petit Chablis 139

四　劃

巴斯混種葡萄酒 Passe-tout-grains 141
巴替摩尼歐 Patrimonio 191
巴雷特 Palette 11
巴薩克 Barsac 73
乎利 Rully 128

五　劃

加儂－弗朗薩克 Canon-Fronsac 78
卡巴得斯 Cabardès 25
卡布里耶 Cabrières 19
卡西斯 Cassis 114
卡迪亞克 Cadillac 77
卡斯康丘 Côtes de Gascogne 152
卡斯提雍波爾多丘 Castillon Côtes de Bordeaux 78
卡歐 Cahors 156
尼姆丘 Costières de Nîmes 185
布戈憶－聖尼古拉 Saint-Nicolas-de-Bourgueil 48
布戈憶 Bourgueil 48
布依 Brouilly 91
布依丘 Côte de Brouilly 91
布拉伊 Blaye 76
布拉伊丘 Côte de Blaye 76
布杰－胡榭特 Roussette du Bugey 165
布杰 Bugey 165
布哲宏 Bouzeron 129
布柴 Buzet 150
布根地 Bourgogne 123
布爾 Bourg 76
布爾丘 Côte de Bourg 76
布魯瓦 Brulhois 150
弗朗波爾多丘 Francs Côtes de Bordeaux 78
弗朗薩克 Fronsac 78
弗勒莉 Fleurie 88
瓦給哈斯 Vacqueyras 181
瓦華－普羅旺斯丘 Coteaux Varois-en-Provence 112
瓦隆榭 Valençay 51
甘希 Quincy 54
皮內皮朴爾 Picpoul de Pinet 19

六　劃

休姆－卡德特級園 Quarts-de-Chaume 47
吉弗里 Givry 127
吉恭達斯 Gigondas 181
多內爾 Tonnerre 141
夸圖茲 Quatourze 23
安特格－勒－菲爾 Entraygues-le-Fel 157
安茹卡本內 Cabernet d'Anjou 46
朱里耶納 Juliénas 88
米由丘 Côtes de Millau 157
艾米達吉 Hermitage 175
艾克斯－普羅旺斯丘 Coteaux d'Aix-en-Provence 112
艾妥爾 L'Étoile 63
艾斯坦 Estaing 157

七　劃

伯恩丘區 Côte de Beaune 130
佛傑爾 Faugères 21
克拉伯 La Clape 23
克羅茲－艾米達吉 Crozes-Hermitage 175
利慕 Limoux 24
呂貝宏 Luberon 186
希胡柏勒 Chiroubles 88
希濃 Chinon 48
村莊胡西雍丘 Côtes du Roussillon Villages 27
貝沙克－雷奧良 Pessac-Léognan 72
貝亞 Béarn 154
貝夏蒙 Pécharmant 148
貝傑哈克 Bergerac 148
貝雷 Bellet 115
貝爾嘉德克雷耶特 Clairette de Bellegarde 185
貝澤納斯 Pézenas 21
邦斗爾 Bandol 114
里昂丘 Coteaux du Lyonnais 178
里哈克 Lirac 184
里斯塔克－梅多克 Listrac-Médoc 74

八　劃

佩南－維哲雷斯 Pernand-Vergelesses 132
侏羅丘 Côtes du Jura 63
侏羅區黃葡萄酒 Vin Jaune du Jura 63
依宏希 Irancy 141
依盧雷姬 Irouléguy 154
兩海之間 Entre-Deux-Mers 77
夜－聖喬治 Nuits-Saint-Georges 133
夜丘 Côte de Nuits 133
居宏頌 Jurançon 155
拉札克河階 Terrasses du Larzac 19
拉梅賈奈爾 La Méjanelle 17
拉隆－玻美侯 Lalande-de-Pomerol 78
於澤斯公爵領地 Duché d'Uzès 187
旺多姆丘 Coteaux-du-Vendômois 49
昂瑟尼丘 Coteaux d'Ancenis 45
松特內 Santenay 128
松塞爾 Sancerre 57
波雅克 Pauillac 74
波爾多 Bordeaux 68
阿爾伯 Arbois 63
阿爾薩斯 Alsace 34
阿爾薩斯氣泡酒 Crémant d'Alsace 36
阿德瑪格里雍 Grignan-les-Adhémar 187

九　劃

侯塞特 Rosette 148
南特果葡隆 Gros plant du Pays Nantais 45
哈斯多 Rasteau 181
姜城丘 Coteaux du Giennois 55
威尼斯－彭姆 Beaumes-de-Venise 181
威尼斯－彭姆蜜思嘉 Muscat de Beaumes-de-Venise 181
律沙克－聖愛美濃 Lussac-Saint-Émilion 78
柯比耶 Corbières 23
玻美侯 Pomerol 78
玻瑪 Pommard 131
科西嘉角蜜思嘉 Muscat du Cap Corse 191
胡西雍丘 Côtes du Roussillon 27
迪－克雷耶特 Clairette de Die 179
迪氣泡酒 Crémant de Die 179
風車磨坊 Moulin-à-Vent 88
風東 Fronton 150
香波－蜜思妮 Chambolle-Musigny 134
香檳 Champagne 97

十　劃

修維尼 Cheverny 51
哲維瑞－香貝丹 Gevrey-Chambertin 135
夏山－蒙哈榭 Chassagne-Montrachet 130
夏布利 Chablis 139
夏布利一級園 Chablis premier Cru 139
夏布利特級園 Chablis Grand Cru 139
夏朵梅楊 Châteaumeillant 54
夏替雍－第瓦 Châtillon-en-Diois 179
夏替雍 Châtillonais 141
夏隆丘區 Côte Chalonnaise 126
夏隆堡 Château-Chalon 63
庫爾－修維尼 Cour-Cheverny 51
恭得里奧 Condrieu 173
格里耶堡 Château Grillet 173
格拉夫 Graves 72
班努斯 Banyuls 27
索甸 Sauternes 73
馬西雅克 Marcillac 157
馬沙內 Marsannay 135
馬貢 Mâcon 137
馬貢村莊 Mâcon-Villages 137
馬勒佩爾 Malepère 25
馬第宏 Madiran 152
馬蒙代丘 Côtes du Marmandais 150
高納斯 Cornas 177
高登－查理曼 Corton-Charlemagne 132
高登 Corton 132
高麗烏爾 Collioure 27

十一　劃

密內瓦－里維聶爾 Minervois-La Livinière
密內瓦 Minervois 25
教皇新堡 Châteauneuf-du-Pape 183
梅多克 Médoc 74
梅多克慕里 Moulis-en-Médoc 74
梅克雷 Mercurey 128
梅索 Meursault 131
梧玖 Vougeot 134
梧雷 Vouvray 53
梭密爾 Saumur 46
梭密爾－香比尼 Saumur Champigny 46
梭密爾細泡酒 Saumur Fines Bulles 46
荷依 Reuilly 54
莎弗尼耶 Savennières 46
莫利 Maury 27
莫瑞－聖丹尼 Morey-Saint-Denis 134
都哈斯丘 Côtes de Duras 148
都漢－瓦思利 Touraine Oisly 50
都漢－安伯日 Touraine Amboise 50
都漢－阿列－麗多 Touraine Azay-le-Rideau 49
都漢－梅思隆 Touraine Mesland 50
都漢－雪儂梭 Touraine Chenonceaux 50
都漢－諾伯勒－茱耶 Touraine Noble-Joué 49
都漢 Touraine 48

十二　劃

凱爾希丘 Coteaux du Quercy 156
普里尼－蒙哈榭 Puligny-Montrachet 131
普依－凡列爾 Pouilly-Vinzelle 137
普依－芙美 Pouilly-Fumé 55
普依－富塞 Pouilly-Fuissé 137
普依－樓榭 Pouilly-Loché 137
普依－羅亞爾 Pouilly-sur-Loire 55
普瑟甘－聖愛美濃 Puisseguin-Saint-Émilion 78
普羅旺斯丘 Côtes de Provence 113
普羅旺斯雷伯 Les Baux-de-Provence 115
渥爾內 Volnay 131
給漢 Cairanne 181
菲杜 Fitou 23
菲尚 Fixin 135
萊陽丘 Coteaux du Layon 46
費耶夫－旺代 Fiefs Vendéens 59
鄉村隆河丘 Côtes du Rhône Villages 187
隆河丘 Côtes du Rhône 187
隆格多克－克雷耶特 Clairette du Languedoc 19
隆格多克 Languedoc 13
馮內－侯瑪內 Vosne-Romanée 134
馮度 Ventoux 186
黑尼耶 Régnié 91

十三　劃

塔維勒 Tavel 184
塞榭 Seyssel 161, 165
奧爾良－克雷希 Orléans-Cléry 59
奧爾良 Orléans 59
聖十字山 Sainte-Croix-du-Mont 77
聖山 Saint-Mont 152
聖布理 Saint-Bris 141
聖朱里安 Saint-Julien 74
聖艾斯臺夫 Saint-Estèphe 75
聖西紐 Saint-Chinian 20
聖克里斯托 Saint-Christol 17
聖佩雷 Saint-Péray 178
聖莎朵 Saint-Sardos 150
聖莎圖南 Saint-Saturnin 19
聖喬治－聖愛美濃 Saint-Georges-Saint-Émilion 78
聖喬瑟夫 Saint-Joseph 176
聖普桑 Saint-Pourçain 58
聖愛 Saint-Amour 88
聖愛美濃 Saint-Émilion 81
聖路峰 Pic Saint-Loup 17
聖維宏 Saint-Véran 137
聖德澤瑞 Saint-Drézéry 17
賈尼耶 Jasnières 49
圖爾松 Tursan 152

十四　劃

瑪歌 Margaux 74
綠石丘 Coteaux de Pierrevert 113
維瓦瑞丘 Côtes du Vivarais 187
維列－克雷榭 Viré-Clessé 137
維克－畢勒－巴歐漢克 Pacherenc-du-Vic-Bilh 152
蒙內都－沙隆 Menetou-Salon 55
蒙巴季亞克 Monbazillac 148
蒙貝胡 Montpeyroux 19
蒙佩里耶石丘 Grès de Montpellier 17
蒙哈維爾 Montravel 148
蒙塔尼 Montagny 127
蒙塔涅－聖愛美濃 Montagne-Saint-Émilion 78
蓋雅克 Gaillac 151
蜜思卡得 Muscadet 45

十五劃以上

摩恭 Morgon 91
摩塞爾 Moselle 119
歐克聖喬治 Saint-Georges-d'Orques 17
歐歇爾丘 Côtes d'Auxerre 141
歐維涅丘 Côtes d'Auvergne 58
盧皮亞克 Loupiac 77
薄酒來 Beaujolais 87
薄酒來村莊 Beaujolais Villages 87
薄酒來新酒 Beaujolais Nouveau 87
薛納 Chénas 88
薩瓦－胡榭特 Roussette de Savoie 161
薩瓦區 Savoie 161
羅瓦丘 Coteaux-du-Loir 49
羅亞爾蒙路易 Montlouis-sur-Loire 53
羅第丘 Côte-Rôtie 172
麗維薩特 Rivesaltes 27
蘇西涅克 Saussignac 148

法定產區
法中索引

A-B

Alsace 阿爾薩斯 34
Arbois 阿爾伯 63
Bandol 邦斗爾 114
Banyuls 班努斯 27
Barsac 巴薩克 73
Béarn 貝亞 154
Beaujolais 薄酒來 87
Beaujolais Nouveau 薄酒來新酒 87
Beaujolais Villages 薄酒來村莊 87
Beaumes-de-Venise 威尼斯－彭姆 181
Bellet 貝雷 115
Bergerac 貝傑哈克 148
Blaye 布拉伊 76
Bordeaux 波爾多 68
Bourg 布爾 76
Bourgogne 布根地 123
Bourgueil 布戈憶 48
Bouzeron 布哲宏 129
Brouilly 布依 91
Brulhois 布魯瓦 150
Bugey 布杰 165
Buzet 布柴 150

C

Cabardès 卡巴得斯 25
Cabernet d'Anjou 安茹卡本內 46
Cabrières 卡布里耶 19
Cadillac 卡迪亞克 77
Cahors 卡歐 156
Cairanne 給漢 181
Canon-Fronsac 加儂－弗朗薩克 78
Cassis 卡西斯 114
Castillon Côtes de Bordeaux 卡斯提雍波爾多丘 78
Chablis 夏布利 139
Chablis Grand Cru 夏布利特級園 139
Chablis premier Cru 夏布利一級園 139
Chambolle-Musigny 香波－蜜思妮 134
Champagne 香檳 97
Chassagne-Montrachet 夏山－蒙哈榭 130
Château-Chalon 夏隆堡 63
Château Grillet 格里耶堡 173
Châteaumeillant 夏朵梅楊 54
Châteauneuf-du-Pape 教皇新堡 183
Châtillonais 夏替雍 141
Châtillon-en-Diois 夏替雍－第瓦 179
Chénas 薛納 88
Cheverny 修維尼 51
Chinon 希濃 48
Chiroubles 希胡柏勒 88
Clairette de Bellegarde 貝爾嘉德克雷耶特 185
Clairette de Die 迪－克雷耶特 179
Clairette du Languedoc 隆格多克－克雷耶特 19
Collioure 高麗烏爾 27
Condrieu 恭得里奧 173
Corbières 柯比耶 23
Cornas 高納斯 177
Corton 高登 132
Corton-Charlemagne 高登－查理曼 132
Costières de Nîmes 尼姆丘 185
Coteaux d'Aix-en-Provence 艾克斯－普羅旺斯丘 112
Coteaux d'Ancenis 昂瑟尼丘 45
Coteaux de Pierrevert 綠石丘 113
Coteaux du Giennois 姜城丘 55
Coteaux du Layon 萊陽丘 46
Coteaux-du-Loir 羅瓦丘 49
Coteaux du Lyonnais 里昂丘 178
Coteaux du Quercy 凱爾希丘 156
Coteaux-du-Vendômois 旺多姆丘 49
Coteaux Varois-en-Provence 瓦華－普羅旺斯丘 112
Côte Chalonnaise 夏隆丘區 126
Côte de Beaune 伯恩丘區 130
Côte de Blaye 布拉伊丘 76
Côte de Bourg 布爾丘 76
Côte de Brouilly 布依丘 91
Côte de Nuits 夜丘 133
Côte-Rôtie 羅第丘 172
Côtes d'Auvergne 歐維涅丘 58
Côtes d'Auxerre 歐歇爾丘 141
Côtes de Duras 都哈斯丘 148
Côtes de Gascogne 卡斯康丘 152
Côtes de Millau 米由丘 157
Côtes de Provence 普羅旺斯丘 113
Côtes-de-Toul 土勒丘 119
Côtes du Jura 侏羅丘 63
Côtes du Marmandais 馬蒙代丘 150
Côtes du Rhône 隆河丘 187
Côtes du Rhône Villages 鄉村隆河丘 187
Côtes du Roussillon 胡西雍丘 27
Côtes du Roussillon Villages 村莊胡西雍丘 27
Côtes du Vivarais 維瓦瑞丘 187
Cour-Cheverny 庫爾－修維尼 51
Crémant d'Alsace 阿爾薩斯氣泡酒 36
Crémant de Die 迪氣泡酒 179
Crozes-Hermitage 克羅茲－艾米達吉 175

D-G

Duché d'Uzès 於澤斯公爵領地 187
Entraygues-le-Fel 安特格－勒－菲爾 157
Entre-Deux-Mers 兩海之間 77
Estaing 艾斯坦 157
Faugères 佛傑爾 21
Fiefs Vendéens 費耶夫－旺代 59
Fitou 菲杜 23
Fixin 菲尚 135
Fleurie 弗勒莉 88
Francs Côtes de Bordeaux 弗朗波爾多丘 78
Fronsac 弗朗薩克 78
Fronton 風東 150
Gaillac 蓋雅克 151
Gevrey-Chambertin 哲維瑞－香貝丹 135
Gigondas 吉恭達斯 181
Givry 吉弗里 127
Graves 格拉夫 72
Grès de Montpellier 蒙佩里耶石丘 17
Grignan-les-Adhémar 阿德瑪格里雍 187
Gros plant du Pays Nantais 南特果葡隆 45

H-L

Haut-Médoc 上梅多克 74
Haut-Poitou 上普瓦圖 59
Hermitage 艾米達吉 175
Irancy 依宏希 141
Irouléguy 依蘆雷姬 154
Jasnières 賈尼耶 49
Juliénas 朱里耶納 88
Jurançon 居宏頌 155
La Clape 克拉伯 23
Lalande-de-Pomerol 拉隆－玻美侯 78
La Méjanelle 拉梅賈奈爾 17
Languedoc 隆格多克 13
Les Baux-de-Provence 普羅旺斯雷伯 115
L'Étoile 艾妥爾 63
Limoux 利慕 24
Lirac 里哈克 184
Listrac-Médoc 里斯塔克－梅多克 74
Loupiac 盧皮亞克 77
Luberon 呂貝宏 186
Lussac-Saint-Émilion 律沙克－聖愛美濃 78

M

Mâcon 馬貢 137
Mâcon-Villages 馬貢村莊 137
Madiran 馬第宏 152
Malepère 馬勒佩爾 25
Marcillac 馬西雅克 157
Margaux 瑪歌 74
Marsannay 馬沙內 135
Maury 莫利 27
Médoc 梅多克 74
Menetou-Salon 蒙內都－沙隆 55
Mercurey 梅克雷 128
Meursault 梅索 131
Minervois 密內瓦 25
Minervois-La Livinière 密內瓦－里維磊爾 25
Monbazillac 蒙巴季亞克 148
Montagne-Saint-Émilion 蒙塔涅－聖愛美濃 78
Montagny 蒙塔尼 127
Montlouis-sur-Loire 羅亞爾蒙路易 53
Montpeyroux 蒙貝胡 19
Montravel 蒙哈維爾 148
Morey-Saint-Denis 莫瑞－聖丹尼 134
Morgon 摩恭 91
Moselle 摩塞爾 119
Moulin-à-Vent 風車磨坊 88
Moulis-en-Médoc 梅多克慕里 74
Muscadet 蜜思卡得 45
Muscat de Beaumes-de-Venise 威尼斯－彭姆蜜思嘉 181
Muscat du Cap Corse 科西嘉角蜜思嘉 191

N-O

Nuits-Saint-Georges 夜－聖喬治 133
Orléans 奧爾良 59
Orléans-Cléry 奧爾良－克雷希 59

P

Pacherenc-du-Vic-Bilh 維克－畢勒－巴歇漢克 152
Palette 巴雷特 11
Passe-tout-grains 巴斯混種葡萄酒 141
Patrimonio 巴替摩尼歐 191
Pauillac 波雅克 74
Pécharmant 貝夏蒙 148
Pernand-Vergelesses 佩南－維哲雷斯 132
Pessac-Léognan 貝沙克－雷奧良 72
Petit Chablis 小夏布利 139
Pézenas 貝澤納斯 21
Picpoul de Pinet 皮內皮朴爾 19
Pic Saint-Loup 聖路峰 17
Pomerol 玻美侯 78
Pommard 玻瑪 131
Pouilly-Fuissé 普依－富塞 137
Pouilly-Fumé 普依－芙美 55
Pouilly-Loché 普依－樓榭 137
Pouilly-sur-Loire 普依－羅亞爾 55
Pouilly-Vinzelle 普依－凡列爾 137
Puisseguin-Saint-Émilion 普瑟甘－聖愛美濃 78

Puligny-Montrachet 普里尼－蒙哈榭 131

Q-R

Quarts-de-Chaume 休姆－卡德特級園 47
Quatourze 夸圖茲 23
Quincy 甘希 54
Rasteau 哈斯多 181
Régnié 黑尼耶 91
Reuilly 荷依 54
Rivesaltes 麗維薩特 27
Rosette 侯塞特 148
Roussette de Savoie 薩瓦－胡榭特 161
Roussette du Bugey 布杰－胡榭特 165
Rully 乎利 128

S

Saint-Amour 聖愛 88
Saint-Bris 聖布理 141
Saint-Chinian 聖西紐 20
Saint-Christol 聖克里斯托 17
Saint-Drézéry 聖德澤瑞 17
Sainte-Croix-du-Mont 聖十字山 77
Saint-Émilion 聖愛美濃 81
Saint-Estèphe 聖艾斯臺夫 75
Saint-Georges- d'Orques 歐克聖喬治 17
Saint-Georges-Saint-Émilion 聖喬治－聖愛美濃 78
Saint-Joseph 聖喬瑟夫 176
Saint-Julien 聖朱里安 74
Saint-Mont 聖山 152
Saint-Nicolas-de-Bourgueil 布戈憶－聖尼古拉 48
Saint-Péray 聖佩雷 178
Saint-Pourçain 聖普桑 58
Saint-Sardos 聖莎朵 150
Saint-Saturnin 聖莎圖南 19
Saint-Véran 聖維宏 137
Sancerre 松塞爾 57
Santenay 松特內 128
Saumur 梭密爾 46
Saumur Champigny 梭密爾－香比尼 46
Saumur Fines Bulles 梭密爾細泡酒 46
Saussignac 蘇西涅克 148
Sauternes 索甸 73
Savennières 莎弗尼耶 46
Savoie 薩瓦區 161
Seyssel 塞榭 161, 165

T

Tavel 塔維勒 184
Terrasses du Larzac 拉札克河階 19
Tonnerre 多內爾 141
Touraine 都漢 48
Touraine Amboise 都漢－安伯日 50
Touraine Azay-le-Rideau 都漢－阿列－麗多 49
Touraine Chenonceaux 都漢－雪儂梭 50
Touraine Mesland 都漢－梅思隆 50
Touraine Noble-Joué 都漢－諾伯勒－茱耶 49
Touraine Oisly 都漢－瓦思利 50
Tursan 圖爾松 152

V

Vacqueyras 瓦給哈斯 181
Valençay 瓦隆榭 51
Ventoux 馮度 186
Vin Jaune du Jura 侏羅區黃葡萄酒 63
Vinsobres 凡索伯 181
Viré-Clessé 維列－克雷榭 137
Volnay 渥爾內 131
Vosne-Romanée 馮內－侯瑪內 134
Vougeot 梧玖 134
Vouvray 梧雷 53

地名・產區名 中法對照

三　劃

加隆省 Haute-Garonne
上伯諾奇 Haut-Benauge
上庇里牛斯省 Hautes-Pyrénées
上柯寧斯堡 Château du Haut-Kœnigsbourg
上科西嘉省 Haute-Corse
上梅多克 Haut-Méoc
上普瓦圖 Haut Poitou
上普羅旺斯阿爾卑斯省 Alpes-de-Haute-Provence
上萊茵省 Haut-Rhin
上薩瓦省 Haute-Savoie
下萊茵省 Bas-Rhin
凡索伯 Vinsobres
土邦與西蒙 Tupin-et-Semons
土耶爾河 La Truyère
土勒 Toul
土勒丘 Côtes-de-Toul
土隆 Toulon
土魯斯 Toulouse
大巴隆山 Grand Ballon
大杜蒙山 Grand Drumont
大哥倫比山脈 Grand Colombier
大桑納塞 Sennecey-le-Grand
大瑪恩谷地區 Grande Vallée de la Marne
大維希尤 Virieu-le-Grand
大摩漢河 Grand Morin
小巴隆山 Petit Ballon
小卡瑪格地區 Petite Camargue
小夏布利 Petit Chablis
小隆河 Petit Rhône

四　劃

中央高原 Massif Central
中央產區 Centre
中特河 La Jonte
內韋爾 Nevers
天使灣 Baie des Anges
巴奇水塘與希姜水塘 Étang de Bages et de Sigean
巴侯尼山脈 Baronies
巴班河 La Barbanne
巴斯提亞 Bastia
巴替摩尼歐 Patrimonio
巴雷特 Palette
巴爾 Barr
巴爾丘 Côte des Bars
巴薩克 Barsac
戈治 Gorges
方斯瓦維提 Vitry-le-François
日內瓦 Genève
火田山 Champ du Feu

五　劃

乎利 Rully
加美村落 Hameau de Gamay
加隆河 Garonne
加隆河盆地區 Bassin Garonnais
加儂－弗朗薩克 Canon-Fronsac
北島 Ile du Nord
北隆河 Rhône septentrional
卡內爾角 Cap Canille
卡巴得斯 Cabardès
卡布里耶 Cabrières
卡瓦昂 Cavaillon
卡西斯 Cassis
卡西斯灣 Baie de Cassis
卡佐島 Ile Cazeau
卡哈曼尼 Caramany
卡迪亞克波爾多丘 Cadillac Côtes de Bordeaux
卡勒維 Calvi
卡彭塔 Carpentras
卡斯康丘 IGP Côtes de Gascogne
卡斯康盆地區 Bassin Gascon
卡斯提雍拉巴泰爾 Castillon-la-Bataille
卡斯提雍波爾多丘 Castillon Côtes de Bordeaux
卡普拉亞島 Capraia Isola
卡爾卡頌 Carcassonne
卡瑪格 Camargue
卡瑪格濕地區 Camargue
卡歐 Cahors
古龍河 Le Coulon
古蘭 Goulaine
史代羅山 Monte stello
史特拉斯堡 Strasbourg
右岸區 Rive droite
尼姆 Nîmes
尼姆丘 Costières-de-Nîmes
尼昂 Nyons
尼斯 Nice
左岸區 Rive gauche
布戈憶－聖尼古拉 Saint-Nicolas-de-Bourgueil
布戈憶 Bourgueil
布列斯布爾 Bourgen-Bresse
布希 Buxy
布里亞 Briare
布依 Brouilly
布依山 Mont Brouilly
布依丘 Côte de Brouilly
布依亞克 Bouillac
布拉伊 Blaye
布拉伊丘 Côtes-de-Blaye
布拉伊波爾多丘 Blaye-Côtes-de-Bordeaux
布拉伊與布爾 Blayais-Bourgeais
布杰－胡榭特 Roussette de Bugey
布杰 Bugey
布哲宏 Bouzeron
布埃 Bué
布朗河畔韋爾努 Vernou-sur-Brenne
布柴 Buzet
布根地 Bourgogne
布爾 Bourg
布爾吉 Bourges
布爾傑湖 Lac du Bourget
布爾與布爾丘 Bourg & Côtes-de-Bourg
布德 Boudes
布魯瓦 Brulhois
布盧瓦 Blois
弗朗波爾多丘 Francs Côtes de Bordeaux
弗朗薩克 Fronsac
弗勒莉 Fleurie
未爾河 Vère
瓦列 Vallet
瓦思利 Oisly
瓦給哈斯 Vacqueyras
瓦華－普羅旺斯丘 Coteaux Varois-en-Provence
瓦隆斯 Valence
瓦隆榭 Valençay
瓦隆榭納 Valenciennes
瓦爾河 Le Var
瓦爾省 Var
甘希 Quincy
白土區 Terres blanches
白丘 Côte des Blancs
皮內皮朴爾 Picpoul de Pinet
皮卡迪地區 Picardie
石灰岩碎塊區 Caillottes

六　劃

伊艾夫河莫恩 Mehun-sur-Yèvre
伊耶 Hyères
伊耶群島 Iles d'Hyères
伊斯爾河 l'Isle
伊塞爾河 l'Isère
伊塞爾橋 Pont-de-l'Isère
休姆－卡德 Quart de Chaume
吉弗里 Givry
吉恭達斯 Gigondas
吉隆特河 La Gironde
吉隆特省 Gironde
地中海 Mer Méditerranée
多能 Tonnerre
多能區 Tonnerrois
多農山 Le Donon
多爾多涅 Dordogne
多爾多涅河 Dordogne
多爾多涅省 Dordogne
夸圖茲 Quatourze
安省 Ain
安特格－勒－菲爾 Entraygues-le-Fel
安茹－羅亞爾丘 Anjou-Coteaux-de-la-Loire
安茹 Anjou
安茹卡本內 Cabernet d'Anjou
安茹布理薩克 Anjou Brissac
安茹村莊 Anjou Villages
安茹粉紅酒 Rosé d'Anjou
安茹與梭密爾 Anjou & Saumur
安基雍艾克斯 Les Aix d'Angillon
安傑 Angers
安裴 Ampuis
安德爾省 Indre
安錫 Annecy
安錫湖 Lac d'Annecy
托塔維爾 Tautavel
朱立雷布希 Jully-les-Buxy
朱里耶納 Juliénas
米由 Millau

米由丘 Côtes de Millau
米特貝格翰 Mittelbergheim
米麗 Milly
老港 Porto-Vecchio
艾皮諾 Épineuil
艾米達吉 Hermitage
艾克斯－普羅旺斯 Aix-en-Provence
艾克斯－普羅旺斯丘 Coteaux d'Aix-en-Provence
艾克斯來邦 Aix-les-Bains
艾妥爾 l'Étoile
艾宏姆 Érôme
艾林根斯坦 Heiligenstein
艾格摩特灣 Golfe d'Aigues-Mortes
艾斯坦 Estaing
艾斯柯丘 Coteaux de l'Escaut
艾裴內 Epernay
艾裴內南坡 Coteaux Sud d'Épernay
艾積塞 Eguisheim
西南部產區 Sud-Ouest
西洪溪 Le Ciron
西烏河聖普桑 St-Pourçain-sur-Sioule
西班牙 Espagne
西提 Chitry
西翰山脈 Montagne de la Séranne

七 劃

伯恩 Beaune
伯湘 Brochon
何許柯邦 Rochecorbon
佛傑爾 Faugères
克里松 Clisson
克拉伯 La Clape
克拉蒙 Cramant
克拉穆河 La Clamoux
克雷斯特 Crest
克雷蒙－菲宏 Clermont-Ferrand
克雷蒙埃侯 Clermont l'Hérault
克魯尼 Cluny
克羅茲－艾米達吉 Crozes-Hermitage
克羅茲－艾米達吉北部 Crozes-Hermitage Nord
克羅茲－艾米達吉南部 Crozes-Hermitage Sud
利布恩 Libourne
利布恩區 Libournais
利慕 Limoux
坎城 Cannes
孚日山脈 Vosges
孚日省 Vosges
希克維爾 Riquewihr
希姜 Sigean
希胡柏勒 Chiroubles
希塞粉紅酒 Rosé des Riceys
希濃 Chinon
庇里牛斯－大西洋省 Pyrénées-Atlantiques
庇里牛斯山 Pyrénées
庇里牛斯山麓區 Piémont Pyrénées
村莊胡西雍丘 Côtes du Roussillon Villages
杜布河 Doubs
杜宏斯河 La Durance
杜倫斯河 Durance
杜榭杜蔡斯 Duché-d'Uzès
沃克呂茲省 Vaucluse
沃敘里 Sury-en-Vaux
沃爾塞 Wolxheim
沙田 Sartène
沛平雍 Perpignan
貝屯 Béthune
貝沙克－雷奧良 Pessac-Léognan
貝沙克 Pessac
貝里 Belley
貝亞 Béarn
貝亞沙力 Salies-de-Béarn
貝夏蒙 Pécharmant
貝格翰 Bergheim
貝茲耶 Béziers
貝傑哈克 Bergerac
貝塞山 Mont Bessay
貝達里德 Bédarrides
貝雷 Bellet
貝爾嘉德－克雷耶特＋尼姆丘 Clairette-de-Bellegarde ＋ Costières-de-Nîmes
貝爾嘉德－克雷耶特 Clairette-de-Bellegarde
貝爾嘉德 Bellegarde
貝魯 Berlou
貝澤納斯 Pézenas
邦斗爾 Bandol
邦尼法丘 Bonifacio
邦若 Bonnezeaux
里伯維雷 Ribeauvillé
里昂 Lyon
里哈克 Lirac
里斯塔克－梅多克 Listrac-Médoc
里維聶爾 La Livinière
里蒙尼 Limony
亞維儂 Avignon

八 劃

佩里格 Périgueux
佩里格地區 Périgord
佩南－維哲雷斯 Pernand-Vergelesses
侏羅 Jura
侏羅山脈 Monts du Jura
侏羅丘 Côte du Jura
依宏希 Irancy
依蘆雷姬 Irouléguy
兩海之間 Entre-Deux-Mers
坦恩－艾米達吉 Tain l'Hermitage
坦恩 Thann
坦恩河 Tarn
坦恩省 Tarn
坦恩與加隆河省 Tarn-et-Garonne
夜丘村莊 Côte de Nuits Villages
夜丘區 Côte de Nuits
夜－聖喬治 Nuits-Saint-Georges
奇揚替 Chianti
孟彌海岩壁 Dentelles de Montmirail
居宏頌 Jurançon
帕芬罕 Pfaffenheim
拉札克河階 Terrasses du Larzac
拉杜瓦 Ladoix
拉杜瓦塞里尼 Ladoix-Sérigny
拉耶富阿榭 La Haye-Fouassière
拉紐 Lagnieu
拉梅賈奈爾 La Méjanelle
拉隆－玻美侯 Lalande-de-Pomerol
拉爾納吉 Larnage
旺多姆 Vendôme
旺多姆丘 Coteaux-du-Vendômois
昂瑟尼丘 Coteaux d'Ancenis
昂德洛 Andlau
東庇里牛斯省 Pyrénées Orientales
松特內 Santenay
松塞爾 Sancerre
松塞爾克雷藏西 Crézancy-en-Sancerre
松塞爾梅內特里歐 Ménétréol-sous-Sancerre
松塞爾聖詹 St-Gemme-en-Sancerrois
法格 Fargues
法國南法運河 Canal du Midi
法蘭西拉圖 Latour-de-France
法蘭基 Frangy
法蘭許康提地區 Franche-Comté
波姆 Bommes
波林里 Poligny
波城 Pau
波雅克 Pauillac
波爾多 Bordeaux
波爾多丘 Côtes de Bordeaux
波爾多首丘 Premières Côtes de Bordeaux
波蒙－蒙托 Beaumont-Monteux
金丘省 Côtd d'Or
阿內爾水塘 Étang de l'Arnel
阿比 Albi
阿代須省 Ardèche
阿加修 Ajaccio
阿加修灣 Golfe d'Ajaccio
阿卡雄海灣 Bassin d'Arcachon
阿古河 Agout
阿列河 l'Allier
阿列省 Allier
阿利河 l'Agly
阿杜河 l'Adour
阿杜河埃爾 Aire-sur-l'Adour
阿明尼 Amigny
阿厚斯河 l'Arros
阿美斯維爾 Ammerschwihr
阿將 Agen
阿普特 Apt
阿普蒙 Apremont
阿農溪 l'Arnon
阿爾 Arles
阿爾皮山脈 Chaîne des Alpilles
阿爾皮高原 Les Alpilles
阿爾伯 Arbois
阿爾德谷地 Vallée de l'Ardre
阿爾薩斯 Alsace
阿爾薩斯巴隆山 Ballon d'Alsace
阿爾薩斯平原 Plaine d'Alsace
阿維宏河 Aveyron
阿維宏省 Aveyron
阿維茲 Avize
阿蒙松河 Armançon
阿摩利康高原 Massif Armoricain
阿羅斯－高登 Aloxe-Corton

九 劃

侯代茲 Rodez
侯克布朗 Roquebrun
侯克摩爾 Roquemaure
侯馬內許－托漢 Romanèche-Thorins
侯塞 Rosheim
侯塞特 Rosette
南科西嘉省 Corse du Sud
南特 Nnates
南特地方 Pays Nantais
南特果葡隆 Gros plant du Pays Nantais
南隆河 Rhône méridional
南錫 Nancy
哈斯多 Rasteau
姜城 Gien
姜城丘 Coteaux du Giennois
威尼斯－彭姆蜜思嘉 Muscat de Beaumes-de-Venise
威尼斯－彭姆 Beaumes-de-Venise
威東河峽谷 Gorges du Verdon
威森堡 Wissembourg
律沙克－聖愛美濃 Lussac-Saint-Émilion
拜雍 Bayonne
柏嵐 Bollène
柯比耶－布特納克 Corbières-Boutenac
柯比耶 Corbières
柯比耶杜邦風土 Terroir de Durban
柯弘 Corent
柯希地區 Quercy
柯爾瑪 Colmar
洛林 Lorraine
洛河 Le Lot
洛省 Lot
洛與加隆河省 Lot-et-Garonne
玻美侯 Pomerol
玻瑪 Pommard
科西嘉 Corse
科西嘉角 Cap Corse
科西嘉角丘 Coteaux-du-Cap-Corse
科西嘉葡萄酒 Vin de Corse
美林亞克與機場 Mérignac
胡西雍 Roussillon
胡西雍丘 Côtes du Roussillon
胡發赫 Rouffach
迪－克雷耶特 Clairette de Die
迪－克雷耶特與迪氣泡酒 Clairette de Die & Crémant de Die
迪 Die
迪丘 Côteaux de Die
郎提尼耶 Lantignié
風車磨坊 Moulin-à-Vent
風東 Fronton
香托索 Champtoceaux
香貝希 Chambéry
香波－蜜思妮 Chambolle-Musigny
香圖格 Chanturgue
香檳 Champagne
香檳夏隆 Châlons-en-Champagne

十 劃

修士之岩園 Roche aux Moines
修黑－伯恩 Chorey-lès-Beaune
修雷 Cholet
修維尼 Cheverny
哲維瑞－香貝丹 Gevrey-Chambertin
唐巴赫拉維爾 Dambach-la-Ville
埃侯河 Hérault
埃侯省 Hérault
埃雪索 Echézeaux
夏山－蒙哈榭 Chassagne-Montrachet
夏尼 Chagny
夏布利 Chablis
夏布利區 Chablisien
夏布利與大歐歇爾區 Chablis & Grand Auxerrois
夏瓦內 Chavanay
夏朵梅楊 Châteaumeillant
夏朵給 Châteaugay
夏明佑 Chavignol
夏能森林 Bois de Charnes
夏提雍區 Châtillonnais
夏替雍第瓦 Châtillon en Diois
夏隆丘 Côte-Chalonnaise
夏隆丘區 Côte Chalonnaise
夏隆堡 Château-Chalon
夏諾－曲松 Chanos-Curson
庫倫 Culan
庫納克諾由區 Noyau de Cunac
庫雪 Couchey
庫爾－修維尼 Cour-Cheverny
庫鐵松 Courthézon
恭得里奧 Condrieu
拿朋 Narbonne
朗河 l'Ain
朗省 l'Ain
朗德省 Landes
朗德森林區 Forêt des Landes
格里耶堡 Château-Grillet
格里農阿德瑪 Grignan-les-Adhémar
格拉夫 Graves
格拉夫與優級格拉夫

Graves, Graves Supérieures
泰克河 Le Tech
泰特河 Têt
海洋阿爾卑斯省 Alpes-Maritimes
海洋夏宏特省 Charente-Maritimes
海濱班努斯 Banyuls-sur-Mer
涅夫赫省 Nièvre
特洛伊 Troyes
特維爾聖馬丘 St-Mathieu-de-Tréviers
索甸 Saiternes
索甸區 Sauternais
索恩河 Saône
索恩河克雷希 Crêches-sur-Saône
索恩河夏隆 Chalon-sur-Saône
索恩暨羅亞爾省 Saône-et-Loire
索格 Sorgues
貢布隆香 Comblanchien
馬大格 Madargue
馬西雅克－瓦雍 Marcillac-Vallon
馬西雅克 Marcillac
馬冷翰 Marlenheim
馬宏吉 Maranges
馬宏吉薛利 Cheilly-les-Maranges
馬沙內 Marsannay
馬沙內丘 Marsannayla-Côte
馬耶瓦 Malleval
馬貢 Mâcon
馬貢村莊 Mâcon-Villages
馬貢區 Mâconnais
馬勒佩爾 Malepère
馬匿可勒 Manicle
馬寇 Macau
馬第宏－維克－畢勒－巴歐漢克 Madiran-Pacherenc-du-Vic-Bilh
馬第宏 Madiran
馬黑斯特 Marestel
馬蒙 Marmande
馬蒙代丘 Côtes du Marmandais
馬賽 Marseille
高納斯 Cornas
高登－查理曼 Corton-Charlemagne
高登 Corton
高麗烏爾與班努斯 Collioure & Banyuls

十一　劃

勒巴雷 Le Pallet
培摩 Prémeaux
基恩翰 Kienheim
密內夫 La Minerve
密內瓦－聖尚 St-Jean-de-Minervois
密內瓦－聖尚蜜思嘉 Muscat de Saint-Jean-de-Minervois
密內瓦 Minervois
密哈貝爾布拉孔 Mirabel-et-Blacons
寇代臺地區 Plateau Cordais
寇哥朗 Corgoloin
寇爾提 Corte
專尼 Joigny
專尼區 Jovinien
康特 Contres
康塔爾省 Cantal
康德風土 Terroir de Condé
教皇新堡 Châteauneuf-du-Pape
梅多克 Médoc
梅多克慕里 Moulis-en-Médoc
梅克雷 Mercurey
梅尚水塘 Étang de Méjean
梅居侯－沃內 Mercurol-Veaunes
梅索 Meursault
梅茲 Metz
梧玖 Vougeot
梧雷 Vouvray
梭密爾－香比尼 Saumur-Champigny
梭密爾 Saumur
梭密爾聖母普依 Saumur Puy-Notre-Dame
畢戈爾南峰 Pic du midi de Bigorre
第瓦山脈 Diois
第瓦區 Diois
第戎 Dijon
荷依 Reuilly
莎弗尼耶 Savennières
莫夫 Mauves
莫利 Maury
莫瑞－聖丹尼 Morey-Saint-Denis
莫爾塞 Molsheim
都哈斯丘 Côtes de Duras
都漢－瓦思利 Touraine Oisly
都漢－安伯日 Touraine Amboise
都漢－阿列－麗多 Touraine Azay-le-Rideau
都漢－梅思隆 Touraine Mesland
都漢－雪儂梭 Touraine Chenonceaux
都漢－諾伯勒－茱耶 Touraine Noble-Joué
都漢 Touraine
都爾 Tours
雪諾夫 Chenôve

十二　劃

傑逢 Gervans
傑爾河 Le Gers
傑爾省 Gers
凱爾希丘 Coteaux du Quercy
凱爾希高原 Causses du Quercy
博夫聖皮耶 St-Pierre-de-Bœuf
提波堡 Château-Thébaud
普久 Pujaut
普皮蘭 Pupillin
普安席 Poinchy
普里尼－蒙哈榭 Puligny-Montrachet
普依－凡列爾 Pouilly-Vinzelle
普依－芙美 Pouilly-Fumé
普依－富塞 Pouilly-Fuissé
普依－樓榭 Pouilly-Loché
普依－羅亞爾 Pouilly-sur-Loire
普依主教 Puy-l'Évêque
普拉提耶島 Île de Platière
普提 Poitiers
普瑟甘－聖愛美濃 Puisseguin-Saint-Émilion
普羅旺斯 Provence
普羅旺斯巴宏尼山區 Baronnies provençales
普羅旺斯丘－天使聖母 Côtes de Provence Notre-Dame-des-Anges
普羅旺斯丘－火石 Côtes de Provence Pierrefeu
普羅旺斯丘－拉隆德 Côtes de Provence la Londe
普羅旺斯丘－菲居 Côtes de Provence Fréjus
普羅旺斯丘－聖維多爾 Côtes de Provence Sainte-Victoire
普羅旺斯丘 Côtes de Provence
普羅旺斯沙隆 Salon-de-Provence
普羅旺斯聖黑米 St-Rémy-de-Provence
普羅旺斯雷伯 Les Baux-de-Provence
棕堡 Chateauroux
欽陀山 Monte Cinto
渥爾內 Volnay
給漢 Cairanne
菲杜 Fitou
菲尚 Fixin
菲居 Fréjus
萊茵河 Le Rhin
萊陽丘 Coteaux du Layon
萊陽丘村莊 Coteaux du Layon "Villages"
費 Fyé
費加利 Figari
費耶夫旺代 Fiefs Vendéens
鄉村隆河丘 Côtes-du-Rhône-Villages
隆河 Le Rhône
隆河口省 Bouches-du-Rhône
隆河丘 Côtes-du-Rhône
隆河省 Rhône
隆河塞爾維 Serves-sur-Rhône
隆河聖米歇爾 St-Michel-sur-Rhône
隆河聖希爾 St-Cyr-surle-Rhône
隆河圖儂 Tournon sur-Rhône
隆格多克－克雷耶特 Clairette du Languedoc
隆格多克 Languedoc
隆勒索涅 Lons-le-Saunier
馮內－侯瑪內 Vosne-Romanée
馮度 Ventoux
馮度山 Mont Ventoux
黑尼耶－杜黑特 Régnié-Durette
黑尼耶 Régnié
黑色臺地 Causse Noir
黑蒙山 Rémont

十三　劃

塔維勒 Tavel
塞凡 Cévennes
塞凡山脈 Cévennes
塞宏＋格拉夫＋優級格拉夫 Cérons+Graves+Graves Supérieures
塞特 Sète
塞納河 La Seine
塞納河巴爾 Bar-sur-Seine
塞納河夏提雍 Châtillonsuro-Seine
塞納與瑪恩省 Seine-et-Marne
塞勒斯塔 Sélestat
塞斯河 La Cesse
塞然 Sézanne
塞然丘 Côte de Sézanne
塞楊 Saillans
塞榭 Seyssel
塞爾省 Isère
塞寬內巴爾 Bar-Séquanais
奧塞－都黑斯 Auxey-Duresses
奧爾良 Orléans
愛德角 Cap d'Agde
獅子灣 Golfe du Lion
瑞士 Suisse
瑟安河 Le Serein
瑟東 Cerdon
義大利 Italie
聖十字山 Sainte-Croix-du-Mont
聖山 Saint-Mont
聖布里 Saint-Bris
聖瓦勒杭 St-Vallerin
聖托佩 St-Tropez
聖朱里安 Saint-Julien
聖艾斯臺夫 Saint-Estèphe
聖西紐 Saint-Chinian
聖西紐貝魯 Saint-Chinian Berlou
聖西紐侯克布朗 Saint-Chinian Roquebrun
聖克里斯托 Saint-Christol
聖希波里特 St-Hippolyte
聖沙圖 St-Satur
聖佩雷 Saint-Péray
聖法波爾多 Sainte-Foy-Bordeaux
聖侯曼 Saint-Romain
聖保迪爾山 Mont St-Baudille
聖拿澤 St-Nazaire
聖馬坦勒伯 St-Martin-le-Beau
聖馬凱波爾多丘 Côtes de Bordeaux Saint-Macaire
聖莎朵 Saint-Sardos
聖莎圖南 Saint-Saturnin
聖喬治－聖愛美濃 Saint-Georges-Saint-Émilion
聖喬瑟夫 Saint-Joseph
聖普桑 St-Pourçain
聖愛 St-Amour
聖愛美濃 Saint-Émilion
聖賈克丘 Côtes Saint-Jacques
聖路峰 Pic Saint-Loup
聖維宏 Saint-Véran
聖德澤瑞 Saint-Drézéry
聖歐班 Saint-Aubin
聖鐵希高原 Massif de Saint-Thierry
賈尼耶 Jasnières
雷日朗柯比耶 Lézignan-Corbières
雷奎得 Lesquerde
雷曼湖 Lac Léman
嘉德省 Gard
圖未內 Thauvenay
圖克翰 Turckheim
圖爾尼 Tournus
圖爾松 Tursan
漢斯 Reims
漢斯山 Montagne de Reims
漢斯山森林 Forêt de la Montagne de Reims
漢斯特 Hengst
瑪恩谷地 Vallée de la Marne
瑪恩河 La Marne
瑪恩省 Marne
瑪歌－康特納克 Margaux-Cantenac
瑪歌 Margaux
綠石丘 Coteaux de Pierrevert
綠島 Ile Verte
維內斯庫隆奇 Coulanges-la-Vineuse
維日雷 Vézelay
維日雷區 Vézelien
維瓦瑞山脈 Vivarais
維瓦瑞丘 Côtes du Vivarais
維列－克雷榭 Viré-Clessé
維克－畢勒－巴歐漢克 Pacherenc-du-Vic-Bilh
維克水塘 Étang de Vic
維利耶－摩恭 Villié-Morgon
維町尼 Verdigny
維杭 Vérin
維松拉何曼 Vaison-la-Romaine
維恩 Vienne
維寇爾山脈 Vercors
維斯勒河 La Vesle
維爾松 Vierzon
維爾格拉夫 Graves-de-Vayres
維歐瓦 Wihr-au-Val

十四　劃

蒙內都－沙隆 Menetou-Salon
蒙太古聖馬丁 St-Martin-sous-Montaigu
蒙巴季亞克 Monbazillac
蒙托邦 Montauban
蒙貝胡 Montpeyroux
蒙佩利耶 Montpellier
蒙佩里耶石丘 Grès de Montpellier
蒙居俄 Montgueux
蒙亭尼 Montigny
蒙哈維爾 Montravel
蒙屋 Monthoux
蒙特明諾 Montermined
蒙塔尼 Montagny

蒙塔尼雷布希 Montagny-les-Buxy
蒙塔涅－聖愛美濃 Montagne-Saint-Émilion
蒙塔紐 Montagnieu
蒙路易 Montlouis
蒙蝶利 Monthélie
蒙鐵利瑪 Montélimar
蓋威勒 Guebwiller
蓋雅克 Gaillac
蜜思卡得－格蘭里奧丘 Muscadet Côtes de Grandlieu
蜜思卡得－塞夫爾緬因 優質村莊 Muscadet Sèvre-et-Maine “Crus Communaux”
蜜思卡得－塞夫爾緬因 Muscadet Sèvre-et-Maine
蜜思卡得－羅亞爾丘 Muscadet Coteaux de la Loire
蜜思卡得 Muscadet
裴亞克 Preignac

十五　劃

德多水塘 Étang de Thau
德拉津農 Draguignan
德國 Allemagne
德隆河 La Drôme
德隆省 Drôme
德羅普河 Le Dropt
慕佐爾聖尚 St-Jean-de-Muzols
慕宏克斯 Mourenx
慕里 Moulis
摩尼耶－聖費亞克 Monnières-St-Fiacre
摩吉歐水塘 Étang de Maugio
摩恭 Morgon
摩納哥 Monaco
摩塞爾 Moselle
摩塞爾河 La Moselle
摩塞爾省 Moselle
摩爾高原 Massif des Maures
樂卡特水塘 Étang de Leucate
樣能省 Yonne
歐內克山 Hohneck
歐比南 Aubignan
歐布哈克高原 Aubrac
歐托特 Ottrott
歐克聖喬治 Saint-Georges-d'Orques
歐貝內 Obernai
歐邦斯丘 Coteaux de l'Aubance
歐勃河 l'Orb
歐勃塞瑟儂 Cessenon-sur-Orb
歐柏河 l'Aube
歐柏河巴爾 Bar-sur-Aubois
歐柏省 Aube
歐泰茲 Orthez
歐得河 l'Aude
歐得省 Aude
歐許維勒 Orschwiller
歐傑 Oger
歐歇爾 Auxerre
歐歇爾丘 Côtes d'Auxerre
歐歇爾區 Auxerrois
歐圖斯山 Montagne d'Hortus
歐維列 Hautvillers
歐維涅 Auvergne
歐維涅丘 Côtes d'Auvergne
歐儂河 l'Ognon

十六　劃

衛多塞 Wettolsheim
橘城 Orange
澤倫伯格 Zellenberg
盧皮亞克 Loupiac
盧貝宏 Luberon
盧貝宏山 Montagne du Luberon
盧奈爾 Lunel
穆朗 Moulins
穆茲雍－提列 Mouzillon-Tillères
積雷宏格蘭居 Guilherand-Granges
諾曼第地區 Normandie
錫河奧斯特 Aouste-sur-Sye
霍許維爾 Rorschwihr
默特與摩塞爾省 Meurthe-et-Moselle
默斯 Meuse
默斯河 La Meuse
默斯省 Meuse

十七　劃

濱海聖希爾 St-Cyr-sur-Mer
燧石矽砂黏土區 Silex
薄酒來 Beaujolais
薄酒來村莊 Beaujolais Villages
薄酒來新酒 Beaujolais Nouveau
薛納 Chénas
薛爾河 Le Cher
薛爾省 Cher
賽宏河坡園 Coulée de Serrant

十八　劃及以上

薩瓦－胡榭特 Roussette de Savoie
薩瓦 Savoie
薩哈 Sarras
薩朗雷邦 Salins-les-Bains
薩維尼－伯恩 Savigny-les-Beaune
雙銀河 l'Argent Double
羅代夫 Lodève
羅瓦丘 Coteaux-du-Loir
羅瓦河 Loir
羅亞爾河 La Loire
羅亞爾河康恩庫爾 Cosne-Courssur-Loire
羅亞爾省 Loire
羅亞爾蒙路易 Montlouis-sur-Loire
羅第丘 Côte-Rôtie
羅澤爾省 Lozère
麗維薩特 Rivesaltes
蘇西涅克 Saussignac
鐵希堡 Château-Thierry

地名・產區名法中對照

A

Agen 阿將
Agout 阿古河
Ain 安省
Aire-sur-l'Adour 阿杜河埃爾
Aix-en-Provence 艾克斯－普羅旺斯
Aix-les-Bains 艾克斯來邦
Ajaccio 阿加修
Albi 阿比
Allemagne 德國
Allier 阿列省
Aloxe-Corton 阿羅斯－高登
Alpes-de-Haute-Provence 上普羅旺斯阿爾卑斯省
Alpes-Maritimes 海洋阿爾卑斯省
Alsace 阿爾薩斯
Amigny 阿明尼
Ammerschwihr 阿美斯維爾
Ampuis 安裴
Andlau 昂德洛
Angers 安傑
Anjou & Saumur 安茹與梭密爾
Anjou Brissac 安茹布理薩克
Anjou Villages 安茹村莊
Anjou-Coteaux-de-la-Loire 安茹－羅亞爾丘
Anjou 安茹
Annecy 安錫
Aouste-sur-Sye 錫河奧斯特
Apremont 阿普蒙
Apt 阿普特
Arbois 阿爾伯
Ardèche 阿代須省
Arles 阿爾
Armançon 阿蒙松河
Aube 歐柏省
Aubignan 歐比南
Aubrac 歐布哈克高原
Aude 歐得省
Auvergne 歐維涅
Auxerre 歐歇爾
Auxerrois 歐歇爾區
Auxey-Duresses 奧塞－都黑斯
Aveyron 阿維宏河，阿維宏省
Avignon 亞維儂
Avize 阿維茲

B

Baie de Cassis 卡西斯灣
Baie des Anges 天使灣
Ballon d'Alsace 阿爾薩斯巴隆山
Bandol 邦斗爾
Banyuls-sur-Mer 海濱班努斯
Baronies 巴侯尼山脈
Baronnies provençales 普羅旺斯巴宏尼山區
Barr 巴爾
Barsac 巴薩克
Bar-Séquanais 塞寬內巴爾
Bar-sur-Aubois 歐柏河巴爾
Bar-sur-Seine 塞納河巴爾
Bas-Rhin 下萊茵省
Bassin d'Arcachon 阿卡雄海灣
Bassin Garonnais 加隆河盆地區
Bassin Gascon 卡斯康盆地區
Bastia 巴斯提亞
Bayonne 拜雍
Béarn 貝亞
Beaujolais Nouveau 薄酒來新酒
Beaujolais Villages 薄酒來村莊
Beaujolais 薄酒來
Beaumes-de-Venise 威尼斯－彭姆
Beaumont-Monteux 波蒙－蒙托
Beaune 伯恩
Bédarrides 貝達里德
Bellegarde 貝爾嘉德
Bellet 貝雷
Belley 貝里
Bergerac 貝傑哈克
Bergheim 貝格翰
Berlou 貝魯
Béthune 貝屯
Béziers 貝茲耶
Blayais-Bourgeais 布拉伊與布爾
Blaye-Côtes-de-Bordeaux 布拉伊波爾多丘
Blaye 布拉伊
Blois 布盧瓦
Bois de Charnes 夏能森林
Bollène 柏嵐
Bommes 波姆
Bonifacio 邦尼法丘
Bonnezeaux 邦若
Bordeaux 波爾多
Bouches-du-Rhône 隆河口省
Boudes 布德
Bouillac 布依亞克
Bourg & Côtes-de-Bourg 布爾與布爾丘
Bourgen-Bresse 布列斯布爾
Bourges 布爾吉
Bourgogne 布根地
Bourgueil 布戈憶
Bourg 布爾
Bouzeron 布哲宏
Briare 布里亞
Brochon 伯湘
Brouilly 布依
Brulhois 布魯瓦
Bué 布埃
Bugey 布杰
Buxy 布希
Buzet 布柴

C

Cabardès 卡巴得斯
Cabernet d'Anjou 安茹卡本內
Cabrières 卡布里耶
Cadillac Côtes de Bordeaux 卡迪亞克波爾多丘
Cahors 卡歐
Caillottes 石灰岩碎塊區
Cairanne 給漢
Calvi 卡勒維
Camargue 卡瑪格，卡瑪格濕地區
Canal du Midi 法國南法運河
Cannes 坎城
Canon-Fronsac 加儂－弗朗薩克
Cantal 康塔爾省
Cap Canille 卡內爾角
Cap Corse 科西嘉角
Cap d'Agde 愛德角
Capraia Isola 卡普拉亞島
Caramany 卡哈曼尼
Carcassonne 卡爾卡頌
Carpentras 卡彭塔
Cassis 卡西斯
Castillon Côtes de Bordeaux 卡斯提雍波爾多丘
Castillon-la-Bataille 卡斯提雍拉巴泰爾
Causse Noir 黑色臺地
Causses du Quercy 凱爾希高原
Cavaillon 卡瓦昂
Centre 中央產區
Cerdon 瑟東
Cérons+Graves+Graves Supérieures 塞宏＋格拉夫＋優級格拉夫
Cessenon-sur-Orb 歐勃塞瑟儂
Cévennes 塞凡，塞凡山脈
Chablis & Grand Auxerrois 夏布利與大歐歇爾區
Chablisien 夏布利區
Chablis 夏布利
Chagny 夏尼
Châine des Alpilles 阿爾皮山脈
Châlons-en-Champagne 香檳夏隆
Chalon-sur-Saône 索恩河夏隆
Chambéry 香貝希
Chambolle-Musigny 香波－蜜思妮
Champ du Feu 火田山
Champagne 香檳
Champtoceaux 香托索
Chanos-Curson 夏諾－曲松
Chanturgue 香圖格
Charente-Maritimes 海洋夏宏特省
Chassagne-Montrachet 夏山－蒙哈榭
Château du Haut-Kœnigsbourg 上柯寧斯堡
Château-Chalon 夏隆堡
Châteaugay 夏朵給
Château-Grillet 格里耶堡
Châteaumeillant 夏朵梅楊
Châteauneuf-du-Pape 教皇新堡
Chateauroux 棕堡
Château-Thébaud 提波堡
Château-Thierry 鐵希堡

Châtillon en Diois 夏替雍第瓦
Châtillonnais 夏提雍區
Châtillonsuro-Seine 塞納河夏提雍
Chavanay 夏瓦內
Chavignol 夏明佑
Cheilly-les-Maranges 馬宏吉薛利
Chénas 薛納
Chenôve 雪諾夫
Cher 薛爾省
Cheverny 修維尼
Chianti 奇揚替
Chinon 希濃
Chiroubles 希胡柏勒
Chitry 西提
Cholet 修雷
Chorey-lès-Beaune 修黑－伯恩
Clairette de Die & Crémant de Die 迪－克雷耶特與迪氣泡酒
Clairette de Die 迪－克雷耶特
Clairette du Languedoc 隆格多克－克雷耶特
Clairette-de-Bellegarde + Costières-de-Nîmes 貝爾嘉德－克雷耶特＋尼姆丘
Clairette-de-Bellegarde 貝爾嘉德－克雷耶特
Clermont l'Hérault 克雷蒙埃侯
Clermont-Ferrand 克雷蒙－菲宏
Clisson 克里松
Cluny 克魯尼
Collioure & Banyuls 高麗烏爾與班努斯
Colmar 柯爾瑪
Comblanchien 貢布隆香
Condrieu 恭得里奧
Contres 康特
Corbières-Boutenac 柯比耶－布特納克
Corbières 柯比耶
Corent 柯弘
Corgoloin 寇哥朗
Cornas 高納斯
Corse du Sud 南科西嘉省
Corse 科西嘉
Corte 寇爾提
Corton-Charlemagne 高登－查理曼
Corton 高登
Cosne-Courssur-Loire 羅亞爾河康恩庫爾
Costières-de-Nîmes 尼姆丘
Côtd d'Or 金丘省
Côte Chalonnaise 夏隆丘區
Côte de Brouilly 布依丘
Côte de Nuits Villages 夜丘村莊
Côte de Nuits 夜丘區
Côte de Sézanne 塞然丘
Côte des Bars 巴爾丘
Côte des Blancs 白丘
Côte du Jura 侏羅丘
Coteaux d'Aix-en-Provence 艾克斯－普羅旺斯丘
Coteaux d'Ancenis 昂瑟尼丘
Côteaux de Die 迪丘
Coteaux de l'Aubance 歐邦斯丘
Coteaux de l'Escaut 艾斯柯丘
Coteaux de Pierrevert 綠石丘
Coteaux du Giennois 姜城丘
Coteaux du Layon "Villages" 萊陽丘村莊
Coteaux du Layon 萊陽丘
Coteaux du Quercy 凱爾希丘
Coteaux Sud d'Épernay 艾褒內南坡
Coteaux Varois-en-Provence 瓦華－普羅旺斯丘
Coteaux-du-Cap-Corse 科西嘉角丘
Coteaux-du-Loir 羅瓦丘
Coteaux-du-Vendômois 旺多姆丘
Côte-Chalonnaise 夏隆丘
Côte-Rôtie 羅第丘
Côtes d'Auvergne 歐維涅丘
Côtes d'Auxerre 歐歇爾丘
Côtes de Bordeaux Saint-Macaire 聖馬凱波爾多丘
Côtes de Bordeaux 波爾多丘
Côtes de Duras 都哈斯丘
Côtes de Millau 米由丘
Côtes de Provence Fréjus 普羅旺斯丘－菲居
Côtes de Provence la Londe 普羅旺斯丘－拉隆德
Côtes de Provence Notre-Dame-des-Anges 普羅旺斯丘－天使聖母
Côtes de Provence Pierrefeu 普羅旺斯丘－火石
Côtes de Provence Sainte-Victoire 普羅旺斯丘－聖維多爾
Côtes de Provence 普羅旺斯丘
Côtes du Marmandais 馬蒙代丘
Côtes du Roussillon Villages 村莊胡西雍丘
Côtes du Roussillon 胡西雍丘
Côtes du Vivarais 維瓦瑞丘
Côtes Saint-Jacques 聖賈克丘
Côtes-de-Blaye 布拉伊丘
Côtes-de-Toul 土勒丘
Côtes-du-Rhône-Villages 鄉村隆河丘
Côtes-du-Rhône 隆河丘
Couchey 庫雪
Coulanges-la-Vineuse 維內斯庫隆奇
Coulée de Serrant 賽宏河坡園
Cour-Cheverny 庫爾－修維尼
Courthézon 庫鐵松
Cramant 克拉蒙
Crêches-sur-Saône 索恩河克雷希
Crest 克雷斯特
Crézancy-en-Sancerre 松塞爾克雷藏西
Crozes-Hermitage Nord 克羅茲－艾米達吉北部
Crozes-Hermitage Sud 克羅茲－艾米達吉南部
Crozes-Hermitage 克羅茲－艾米達吉
Culan 庫倫

D

Dambach-la-Ville 唐巴赫拉維爾
Dentelles de Montmirail 孟彌海岩壁
Die 迪
Dijon 第戎
Diois 第瓦區，第瓦山脈
Dordogne 多爾多涅，多爾多涅河，多爾多涅省
Doubs 杜布河
Draguignan 德拉津農
Drôme 德隆省
Duché-d'Uzès 杜榭杜蔡斯
Durance 杜倫斯河

E

Echézeaux 埃雪索
Eguisheim 艾積塞
Entraygues-le-Fel 安特格－勒－菲爾
Entre-Deux-Mers 兩海之間
Epernay 艾褒內
Épineuil 艾皮諾
Érôme 艾宏姆
Espagne 西班牙
Estaing 艾斯坦
Étang de Bages et de Sigean 巴奇水塘與希姜水塘
Étang de l'Arnel 阿內爾水塘
Étang de Leucate 樂卡特水塘
Étang de Maugio 摩吉歐水塘
Étang de Méjean 梅尚水塘
Étang de Thau 德多水塘
Étang de Vic 維克水塘

F

Fargues 法格
Faugères 佛傑爾
Fiefs Vendéens 費耶夫旺代
Figari 費加利
Fitou 菲杜
Fixin 菲尚
Fleurie 弗勒莉
Forêt de la Montagne de Reims 漢斯山森林
Forêt des Landes 朗德森林區
Franche-Comté 法蘭許康提地區
Francs Côtes de Bordeaux 弗朗波爾多丘
Frangy 法蘭基
Fréjus 菲居
Fronsac 弗朗薩克
Fronton 風東
Fyé 費

G

Gaillac 蓋雅克
Gard 嘉德省
Garonne 加隆河
Genève 日內瓦
Gers 傑爾省
Gervans 傑逢
Gevrey-Chambertin 哲維瑞－香貝丹
Gien 姜城
Gigondas 吉恭達斯
Gironde 吉隆特省
Givry 吉弗里
Golfe d'Aigues-Mortes 艾格摩特灣
Golfe d'Ajaccio 阿加修灣
Golfe du Lion 獅子灣
Gorges du Verdon 威東河峽谷
Gorges 戈治
Goulaine 古蘭
Grand Ballon 大巴隆山
Grand Colombier 大哥倫比山脈
Grand Drumont 大杜蒙山
Grand Morin 大摩漢河
Grande Vallée de la Marne 大瑪恩谷地區
Graves, Graves Supérieures 格拉夫與優級格拉夫
Graves-de-Vayres 維爾格拉夫
Graves 格拉夫
Grès de Montpellier 蒙佩里耶石丘
Grignan-les-Adhémar 格里農阿德瑪
Gros plant du Pays Nantais 南特果葡隆
Guebwiller 蓋威勒
Guilherand-Granges 積雷宏格蘭居

H

Hameau de Gamay 加美村落
Haut Poitou 上普瓦圖
Haut-Benauge 上伯諾奇
Haute-Corse 上科西嘉省
Haute-Garonne 上加隆省
Haute-Savoie 上薩瓦省
Hautes-Pyrénées 上庇里牛斯省
Haut-Méoc 上梅多克
Haut-Rhin 上萊茵省
Hautvillers 歐維列
Heiligenstein 艾林根斯坦
Hengst 漢斯特
Hérault 埃侯河，埃侯省
Hermitage 艾米達吉
Hohneck 歐內克山
Hyères 伊耶

I

IGP Côtes de Gascogne 卡斯康丘
Ile Cazeau 卡佐島
Île de Platière 普拉提耶島
Ile du Nord 北島
Ile Verte 綠島
Iles d'Hyères 伊耶群島
Indre 安德爾省
Irancy 依宏希
Irouléguy 依蘆雷姬
Isère 伊塞爾省
Italie 義大利

J-K

Jasnières 賈尼耶
Joigny 專尼
Jovinien 專尼區
Juliénas 朱里耶納
Jully-les-Buxy 朱立雷布希
Jurançon 居宏頌
Jura 侏羅
Kienheim 基恩翰

L

l'Adour 阿杜河
l'Agly 阿利河
l'Ain 朗河，朗省
l'Allier 阿列河
l'Argent Double 雙銀河
l'Arnon 阿農溪
l'Arros 阿厚斯河
l'Aube 歐柏河
l'Aude 歐得河
l'Étoile 艾妥爾
l'Isère 伊塞爾河
l'Isle 伊斯爾河
l'Ognon 歐儂河
l'Orb 歐勃河
La Barbanne 巴班河
La Cesse 塞斯河
La Clamoux 克拉穆河
La Clape 克拉伯
La Drôme 德隆河
La Durance 杜宏斯河
La Gironde 吉隆特河
La Haye-Fouassière 拉耶富阿榭
La Jonte 中特河
La Livinière 里維聶爾
La Loire 羅亞爾河
La Marne 瑪恩河
La Méjanelle 拉梅賈奈爾
La Meuse 默斯河
La Minerve 密內夫
La Moselle 摩塞爾河
La Seine 塞納河
La Truyère 土耶爾河
La Vesle 維斯勒河
Lac d'Annecy 安錫湖
Lac du Bourget 布爾傑湖
Lac Léman 雷曼湖
Ladoix-Sérigny 拉杜瓦塞里尼
Ladoix 拉杜瓦
Lagnieu 拉紐
Lalande-de-Pomerol 拉隆－玻美侯
Landes 朗德省
Languedoc 隆格多克
Lantignié 郎提尼耶
Larnage 拉爾納吉
Latour-de-France 法蘭西拉圖
Le Cher 薛爾河
Le Ciron 西洪溪
Le Coulon 古龍河
Le Donon 多農山
Le Dropt 德羅普河
Le Gers 傑爾河

Le Lot 洛河
Le Pallet 勒巴雷
Le Rhin 萊茵河
Le Rhône 隆河
Le Serein 瑟安河
Le Tech 泰克河
Le Var 瓦爾河
les Aix d'Angillon 安基雍艾克斯
Les Alpilles 阿爾皮高原
Les Baux-de-Provence 普羅旺斯雷伯
Lesquerde 雷奎得
Lézignan-Corbières 雷日朗柯比耶
Libournais 利布恩區
Libourne 利布恩
Limony 里蒙尼
Limoux 利慕
Lirac 里哈克
Listrac-Médoc 里斯塔克－梅多克
Lodève 羅代夫
Loire 羅亞爾省
Loir 羅瓦河
Lons-le-Saunier 隆勒索涅
Lorraine 洛林
Lot-et-Garonne 洛與加隆河省
Lot 洛省
Loupiac 盧皮亞克
Lozère 羅澤爾省
Luberon 盧貝宏
Lunel 盧奈爾
Lussac-Saint-Émilion 律沙克－聖愛美濃
Lyon 里昂

M

Macau 馬寇
Mâconnais 馬貢區
Mâcon-Villages 馬貢村莊
Mâcon 馬貢
Madargue 馬大格
Madiran-Pacherenc-du-Vic-Bilh 馬第宏－維克－畢勒－巴歇漢克
Madiran 馬第宏
Malepère 馬勒佩爾
Malleval 馬耶瓦
Manicle 馬匿可勒
Maranges 馬宏吉
Marcillac-Vallon 馬西雅克－瓦雍
Marcillac 馬西雅克
Marestel 馬黑斯特
Margaux-Cantenac 瑪歌－康特納克
Margaux 瑪歌
Marlenheim 馬冷翰
Marmande 馬蒙
Marne 瑪恩省
Marsannayla-Côte 馬沙內丘
Marsannay 馬沙內
Marseille 馬賽
Massif Armoricain 阿摩利康高原
Massif Central 中央高原
Massif de Saint-Thierry 聖鐵希高原
Massif des Maures 摩爾高原
Maury 莫利
Mauves 莫夫
Médoc 梅多克
Mehun-sur-Yèvre 伊艾夫河莫恩
Menetou-Salon 蒙內都－沙隆
Ménétréol-sous-Sancerre 松塞爾梅內特里歐
Mer Méditerranée 地中海
Mercurey 梅克雷
Mercurol-Veaunes 梅居侯－沃內
Mérignac 美林亞克與機場
Metz 梅茲
Meursault 梅索
Meurthe-et-Moselle 默特與摩塞爾省
Meuse 默斯，默斯省
Millau 米由
Milly 米麗
Minervois 密內瓦
Mirabel-et-Blacons 密哈貝爾布拉孔
Mittelbergheim 米特貝格翰
Molsheim 莫爾塞
Monaco 摩納哥
Monbazillac 蒙巴季亞克
Monnières-St-Fiacre 摩尼耶－聖費亞克
Mont Bessay 貝塞山
Mont Brouilly 布依山
Mont St-Baudille 聖保迪爾山
Mont Ventoux 馮度山
Montagne d'Hortus 歐圖斯山
Montagne de la Séranne 西翰山脈
Montagne de Reims 漢斯山
Montagne du Luberon 盧貝宏山
Montagne-Saint-Émilion 蒙塔涅－聖愛美濃
Montagnieu 蒙塔紐
Montagny-les-Buxy 蒙塔尼雷布希
Montagny 蒙塔尼
Montauban 蒙托邦
Monte Cinto 欽陀山
Monte stello 史代羅山
Montélimar 蒙鐵利瑪
Monterminod 蒙特明諾
Montgueux 蒙居俄
Monthélie 蒙蝶利
Monthoux 蒙屋
Montigny 蒙亭尼
Montlouis-sur-Loire 羅亞爾蒙路易
Montlouis 蒙路易
Montpellier 蒙佩利耶
Montpeyroux 蒙貝胡
Montravel 蒙哈維爾
Monts du Jura 侏羅山脈
Morey-Saint-Denis 莫瑞－聖丹尼
Morgon 摩恭
Moselle 摩塞爾，摩塞爾省
Moulin-à-Vent 風車磨坊
Moulins 穆朗
Moulis-en-Médoc 梅多克慕里
Moulis 慕里
Mourenx 慕宏克斯
Mouzillon-Tillères 穆茲雍－提列
Muscadet Coteaux de la Loire 蜜思卡得－羅亞爾丘
Muscadet Côtes de Grandlieu 蜜思卡得－格蘭里奧丘
Muscadet Sèvre-et-Maine "Crus Communaux" 蜜思卡得－塞夫爾緬因 優質村莊
Muscadet Sèvre-et-Maine 蜜思卡得－塞夫爾緬因
Muscadet 蜜思卡得
Muscat de Beaumes-de-Venise 威尼斯－彭姆蜜思嘉
Muscat de Saint-Jean-de-Minervois 密內瓦－聖尚蜜思嘉

N

Nancy 南錫
Narbonne 拿朋
Nevers 內韋爾
Nice 尼斯
Nièvre 涅夫赫省
Nîmes 尼姆
Nnates 南特
Normandie 諾曼第
Noyau de Cunac 庫納克諾由區
Nuits-Saint-Georges 夜－聖喬治
Nyons 尼昂

O

Obernai 歐貝內
Oger 歐傑
Oisly 瓦思利
Orange 橘城
Orléans 奧爾良
Orschwiller 歐許維勒
Orthez 歐泰茲
Ottrott 歐托特

P

Pacherenc-du-Vic-Bilh 維克－畢勒－巴歇漢克
Palette 巴雷特
Patrimonio 巴替摩尼歐
Pauillac 波雅克
Pau 波城
Pays Nantais 南特地方
Pécharmant 貝夏蒙
Périgord 佩里格地區
Périgueux 佩里格
Pernand-Vergelesses 佩南－維哲雷斯
Perpignan 沛平雍
Pessac-Léognan 貝沙克－雷奧良
Pessac 貝沙克
Petit Ballon 小巴隆山
Petit Chablis 小夏布利
Petit Rhône 小隆河
Petite Camargue 小卡瑪格地區
Pézenas 貝澤納斯
Pfaffenheim 帕芬罕
Pic du midi de Bigorre 畢戈爾南峰
Pic Saint-Loup 聖路峰
Picardie 皮卡迪地區
Picpoul de Pinet 皮內皮朴爾
Piémont Pyrénées 庇里牛斯山麓區
Plaine d'Alsace 阿爾薩斯平原
Plateau Cordais 寇代臺地區
Poinchy 普安席
Poitiers 普提
Poligny 波林里
Pomerol 玻美侯
Pommard 玻瑪
Pont-de-l'Isère 伊塞爾橋
Porto-Vecchio 老港
Pouilly-Fuissé 普依－富塞
Pouilly-Fumé 普依－芙美
Pouilly-Loché 普依－樓榭
Pouilly-sur-Loire 普依－羅亞爾市
Pouilly-Vinzelle 普依－凡列爾
Preignac 裴亞克
Prémeaux 培摩
Premières Côtes de Bordeaux 波爾多首丘
Provence 普羅旺斯
Puisseguin-Saint-Émilion 普瑟甘－聖愛美濃
Pujaut 普久
Puligny-Montrachet 普里尼－蒙哈榭
Pupillin 普皮蘭
Puy-l'Évêque 普依主教
Pyrénées Orientales 東庇里牛斯省
Pyrénées-Atlantiques 庇里牛斯－大西洋省
Pyrénées 庇里牛斯山

Q-R

Quart de Chaume 休姆－卡德
Quatourze 夸圖茲
Quercy 柯希地區
Quincy 甘希
Rasteau 哈斯多
Régnié-Durette 黑尼耶－杜黑特
Régnié 黑尼耶
Reims 漢斯
Rémont 黑蒙山
Reuilly 荷依
Rhône méridional 南隆河
Rhône septentrional 北隆河
Rhône 隆河省
Ribeauvillé 里伯維雷
Riquewihr 希克維爾
Rive droite 右岸區
Rive gauche 左岸區
Rivesaltes 麗維薩特
Roche aux Moines 修士之岩園
Rochecorbon 何許柯邦
Rodez 侯代茲
Romanèche-Thorins 侯馬內許－托漢
Roquebrun 侯克布朗
Roquemaure 侯克摩爾
Rorschwihr 霍許維爾
Rosé d'Anjou 安茹粉紅酒
Rosé des Riceys 希塞粉紅酒
Rosette 侯塞特
Rosheim 侯塞
Rouffach 胡發赫
Roussette de Bugey 布杰－胡榭特
Roussette de Savoie 薩瓦－胡榭特
Roussillon 胡西雍
Rully 乎利

S

Saillans 塞楊
Saint-Aubin 聖歐班
Saint-Bris 聖布里
Saint-Chinian Berlou 聖西紐貝魯
Saint-Chinian Roquebrun 聖西紐侯克布朗
Saint-Chinian 聖西紐
Saint-Christol 聖克里斯托
Saint-Drézéry 聖德澤瑞
Sainte-Croix-du-Mont 聖十字山
Sainte-Foy-Bordeaux 聖法波爾多
Saint-Émilion 聖愛美濃
Saint-Estèphe 聖艾斯臺夫
Saint-Georges-d'Orques 歐克聖喬治
Saint-Georges-Saint-Émilion 聖喬治－聖愛美濃
Saint-Joseph 聖喬瑟夫
Saint-Julien 聖朱里安
Saint-Mont 聖山
Saint-Nicolas-de-Bourgueil 布戈憶－聖尼古拉
Saint-Péray 聖佩雷
Saint-Romain 聖侯曼
Saint-Sardos 聖莎朵
Saint-Saturnin 聖莎圖南
Saint-Véran 聖維宏
Saiternes 索甸
Salies-de-Béarn 貝亞沙力
Salins-les-Bains 薩朗雷邦
Salon-de-Provence 普羅旺斯沙隆
Sancerre 松塞爾
Santenay 松特內
Saône-et-Loire 索恩暨羅亞爾省
Saône 索恩河
Sarras 薩哈
Sartène 沙田
Saumur Puy-Notre-Dame 梭密爾聖母普依
Saumur-Champigny 梭密爾－香比尼
Saumur 梭密爾
Saussignac 蘇西涅克
Sauternais 索甸區
Savennières 莎弗尼耶
Savigny-les-Beaune 薩維尼－

伯恩
Savoie 薩瓦
Seine-et-Marne 塞納與瑪恩省
Sélestat 塞勒斯塔
Sennecey-le-Grand 大桑納塞
Serves-sur-Rhône 隆河塞爾維
Sète 塞特
Seyssel 塞樹
Sézanne 塞然
Sigean 希姜
Silex 燧石矽砂黏土區
Sorgues 索格
St-Amour 聖愛
St-Cyr-surle-Rhône 隆河聖希爾
St-Cyr-sur-Mer 濱海聖希爾
St-Gemme-en-Sancerrois 松塞爾聖詹
St-Hippolyte 聖希波里特
St-Jean-de-Minervois 密內瓦－聖尚
St-Jean-de-Muzols 慕佐爾聖尚
St-Martin-le-Beau 聖馬坦勒伯
St-Martin-sous-Montaigu 蒙太古聖馬丁
St-Mathieu-de-Tréviers 特維爾聖馬丘
St-Michel-sur-Rhône 隆河聖米歇爾
St-Nazaire 聖拿澤
St-Pierre-de-Bœuf 博夫聖皮耶
St-Pourçain-sur-Sioule 西烏河聖普桑
St-Pourçain 聖普桑
Strasbourg 史特拉斯堡
St-Rémy-de-Provence 普羅旺斯聖黑米
St-Satur 聖沙圖
St-Tropez 聖托佩
St-Vallerin 聖瓦勒杭
Sud-Ouest 西南部產區
Suisse 瑞士
Sury-en-Vaux 沃敘里

T

Tain l'Hermitage 坦恩－艾米達吉
Tarn-et-Garonne 坦恩與加隆河省
Tarn 坦恩河，坦恩省
Tautavel 托塔維爾
Tavel 塔維勒
Terrasses du Larzac 拉札克河階
Terres blanches 白土區
Terroir de Condé 康德風土
Terroir de Durban 柯比耶杜邦風土
Têt 泰特河
Thann 坦恩
Thauvenay 圖未內
Tonnerre 多能
Tonnerrois 多能區
Toulon 土隆
Toulouse 土魯斯
Toul 土勒
Touraine Amboise 都漢－安伯日
Touraine Azay-le-Rideau 都漢－阿列－麗多
Touraine Chenonceaux 都漢－雪儂梭
Touraine Mesland 都漢－梅思隆
Touraine Noble-Joué 都漢－諾伯勒－茱耶
Touraine Oisly 都漢－瓦思利
Touraine 都漢
Tournon sur-Rhône 隆河圖儂
Tournus 圖爾尼
Tours 都爾
Troyes 特洛伊
Tupin-et-Semons 土邦與西蒙
Turckheim 圖克翰
Tursan 圖爾松

V

Vacqueyras 瓦給哈斯
Vaison-la-Romaine 維松拉何曼
Valençay 瓦隆榭
Valence 瓦隆斯
Valenciennes 瓦隆榭納
Vallée de l'Ardre 阿爾德谷地
Vallée de la Marne 瑪恩谷地
Vallet 瓦列
Var 瓦爾省
Vaucluse 沃克呂茲省
Vendôme 旺多姆
Ventoux 馮度
Vercors 維寇爾山脈
Verdigny 維町尼
Vère 未爾河
Vérin 維杭
Vernou-sur-Brenne 布朗河畔韋爾努
Vézelay 維日雷
Vézelien 維日雷區
Vienne 維恩
Vierzon 維爾松
Villié-Morgon 維利耶－摩恭
Vin de Corse 科西嘉葡萄酒
Vinsobres 凡索伯
Viré-Clessé 維列－克雷榭
Virieu-le-Grand 大維希尤
Vitry-le-François 方斯瓦維提
Vivarais 維瓦瑞山脈
Volnay 渥爾內
Vosges 孚日山脈，孚日省
Vosne-Romanée 馮內－侯瑪內
Vougeot 梧玖
Vouvray 梧雷

W-Z

Wettolsheim 衛多塞
Wihr-au-Val 維歐瓦
Wissembourg 威森堡
Wolxheim 沃爾塞
Yonne 樣能省
Zellenberg 澤倫伯格

葡萄品種中法對照

土梭 Trousseau
大卡本內 Gros cabernet
大蒙仙 Ggros manseng
小粒種蜜思嘉 Muscat à petits grains
小維鐸 Petit verdot
小蒙仙 Petit manseng
小魅里耶 Petit meslier
小麗須玲 Petit rischling
山吉歐維榭 Sangiovese
巴巴胡 Barbaroux
巴比羅薩 Barbiròssa
仙梭 Cinsault
加美 Gamay
卡本內弗朗 Cabernet franc
卡本內蘇維濃 Cabernet Sauvignon
卡利濃 Carignan
卡拉多克 Caladoc
卡門內爾 Carménère
卡馬哈雷 Camaralet
古比 Courbu
古諾日 Counoise
布布蘭克 Bourboulenc
布根地香瓜 Melon de Bourgogne
瓦卡黑斯 Vaccarèse
白于尼 Ugni blanc
白加美 Gamay blanc
白古比 Courbu blanc
白皮諾 Pinot blanc
白克雷耶特 Clairette blanche
白固維 Gouais blanc
白帕斯卡爾 Pascale blanc
白芙爾 Folle blanche
白格那希 Grenache blanc
白梅洛 Merlot blanc
白梢楠 Chenin
白莎瓦涅 Savagnin blanc
白蒙得斯 Mondeuse blanche
白蘇維濃 Sauvignon
皮卡東 Picardan
皮朴爾 Picpoul
皮諾莫尼耶 Pinot meunier
灰皮諾 Pinot gris
灰格那希 Grenache gris
灰蘇維濃 Sauvignon gris
米勒－土高 Müller-thurgau
克雷耶特 Clairette
克寧佩雷 Knipperlé
希哈 Syrah
希爾瓦那 Sylvaner
杜黑薩 Dureza
亞歷山大蜜思嘉 Muscat d'Alexandrie
佩桑 Persan
帕加代畢提 Pagadèbiti
明努斯代露 Minustéllu
果葡隆 Gros plant
阿布麗由 Abouriou
阿里哥蝶 Aligoté
阿泰斯 Altesse
阿雷阿堤哥 Aleàticu
阿爾班 Arbane
侯莫宏丹 Romorantin
侯爾 Rolle
勃拉給 Braquet
胡姍 Roussanne
香提畢昂庫 Biàncu gentìle
夏卡雷露 Sciaccarellu
夏多內 Chardonnay
夏思拉 Chasselas
格那希 Grenache
格烏茲塔明那 Gewurztraminer
涅魯秋 Niellucciu
粉紅莎瓦涅 Savagnin rose
翁東克 Ondenc
馬卡伯 Macabeu
馬姍 Marsanne
馬爾瓦西 Malvoisie
馬爾貝克 Malbec
高倫巴 Colombard
崔塞怡 Tressaillier
梅洛 Merlot
莎瓦涅 Savagnin
莫札克 Mauzac
連得勒依 Loin ce l'Oeil, Lende l'El
都哈斯 Duras
凱薩 César
普沙 Poulsard
普恩拉爾 Prunelard
菲榭瓦度 Fer Servadou
黑皮朴爾 Picpoul noir
黑皮諾 Pinot noir
黑居宏頌 Jurançon noir
黑芙爾 Folle noire
黑格那希 Grenache noir
黑馬格德蓮 Magdeleine noire
黑鐵黑 Terret noir
塔那 Tannat
葛洛 Grolleau
賈給爾 Jacquère
鉤特 Côt
圖巴 Tourbat
維門替諾 Vermentino
維歐尼耶 Viognier
蒙得斯 Mondeuse
蓋利多 Calitor
蜜思卡丹 Muscardin
蜜思卡岱勒 Muscadelle
蜜思嘉 Muscat
慕維得爾 Mourvèdre
摩列特 Molette
歐尼彼諾 Pineau d'Aunis
歐投奈爾蜜思嘉 Muscat ottonel
歐班 Aubin
歐歇瓦 Auxerrois
聶格列特 Négrette
薩希 Sacy
羅塞 Lauzet
麗絲玲 Riesling

葡萄品種法中對照

Abouriou 阿布麗由
Aleàticu 阿雷阿堤哥
Aligoté 阿里哥蝶
Altesse 阿泰斯
Arbane 阿爾班
Aubin 歐班
Auxerrois 歐歇瓦
Barbaroux 巴巴胡
Barbiròssa 巴比羅薩
Biàncu gentìle 香提畢昂庫
Bourboulenc 布布蘭克
Braquet 勃拉給
Cabernet franc 卡本內弗朗
Cabernet sauvignon 卡本內蘇維濃
Caladoc 卡拉多克
Calitor 蓋利多
Camaralet 卡馬哈雷
Carignan 卡利濃
Carménère 卡門內爾
César 凱薩
Chardonnay 夏多內
Chasselas 夏思拉
Chenin 白梢楠
Cinsault 仙梭
Clairette blanche 白克雷耶特
Clairette 克雷耶特
Colombard 高倫巴
Côt 鉤特
Counoise 古諾日
Courbu blanc 白古比
Courbu 古比
Duras 都哈斯
Dureza 杜黑薩
Fer servadou 菲榭瓦度
Folle blanche 白芙爾
Folle noire 黑芙爾
Gamay 加美
Gamay blanc 白加美
Gewurztraminer 格烏茲塔明那
Gouais blanc 白固維
Grenache blanc 白格那希
Grenache gris 灰格那希
Grenache noir 黑格那希
Grenache 格那希
Grolleau 葛洛
Gros cabernet 大卡本內
Gros manseng 大蒙仙
Gros plant 果葡隆
Jacquère 賈給爾
Jurançon noir 黑居宏頌
Knipperlé 克寧佩雷
Lauzet 羅塞
Loin ce l'Oeil, Lende l'El 連得勒依
Macabeu 馬卡伯
Magdeleine noire 黑馬格德蓮
Malbec 馬爾貝克
Malvoisie 馬爾瓦西
Marsanne 馬姍
Mauzac 莫札克
Melon de Bourgogne 布根地香瓜
Merlot blanc 白梅洛

Merlot 梅洛
Minustéllu 明努斯代露
Molette 摩列特
Mondeuse blanche 白蒙得斯
Mondeuse 蒙得斯
Mourvèdre 慕維得爾
Müller-thurgau 米勒－土高
Muscadelle 蜜思卡岱勒
Muscardin 蜜思卡丹
Muscat à petits grains 小粒種蜜思嘉
Muscat d'Alexandrie 亞歷山大蜜思嘉
Muscat ottonel 歐投奈爾蜜思嘉
Muscat 蜜思嘉
Négrette 聶格列特
Nielluccìu 涅魯秋
Ondenc 翁東克
Pagadèbiti 帕加代畢提
Pascale blanc 白帕斯卡爾
Persan 佩桑
Petit manseng 小蒙仙
Petit meslier 小魅里耶
Petit rischling 小麗須玲
Petit verdot 小維鐸
Picardan 皮卡東
Picpoul noir 黑皮朴爾
Picpoul 皮朴爾
Pineau d'Aunis 歐尼彼諾
Pinot blanc 白皮諾
Pinot gris 灰皮諾
Pinot meunier 皮諾莫尼耶
Pinot noir 黑皮諾
Poulsard 普沙
Prunelard 普恩拉爾
Riesling 麗絲玲
Rolle 侯爾
Romorantin 侯莫宏丹
Roussanne 胡珊
Sacy 薩希
Sangiovese 山吉歐維榭
Sauvignon gris 灰蘇維濃
Sauvignon 白蘇維濃
Savagnin blanc 白莎瓦涅
Savagnin rose 粉紅莎瓦涅
Savagnin 莎瓦涅
Sciaccarellu 夏卡雷露
Sylvaner 希爾瓦那
Syrah 希哈
Tannat 塔那
Terret noir 黑鐵黑
Tourbat 圖巴
Tressaillier 崔塞怡
Trousseau 土梭
Ugni blanc 白于尼
Vaccarèse 瓦卡黑斯
Vermentino 維門替諾
Viognier 維歐尼耶

酒款中法對照

凡索伯 Vinsobres
巴替摩尼歐白酒 Patrimonio blanc
巴替摩尼歐紅酒 Patrimonio rouge
巴歇漢克干白酒 Pacherenc sec
巴歇漢克甜白酒 Pacherenc doux
卡巴得斯紅酒 Cabardès
卡斯康丘白酒 Côtes de Gascogne blanc
尼姆丘 Costières-de-Nîmes
瓦給哈斯 Vacqueyras
皮內皮朴爾 Picpoul de Pinet
吉恭達斯 Gigondas
安茹卡本內 Cabernet d'Anjou
安茹白酒 Anjou blanc
年輕的蒙巴季亞克 Monbazillac jeune
老熟的蒙巴季亞克 Monbazillac vieux
艾米達吉白酒 Hermitage Blanc
艾米達吉紅酒 Hermitage Rouge
佛傑爾紅酒 Faugères rouge
佛傑爾粉紅酒 Faugères rosé
克拉伯白酒 La Clape blanc
克拉伯紅酒 La Clape rouge
克羅茲－艾米達吉北部 Crozes-Hermitage Nord
克羅茲－艾米達吉南部 Crozes-Hermitage Sud
利慕布隆凱特氣泡酒 Blanquette de Limoux
希塞粉紅酒 Rosé des Riceys
貝夏蒙 Pécharmant
貝傑哈克 Bergerac
貝爾嘉德－克雷耶特 Clairette-de-bellegarde
貝澤納斯紅酒 Pézenas rouge
里哈克 Lirac
侏羅氣泡酒 Crémant du Jura
侏羅馬克凡利口酒 Macvin du Jura, vin de liqueur
侏羅渣釀白蘭地 Marc du Jura
拉札克河階紅酒 Terrasses du Larzac
阿爾伯白酒 Arbois blanc
阿爾伯紅酒 Arbois rouge
侯塞特 Rosette
哈斯多 Rasteau
威尼斯－彭姆 Beaumes-de-Venise
威尼斯－彭姆蜜思嘉 Muscat de Beaumes-de-Venise
柯比耶紅酒 Corbières rouge
柯比耶粉紅酒 Corbières rosé
科西嘉角蜜思嘉 Muscat du Cap Corse
科西嘉粉紅酒 Rosé Corse
迪－克雷耶特 Clairette de Die
迪氣泡酒 Crémant de Die
夏隆堡黃酒 Château-Chalon
恭得里奧 Condrieu
格里耶堡 Château-Grillet
馬勒佩爾紅酒 Malepère
馬第宏 Madiran
密內瓦紅酒 Minervois
教皇新堡白酒 Châteauneuf-du-Pape blanc
教皇新堡紅酒 Châteauneuf-du-Pape rouge
梭密爾香比尼 Saumur Champigny
梭密爾細泡酒 Saumur Fines Bulles
都哈斯丘 Côtes de Duras
麥稈酒 Vin de paille
給漢 Cairanne
菲杜 Fitou
萊陽丘 Coteaux du Layon
隆格多克－克雷耶特 Clairette du Languedoc
塔維勒 Tavel
聖山紅酒 Saint-Mont rouge
聖西紐片岩地塊紅酒 Saint-Chinian rouge sur schiste
聖西紐石灰岩土壤紅酒 Saint-Chinian rouge sur schiste
聖喬瑟夫白酒 Saint-Joseph blanc
聖喬瑟夫紅酒 Saint-Joseph rouge
聖路峰紅酒 Pic Saint-Loup rouge
聖路峰粉紅酒 Pic Saint-Loup rosé
圖爾松白酒 Tursan blanc
圖爾松紅酒 Tursan rouge
圖爾松粉紅酒 Tursan rosé
蒙哈維爾 Montravel
蘇西涅克 Saussignac

酒款法中對照

Anjou blanc 安茹白酒
Arbois blanc 阿爾伯白酒
Arbois rouge 阿爾伯紅酒
Beaumes-de-Venise 威尼斯－彭姆
Bergerac 貝傑哈克
Blanquette de Limoux 利慕布隆凱特氣泡酒
Cabardès 卡巴得斯紅酒
Cabernet d'Anjou 安茹卡本內
Cairanne 給漢
Château-Chalon 夏隆堡黃酒
Château-Grillet 格里耶堡
Châteauneuf-du-Pape blanc 教皇新堡白酒
Châteauneuf-du-Pape rouge 教皇新堡紅酒
Clairette de Die 迪－克雷耶特
Clairette du Languedoc 隆格多克－克雷耶特
Clairette-de-bellegarde 貝爾嘉德－克雷耶特
Condrieu 恭得里奧
Corbières rosé 柯比耶粉紅酒
Corbières rouge 柯比耶紅酒
Costières-de-Nîmes 尼姆丘
Coteaux du Layon 萊陽丘
Côtes de Duras 都哈斯丘
Côtes de Gascogne blanc 卡斯康丘白酒
Crémant de Die 迪氣泡酒
Crémant du Jura 侏羅氣泡酒
Crozes-Hermitage Nord 克羅茲－艾米達吉北部
Crozes-Hermitage Sud 克羅茲－艾米達吉南部
Faugères rosé 佛傑爾粉紅酒
Faugères rouge 佛傑爾紅酒
Fitou 菲杜
Gigondas 吉恭達斯
Hermitage Blanc 艾米達吉白酒
Hermitage Rouge 艾米達吉紅酒
La Clape blanc 克拉伯白酒
La Clape rouge 克拉伯紅酒
Lirac 里哈克
Macvin du Jura, vin de liqueur 侏羅馬克凡利口酒
Madiran 馬第宏
Malepère 馬勒佩爾紅酒
Marc du Jura 侏羅渣釀白蘭地
Minervois 密內瓦紅酒
Monbazillac jeune 年輕的蒙巴季亞克
Monbazillac vieux 老熟的蒙巴季亞克
Montravel 蒙哈維爾
Muscat de Beaumes-de-Venise 威尼斯－彭姆蜜思嘉
Muscat du Cap Corse 科西嘉角蜜思嘉
Pacherenc doux 巴歇漢克甜白酒
Pacherenc sec 巴歇漢克干白酒
Patrimonio blanc 巴替摩尼歐白酒
Patrimonio rouge 巴替摩尼歐紅酒
Pécharmant 貝夏蒙
Pézenas rouge 貝澤納斯紅酒
Pic Saint-Loup rosé 聖路峰粉紅酒
Pic Saint-Loup rouge 聖路峰紅酒
Picpoul de Pinet 皮內皮朴爾
Rasteau 哈斯多
Rosé Corse 科西嘉粉紅酒
Rosé des Riceys 希塞粉紅酒
Rosette 侯塞特
Saint-Chinian rouge sur schiste 聖西紐片岩地塊紅酒
Saint-Chinian rouge sur schiste 聖西紐石灰岩土壤紅酒
Saint-Joseph blanc 聖喬瑟夫白酒
Saint-Joseph rouge 聖喬瑟夫紅酒
Saint-Mont rouge 聖山紅酒
Saumur Champigny 梭密爾香比尼
Saumur Fines Bulles 梭密爾細泡酒
Saussignac 蘇西涅克
Tavel 塔維勒
Terrasses du Larzac 拉札克河階紅酒
Tursan blanc 圖爾松白酒
Tursan rosé 圖爾松粉紅酒
Tursan rouge 圖爾松紅酒
Vacqueyras 瓦給哈斯
Vin de paille 麥稈酒
Vinsobres 凡索伯

國家圖書館出版品預行編目資料

法國葡萄酒地圖：愛酒人最想探究的法國15大經典產區, 85張地圖、2,600年的釀酒史、品種與土壤分析, 循序漸進走上引人入勝的法國葡萄酒之路! / 朱爾.高貝特潘(Jules Gaubert-Turpin), 亞德里安.碧昂奇(Adrien Grant Smith Bianchi), 查理.加羅斯(Charlie Garros)作；劉永智譯. -- 初版. -- 臺北市：積木文化出版：英屬蓋曼群島商家庭傳媒股份有限公司城邦分公司發行, 2022.10
面；　公分
譯自：La route des vins s'il vous plaît: L'atlas des vignobles de France

ISBN 978-986-459-438-2（精裝）

1.CST: 葡萄酒 2.CST: 酒業 3.CST: 法國

463.814　　111011626

法國葡萄酒地圖

愛酒人最想探究的法國15大經典產區，
85張地圖、2,600年的釀酒史、品種與土壤分析，
循序漸進走上引人入勝的法國葡萄酒之路！

原 書 名／La route des vins s'il vous plaît: L'atlas des vignobles de France
作　　者／威朱爾・高貝特潘（Jules Gaubert-Turpin）、亞德里安・碧昂奇（Adrien Grant Smith Bianchi）、查理・加羅斯（Charlie Garros）
譯　　者／劉永智
特約編輯／陳錦輝

總 編 輯／王秀婷
責任編輯／郭羽漫
行銷業務／黃明雪
版　　權／徐昉驊

發 行 人／凃玉雲
出　　版／積木文化
104台北市民生東路二段141號5樓
電話：(02) 2500-7696　傳真：(02) 2500-1953
官方部落格：http://cubepress.com.tw/
讀者服務信箱：service_cube@hmg.com.tw
發　　行／英屬蓋曼群島商家庭傳媒股份有限公司城邦分公司
台北市民生東路二段141號11樓
讀者服務專線：(02)25007718-9　24小時傳真專線：(02)25001990-1
服務時間：週一至週五上午09:30-12:00、下午13:30-17:00
郵撥：19863813　戶名：書虫股份有限公司
網站：城邦讀書花園　網址：www.cite.com.tw
香港發行所／城邦（香港）出版集團有限公司
香港灣仔駱克道193號東超商業中心1樓
電話：852-25086231　傳真：852-25789337
電子信箱：hkcite@biznetvigator.com
馬新發行所／城邦（馬新）出版集團Cite (M) Sdn Bhd
41, Jalan Radin Anum, Bandar Baru Sri Petaling,
57000 Kuala Lumpur, Malaysia.
電話：603-90563833　傳真：603-90576622
email: services@cite.my

城邦讀書花園
www.cite.com.tw

封面完稿／PURE
內頁排版／薛美惠
製版印刷／上晴彩色印刷製版有限公司

【印刷版】
2022年10月27日 初版一刷
售價／NT$1380元
ISBN 978-986-459-438-2

【電子版】
2022年10月
ISBN 978-986-459-453-5（EPUB）